PERCORSI:
L'Italia attraverso la lingua e la cultura, Second Edition
At-A-Glance

Percorsi is an introductory program that promotes the acquisition of Italian language and culture through the integration of the "5 C's" principles of the National Standards for Foreign Language Education. *Percorsi* is designed to provide beginning learners with a variety of tools to develop their communicative competence in the four major language skills—listening, speaking, reading, and writing—as they acquire familiarity with Italian culture. All of the features in *Percorsi* have been carefully thought out to support the two key aspects of the language acquisition process: language comprehension and language production.

Percorsi: L'Italia attraverso la lingua e la cultura, Second Edition, is organized into three volumes to help build students competency and proficiency in the Italian language. The focus is to help students understand and speak Italian in a variety of settings with increasing accuracy and at expanding levels of sophistication.

Volume	Features
Volume 1 Preliminary Chapter – Chapter 5	Introduces students to the Italian language and culture. Covers basic listening, speaking, reading, and writing skills.
Volume 2 Chapter 6 – 11	Helps students develop deeper fluency of Italian by moving from words and sentences to paragraphs and stories, enabling a more in-depth understanding of Italian culture.
Volume 3 Chapter 12 – 16	Send them to Italy! Students continue to develop communication skills in Italian and deepen their understanding of Italian culture, everyday life, society and values.

Features & Benefits

Please refer to the page numbers listed for a complete walk-thru of our program's outstanding features and benefits. These sections will provide detailed information on the many ways *Percorsi* 2e will work for you.

Feature	Benefit	Learn More
Scope and Sequence	Provides an overview of the thoughtful integration of the chapter topics, vocabulary, and functionally sequenced grammar within a rich cultural framework.	See page vi
New to this Edition	New and updated, features and activities provide a greater balance for more review. Recycling of vocabulary and structures taught in previous chapters offer ample opportunities to learn the material gradually and thoroughly.	See page xiv
Outstanding Features	*Percorsi* is a rich, highly flexible program with a well-developed approach to skill development allowing for many pathways or options for both teachers and students.	See page xvi
Chapter Organization	Available in three volumes, as described above, offering a Preliminary plus 16 chapters. The individual chapters include three main components: the three *Percorso* sections, *In Pratica*, and *Attraverso*. In addition, each chapter concludes with a *Vocabolario* section.	See page xvii
Program Components	A wealth of supplements is available for additional application, practice, and assessment opportunities.	See page xix
Exceptional Media Resource	myitalianlab **www.mylanguagelabs.com** MyLanguageLabs.com is the gateway to Pearson's highly successful online learning and assessment systems for basic language courses. Developed in close collaboration with language instructors, MyLanguageLabs are designed to serve the unique needs of language learners and language teachers. Its unparalleled combination of tools and resources takes online support for language learning and teaching to new levels.	See page xxi

SECOND EDITION

Volume 1

PERCORSI

L'ITALIA ATTRAVERSO LA LINGUA E LA CULTURA

FRANCESCA ITALIANO

University of Southern California

IRENE MARCHEGIANI

State University of New York at Stony Brook

PRENTICE HALL

Boston   Columbus   Indianapolis   New York   San Francisco   Upper Saddle River   Amsterdam
Cape Town   Dubai   London   Madrid   Milan   Munich   Paris   Montréal   Toronto   Delhi
Mexico City   São Paulo   Sydney   Hong Kong   Seoul   Singapore   Taipei   Tokyo

Executive Acquisitions Editor: Rachel McCoy
Editorial Assistant: Noha Amer
Executive Marketing Manager: Kris Ellis-Levy
Marketing Coordinator: Bill Bliss
Development Editor: Barbara Lyons
Development Editor for Assessment: Melissa Marolla Brown
Senior Managing Editor for Product Development: Mary Rottino
Associate Managing Editor (Production): Janice Stangel
Senior Production Project Manager: Nancy Stevenson
Media/Supplements Editor: Meriel Martínez
Executive Editor, MyLanguageLabs: Bob Hemmer
Senior Media Editor: Samantha Alducin
Senior Art Director: Pat Smythe
Senior Manufacturing & Operations Manager, Arts & Sciences: Nick Sklitsis
Operations Specialist: Cathleen Petersen/Brian Mackey
Text & Cover Designer: Lisa Delgado, Delgado and Company, Inc.
Full-Service Project Management: Francesca Monaco, Emilcomp/Preparé, Inc.
Composition: Emilcomp/Preparé, Inc.
Printer/Binder: R. R. Donnelley
Cover Printer: Lehigh - Phoenix Color
Cover Credit: Gail Dohrmann/Mira.com
Publisher: Phil Miller

This book was set in 10.5/12 Sabon.

Credits and acknowledgments borrowed from other sources and reproduced,
with permission, in this textbook appear on appropriate page within text (or on page **C1**).

Library of Congress Cataloging-in-Publication Data
Italiano, Francesca.
   Percorsi : l'italia attraverso le lingua e la cultura / Francesca Italiano, Irene
Marchegiani. -- 2nd ed.
      p. cm.
   Includes bibliographical references and index.
   ISBN-13: 978–0–205–78472–1 (student ed. : alk. paper)
   ISBN-10: 0–205–78472–0 (student ed. : alk. paper)
   ISBN-13: 978–0–205–79612–0 (annotated instructor's ed : alk. paper)
   ISBN-10: 0–205–79612–5 (annotated instructor's ed : alk. paper) 1. Italian
language--Textbooks for foreign speakers--English. 2. Italian language--Grammar.
3. Italian language--Spoken Italian. I. Jones, Irene Marchegiani. II. Title.
   PC1129.E5I837 2011
   458.2'421--dc22
                      2010045450

10 9 8 7 6 5 4 3 2 1
Student Editions (High School Binding)
Volume 1 ISBN 10: 0-13-260133-8/ISBN 13: 978-0-13-260133-7
Volume 2 ISBN 10: 0-13-260132-X/ISBN 13: 978-0-13-260132-0
Volume 3 ISBN 10: 0-13-260139-7/ISBN 13: 978-0-13-260139-9

Annotated Instructor's Edition (High School Binding)
ISBN 10: 0-13-261064-7/ISBN 13: 978-0-13-261064-3

Prentice Hall
is an imprint of

PearsonSchool.com/Advanced

Brief Contents

Volume 1

Capitolo preliminare Tanto per cominciare   1

1   Come va, ragazzi?   10

2   Che bella la vita da studente!   40

3   Mi riconosci?   72

4   Giorno per giorno   102

5   Ecco la mia famiglia   134

Volume 2

6   Casa mia, casa mia…   166

7   Che hai fatto di bello?   198

8   Ti ricordi quando?   226

9   Buon divertimento!   256

10   Che ricordo splendido!   290

11   E dopo, che farai?   318

Volume 3

12   La vita che vorrei   348

13   Dove andiamo in vacanza?   378

14   Quante cose da fare in città!   410

15   Alla salute!   440

16   Gli italiani di oggi   472

Scope and Sequence

	Per comunicare	Percorsi
CAPITOLO PRELIMINARE **Tanto per cominciare** 1	• Pronounce and spell Italian words • Keep a conversation going	• Percorso I Italian Pronunciation and Spelling: The Italian Alphabet **1** • Percorso II Useful Expressions for Keeping a Conversation Going **7**
CAPITOLO 1 **Come va, ragazzi?** 10	• Greet people and make introductions • Express dates • Count from 1 to 100 • Exchange personal information	• Percorso I Ciao, sono... **11** • Percorso II Le date, i giorni e i mesi **19** • Percorso III Informazioni personali **23**
CAPITOLO 2 **Che bella la vita da studente!** 40	• Identify people and things in an Italian-language classroom • Describe campus buildings and facilities • Describe everyday activities in different locations on campus	• Percorso I In classe **41** • Percorso II L'università **48** • Percorso III Le attività a scuola **56**
CAPITOLO 3 **Mi riconosci?** 72	• Describe people's appearance and personality • Identify and describe articles of clothing • Talk about your favorite activities	• Percorso I La descrizione delle persone **73** • Percorso II L'abbigliamento **81** • Percorso III Le attività preferite **88**
CAPITOLO 4 **Giorno per giorno** 102	• Tell time • Describe your everyday activities • Talk about food and your eating habits • Describe weather conditions and seasonal activities	• Percorso I Le attività di tutti i giorni **103** • Percorso II I pasti e il cibo **111** • Percorso III Le stagioni e il tempo **117**

Grammatica	In pratica	Cultura Lo sai che?	Attraverso...
• The Italian Alphabet		• The Italian language • Spelling in Italian • The Italian peninsula	• La Penisola Italiana 8
• I pronomi soggetto • Il presente di *stare* • I numeri da 0 a 100 • Il presente di *essere*	• Parliamo 31 • Leggiamo: *Pubblicità* 31 • Scriviamo 33 • Guardiamo 35	• Greetings • Addressing people • Italian first names • Using titles with names • The italian calendar	• Il Piemonte 36
• Il genere dei nomi • L'articolo indeterminativo • Il presente di *avere* • Il plurale dei nomi • L'articolo determinativo • Il presente dei verbi in -*are* • Il presente di *fare*	• Parliamo 63 • Leggiamo: *Madrelingua* 63 • Scriviamo 65 • Guardiamo 66	• The Italian university • Bologna la Dotta	• L'Emilia-Romagna 68
• L'aggettivo • La quantità: *dei, degli, delle* • *Bello* e *quello* • Il presente dei verbi in -*ere* e in -*ire*	• Parliamo 93 • Leggiamo: *Domina* 94 • Scriviamo 96 • Guardiamo 97	• Italian fashion • Important centers of Italian fashion	• La Lombardia 98
• Il presente dei verbi riflessivi • La quantità: *del, dello, dell', della* • Il presente di *bere* • Il presente di *andare, venire* e *uscire* • Espressioni con *avere*	• Parliamo 125 • Leggiamo: *Voglio tornare alle 5* 126 • Scriviamo 128 • Guardiamo 128	• The 24-hour clock • Business hours • Meals in Italy • Celsius *versus* Fahrenheit	• Le Marche 130

Scope and Sequence

	Per comunicare	Percorsi
CAPITOLO 5 **Ecco la mia famiglia** 134	• Talk about your family and relatives • Describe family holidays and parties • Talk about household chores	• Percorso I La famiglia e i parenti **135** • Percorso II Le feste in famiglia **144** • Percorso III Le faccende di casa **151**
CAPITOLO 6 **Casa mia,** **casa mia...** 166	• Describe the rooms and furniture in your home • Talk about household furnishings and their prices • Talk about what you did at home recently	• Percorso I Le stanze e i mobili **167** • Percorso II L'arredamento della casa **175** • Percorso III Le attività in casa **183**
CAPITOLO 7 **Che hai fatto** **di bello?** 198	• Discuss how you spent your free time • Talk about sports • Make plans for the weekend and other occasions	• Percorso I Le attività del tempo libero **199** • Percorso II Le attività sportive **206** • Percorso III I programmi per il tempo libero **212**
CAPITOLO 8 **Ti ricordi quando?** 226	• Talk about your childhood • Discuss past school experiences • Describe the way things used to be and talk about changes	• Percorso I I ricordi d'infanzia e di adolescenza **227** • Percorso II I ricordi di scuola **234** • Percorso III La vita com'era **241**

Grammatica	In pratica	Cultura Lo sai che?	Attraverso...
• Gli aggettivi possessivi • I pronomi possessivi • Il presente di *conoscere* e *sapere* • Il presente di *dare* e *dire* • I pronomi diretti: *lo, la, li, le* • Il presente di *dovere, potere* e *volere*	• Parliamo 156 • Leggiamo: *Interviste* 157 • Scriviamo 159 • Guardiamo 160	• La famiglia italiana • Le feste in famiglia • I diciotto anni	• La Toscana 162
• Le preposizioni • *Ci* • *Ne* • I numeri dopo 100 • Il passato prossimo con *avere* • Participi passati irregolari • L'accordo del participio passato con i pronomi di oggetto diretto	• Parliamo 190 • Leggiamo: *Annunci Affitti Vacanza* 191 • Scriviamo 192 • Guardiamo 193	• La città e le abitazioni degli italiani • L'euro • Gli italiani e il gusto delle cose belle	• Il Friuli-Venezia Giulia e la Puglia 194
• Il passato prossimo con *essere* • Il *si* impersonale • I pronomi tonici • Interrogativi	• Parliamo 218 • Leggiamo: *Macché Vienna!* 219 *Hai mai provato a pattinare?* 219 *Il calcio al cinema e alla TV* 219 • Scriviamo 220 • Guardiamo 220	• Gli italiani e il tempo libero • Il calcio e altri sport • La musica in Italia	• La Valle d'Aosta e il Trentino-Alto Adige 222
• L'imperfetto • Espressioni negative • Gli avverbi • Gli aggettivi e i pronomi dimostrativi	• Parliamo 248 • Leggiamo: *Roberto Bolle* 249 • Scriviamo 250 • Guardiamo 251	• I fumetti • La scuola in Italia • L'Italia di ieri e di oggi	• Il Lazio 252

Scope and Sequence

	Per comunicare	Percorsi	
CAPITOLO 9 **Buon divertimento!** 256	• Talk about holidays • Describe holiday meals • Discuss food and order in a restaurant	• Percorso I • Percorso II • Percorso III	Le feste e le tradizioni 257 I pranzi delle feste 267 Al ristorante 275
CAPITOLO 10 **Che ricordo splendido!** 290	• Discuss important events and relationships in your life • Describe good and bad memories • Talk about unforgettable trips and vacations	• Percorso I • Percorso II • Percorso III	Avvenimenti importanti 291 Ricordi di ogni genere 299 Viaggi e vacanze indimenticabili 304
CAPITOLO 11 **E dopo, che farai?** 318	• Talk about your plans for the immediate future • Make plans on the telephone • Discuss your long-term goals	• Percorso I • Percorso II • Percorso III	I progetti per i prossimi giorni 319 I programmi al telefono 326 I piani per il futuro 334
CAPITOLO 12 **La vita che vorrei** 348	• Discuss your career goals • Express hopes, dreams, and aspirations • Talk about finding a place to live	• Percorso I • Percorso II • Percorso III	La scelta della carriera 349 Speranze e desideri 355 La residenza ideale 362
CAPITOLO 13 **Dove andiamo in vacanza?** 378	• Talk about your travel plans • Discuss hotel arrangements • Describe vacation activities	• Percorso I • Percorso II • Percorso III	I mezzi di trasporto 379 Alberghi e campeggi 386 Le vacanze 393

Grammatica	In pratica	Cultura Lo sai che?	Attraverso...
• I pronomi di oggetto diretto • I pronomi di oggetto indiretto • Il partitivo • L'imperativo informale • Il verbo *piacere*	• Parliamo 282 • Leggiamo: *Perché non possiamo fare a meno del Natale* 283 • Scriviamo 284 • Guardiamo 284	• Le feste, le tradizioni e le sagre • Carnevale e la commedia dell'arte • I ristoranti in Italia	• L'Umbria 286
• L'imperfetto e il passato prossimo • Azioni reciproche • I pronomi relativi *che* e *cui* • Il trapassato prossimo	• Parliamo 310 • Leggiamo: *Oro e record mondiale*, Federica Pellegrini 311 • Scriviamo 312 • Guardiamo 312	• La scuola e lo sport • Il turismo in Italia	• La Calabria e la Sardegna 314
• Il futuro • Il futuro di probabilità • Il gerundio e il progressivo • *Dopo e Prima* con l'infinito	• Parliamo 339 • Leggiamo: *La stazione spaziale*, Gianni Rodari 340 • Scriviamo 342 • Guardiamo 343	• Telefonare in Italia • L'Italia, un Paese di «mammoni»?	• La Liguria 344
• Il condizionale presente di *dovere, potere* e *volere* • Il condizionale presente • I pronomi doppi	• Parliamo 368 • Leggiamo: *Margherita Hack, astrofisica*, 369 • Scriviamo 371 • Guardiamo 372	• Un lavoro per i giovani • Lotterie in Italia	• Il Veneto 374
• I comparativi • Il superlativo relativo • Il superlativo assoluto • Aggettivi e pronomi indefiniti: un riepilogo	• Parliamo 399 • Leggiamo: *Mare*, Goffredo Parise 400 • Scriviamo 403 • Guardiamo 404	• In automobile, in treno e in autobus • Gli alberghi in Italia • Viaggi e vacanze degli italiani	• La Campania 406

Scope and Sequence

	Per comunicare	Percorsi	

CAPITOLO 14
Quante cose da fare in città! 410

- Talk about where to shop
- Give commands and instructions
- Give and follow directions to get around town
- Tell where to go for different services
- Talk about shopping for clothes

- Percorso I — Fare acquisti in città 411
- Percorso II — In giro per la città 419
- Percorso III — Le spese per l'abbigliamento 426

CAPITOLO 15
Alla salute! 440

- Identify parts of the body and discuss health and wellness issues
- Describe ailments and give and follow health-related advice
- Express opinions on health and environmental issues

- Percorso I — Il corpo e la salute 441
- Percorso II — Dal medico 447
- Percorso III — L'ambiente e le nuove tecnologie 456

CAPITOLO 16
Gli italiani di oggi 472

- Discuss italian politics and Italy's role in the European Union
- Talk about contemporary Italian society
- Talk about Italian people around the world

- Percorso I — Il governo italiano e gli altri Paesi 473
- Percorso II — I nuovi italiani 482
- Percorso III — La presenza italiana nel mondo 490

APPENDICES: •   Appendix A, Verb Charts   •   Appendix B, Vocabolario italiano-inglese

GRAMMATICAL EXPANSION: **Ancora un po'**
A presentation of the following structures and related exercises is found in the Student Activities Manual.

- The past conditional
- The pluperfect subjunctive
- Conjunctions that require the subjunctive

- *If* sentences of improbability (e.g., **Se fossi andato, lo avresti capito.**)
- Other uses of **ci** and **ne**
- Other uses of the subjunctive

Grammatica	In pratica	Cultura Lo sai che?	Attraverso...
• Il plurale di nomi e aggettivi • L'imperativo informale con i pronomi • L'imperativo formale • I verbi riflessivi con i pronomi di oggetto diretto	• Parliamo 431 • Leggiamo: *Palermo* 432 • Scriviamo 434 • Guardiamo 434	• Fare acquisti • La piazza italiana e il corso principale	• La Sicilia 436
• Le espressioni impersonali + l'infinito • Il congiuntivo presente • Usi del congiuntivo • Il congiuntivo presente dei verbi irregolari • Il congiuntivo passato	• Parliamo 462 • Leggiamo: *Dal medico*, Dino Buzzati 463 • Scriviamo 465 • Guardiamo 466	• L'assistenza sanitaria • Il cibo biologico	• L'Abruzzo 468
• Il congiuntivo o l'indicativo • Il congiuntivo o l'infinito • Il congiuntivo imperfetto • Il congiuntivo imperfetto (II) • Frasi con il *se* • Il congiuntivo: l'uso dei tempi • Il passato remoto	• Parliamo 499 • Leggiamo: *Wash*, Luigi Fontanella 500 • Scriviamo 503 • Guardiamo 504	• L'Italia oggi • L'Italia e l'Europa • L'immigrazione in Italia • L'emigrazione italiana nel mondo	• Il Molise e la Basilicata 506

• Appendix C, Vocabolario inglese-italiano   • CREDITS   • INDEX

Preface

Percorso I
Le attività di tutti i giorni

VOCABOLARIO

Cosa facciamo ogni giorno?

La mattina e la sera di Riccardo

Riccardo si sveglia. Riccardo si alza. Riccardo si lava i denti.

Riccardo si fa la doccia. Riccardo si fa la barba. Riccardo si veste. Si mette una camicia e i jeans.

Riccardo fa colazione con il padre e la sorella. Riccardo si spoglia e si prepara per andare a letto. Riccardo si addormenta.

Chapter 4, Percorso I,
page 103

New in This Edition

New and updated Percorso

Each *Percorso* develops within a cultural framework an aspect of the chapter theme, presenting and practicing vocabulary essential for communicating about the topic along with related grammar structures.

- New structures are introduced visually through captioned illustrations, photos, or realia at the beginning of each *Percorso* then embodied in the *In contesto* language samples.
- The *Lo sai che?* cultural notes throughout **Percorsi** have been revised or replaced to reflect contemporary cultural realities.

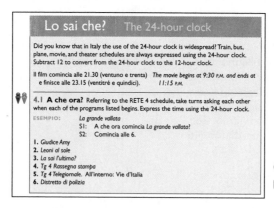

Lo sai che? The 24-hour clock

Did you know that in Italy the use of the 24-hour clock is widespread? Train, bus, plane, movie, and theater schedules are always expressed using the 24-hour clock. Subtract 12 to convert from the 24-hour clock to the 12-hour clock.

Il film comincia alle 21.30 (ventuno e trenta) *The movie begins at 9:30 P.M. and ends at* e finisce alle 23.15 (ventitré e quindici). *11:15 P.M.*

4.1 A che ora? Referring to the RETE 4 schedule, take turns asking each other when each of the programs listed begins. Express the time using the 24-hour clock.

ESEMPIO: *La grande vallata*
S1:   A che ora comincia *La grande vallata?*
S2:   Comincia alle 6.

1. *Giudice Amy*
2. *Leoni al sole*
3. *La sai l'ultima?*
4. *Tg 4 Rassegna stampa*
5. *Tg 4 Telegiornale. All'interno: Vie d'Italia*
6. *Distretto di polizia*

Chapter 4, Percorso I,
page 105

- Vocabulary has been streamlined and presented primarily through photos, artwork, realia, and assorted language samples. The related exercises and activities reinforce new vocabulary as well as reviewing and recycling thematic vocabulary from other chapters.
- The newly designed *Occhio alla lingua!* questions presented to the students, prior to the grammar sections, encourage students to analyze inductively or to review the Percorso's linguistic input.

Occhio alla lingua!

1. Look at the illustrations on page 103 and read the captions. What kind of activities is Riccardo engaged in? What do you notice about most of the verbs used to indicate his daily activities?
2. Read Giulio's e-mail again; then consider the following verbs used in his message: **mi sveglio, mi preparo, mi riposo.** What do these verbs have in common?
3. Who or what is the subject of each verb listed in #2?

Chapter 4,
Percorso I,
page 107

- The streamlined grammar explanations that follow present structures in the context of communicative needs.

Updated *In contesto* dialogues

The majority of the *In contesto* dialogues have been revised to achieve a lighter tone, a more streamlined approach, and an often humorous focus.

Increased focus on learner strategies and a process orientation to skills development

A new *Parliamo,* part of the *In Pratica* section (previously titled Andiamo avanti!), devoted to speaking complements existing skill-based sections devoted to reading, writing, and listening. *Parliamo* introduces students to a specific speaking strategy, then leads them through carefully sequenced activities that prepare them to carry out an assigned task, converse, and follow up appropriately. Together, the *Parliamo, Leggiamo, Scriviamo,* and *Guardiamo* sections comprise the chapter wrap-up section now entitled *In pratica.* Through the process approach to development of the four skills, students become confident as they learn to carry out a wide variety of communicative tasks.

Existing skill-based sections have been replaced or updated with substantial new content and practical, realistic new tasks and activities:

- Six of the *Leggiamo* readings are new or have been significantly revised; these include chapter-related advertisements of a practical nature and journalistic prose texts.
- Four of the *Scriviamo* writing assignments have been revised or replaced to emphasize real-life tasks and contemporary contexts.

More pervasive regional emphasis throughout the chapters & enhanced use of Italian

More consistent integration of the regional focus—at the heart of each chapter's *Attraverso* section—is now achieved through relevant texts, illustrations, and cultural notes. Beginning in Capitolo 5, all *Attraverso* cultural presentations are written entirely in Italian.

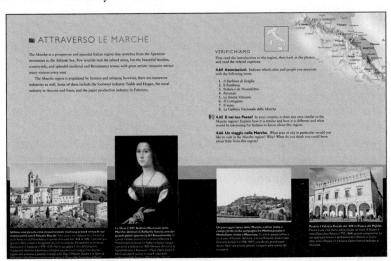

Chapter 4, pages 130–131

New design and art

Separate textbook volumes along with a completely new design enhances the contemporary focus and visual appeal of *Percorsi* while increasing user friendliness and providing students in volume 1, 2 & 3 with the appropriate content for their course.

Exceptional Media Resource

Designed exclusively for **PERCORSI: L'Italia attraverso la lingua e la cultura, 2e** ©2012, **MyItalianLab**, part of the award-winning Pearson's *MyLanguageLabs*, is a nationally hosted online learning system created for students and teachers of language courses. It brings together—in one convenient, easily navigable site—a wide array of language-learning tools and resources, including an **interactive version of the *Percorsi* student text**, an online Student Activities Manual, and all materials from the audio program. Chapter Practice Tests, tutorials, and English grammar Readiness Checks personalize instruction to meet the unique needs of individual students. See page xxi for complete *MyItalianLab* information and availability.

A GUIDE TO *PERCORSI* ICONS

🔊	**Text Audio Program**	This icon indicates that recorded material is available in MyItalianLab to accompany *Percorsi*. Some recordings are also available on the text audio CDs and the Companion Website.
👥	**Pair Activity**	This icon indicates that the activity is designed to be done by students working in pairs.
👥	**Group Activity**	This icon indicates that the activity is designed to be done by students working in small groups or as a whole class.
📱	**MediaShare**	This icon, presented with all Parliamo boxes, refers to the video-posting feature available on MyItalianLab.
🌐	**Web Activity**	This icon indicates that the activity involves use of the Internet.

Outstanding Features

■ **Thoughtful integration of the chapter topics, vocabulary, and functionally sequenced grammar within a rich cultural framework.** This integration is enhanced by *Percorsi*'s cyclical Scope and Sequence, which emphasizes the recycling of vocabulary and structures taught in previous chapters; students are given ample opportunity to learn the material gradually and thoroughly. The focus is on helping them to understand and speak Italian in a variety of settings with increasing accuracy and at expanding levels of sophistication. The clear and manageable grammar presentation complements this focus.

■ **Adaptability to different course structures and teaching needs.** As the title indicates, *Percorsi* is a rich, highly flexible program that provides teachers and students with many pathways, or options. Teachers can emphasize the features most suited to their class and students, and can choose a wide array of supplementary materials. Teachers also have flexibility in deciding how to work with the various chapter elements. The teaching of grammar, for example, can be done inductively, through integration of grammar into the overall *Percorso* thematic content; by using *Occhio alla lingua!*, allowing students to understand or to review new grammar points; or through more traditional work with the *Grammatica* sections. Teachers decide how much emphasis to give to the presentation of grammar, since much of the presentation and related practice can be assigned as homework.

- **A concise, functionally organized grammar presentation.** *Percorsi* offers a concise, functionally organized grammar enhanced by a cyclical syllabus. New structures are introduced visually through captioned illustrations, photos, or realia at the beginning of each *Percorso*, then embodied in the *In contesto* language samples. In turn, the *Occhio alla lingua!* questions encourage students to analyze inductively or to review the Percorso's linguistic input. Students are then presented with streamlined grammar explanations that follow present structures in the context of communicative needs.

- **A well-developed process approach to skill development.** Students are provided with a well-thought-out framework for carrying out authentic speaking, reading, writing, and viewing tasks. Pre-speaking, reading, writing, and viewing activities provide advance preparation for these sections. Students are then guided as they carry out the assignment, and encouraged through appropriate follow-up. This process approach helps students gain confidence in carrying out highly varied tasks in Italian.

- **An outstanding video filmed in Italy to accompany the textbook.** Through a series of unscripted interviews, the video introduces an engaging cast of Italian speakers who talk about high-interest topics related to each chapter, including their families, work, and leisure activities. Richly authentic cultural footage accompanies each interview segment. The videos are available for purchase on DVD or available within *MyItalianLab*. See page xxi for additional *MyItalianLab* information and availability.

- **Rich annotations for the teacher.** Extensive annotations provide suggestions for presentation of new vocabulary and grammar, background information, and ideas for expansion and enrichment activities. The annotations also include the scripts for listening activities and answers for the exercises.

Chapter 4, Percorso III,
page 119

Chapter Organization

Percorsi Volume 1, Volume 2, and Volume 3 features a Preliminary plus 16 chapters. Volume 1 begins with a short *Capitolo preliminare*, which introduces the Italian language, gives an overview of the Italian regions, and introduces basic classroom vocabulary.

The individual chapters include three main components: the three *Percorso* sections, *In Practica*, and *Attraverso*. In addition, each chapter concludes with a *Vocabolario* section.

PERCORSO I, II, III

Each *Percorso* develops within a cultural framework an aspect of the chapter theme, presenting and practicing vocabulary essential for communicating about the topic along with related grammar structures. The three Percorsi include the following components:

VOCABOLARIO

Key vocabulary is presented primarily through authentic photos, artwork, realia, and assorted language samples. The related exercises and activities reinforce new vocabulary as well as reviewing and recycling thematic vocabulary from other chapters. The vocabulary presentation is complemented by the following elements:

- *Così si dice* boxes are used to present very briefly a grammar or linguistic structure necessary for communicating about a given topic. Key grammar points appearing in *Così si dice* are subsequently treated in depth in later chapters.

Chapter 4, Percorso III,
page 117

- *In contesto* includes a brief conversation, recorded on the text audio program, or a short authentic text, such as an e-mail, that draws together in an interesting, contextualized way the *Percorso*'s theme, vocabulary, and grammar structures.

- *Occhio alla lingua!* encourages students to examine the *Percorso*'s linguistic input featured in the *Vocabolario* and *In contesto* sections in order to discover inductively or to review new grammar points.

- *Lo sai che?* boxes provide illustrated contemporary cultural, "little c" information relevant to the *Percorso* and encourage students to think analytically about both Italian culture and their own.

GRAMMATICA

Chapter 4, Percorso III, page 119

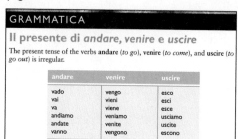

Grammatical structures are presented concisely in English allowing students to clearly understand the concepts without the target language getting in the way. They are enhanced by numerous examples and well-designed charts. Carefully sequenced related exercises provide practice within meaningful contexts, reinforcing the chapter theme and vocabulary. Each chapter includes one listening activity related to a grammar concept, recorded on the audio program that accompanies the text.

Percorsi includes the essential points of Italian grammar for an introductory course. For those who wish to provide a complete presentation of Italian grammar, a supplementary chapter is included in the *Student Activities Manual* that includes topics and tenses not presented in the textbook itself. See page xx for more information and availability of the Student Activities Manual.

Scambi is the wrap-up section that appears after each *Percorso*'s *Grammatica* section. The thematically oriented *Scambi* activities have an interactive focus and encourage creative yet relevant use of new *Percorso* vocabulary and grammar structures, encouraging students to work with a partner or group.

IN PRATICA

This section, which follows the three *Percorsi* provides in-depth exploration of the chapter theme from varied perspectives while promoting development of the four skills via the process-approach.

- *Parliamo* sections begin with *Strategie per parlare* that target specific speaking strategies. In turn, a three-step process guides students through an assigned speaking task that draws and expands upon chapter themes and content within a real-life context. Pre-speaking activities prepare students to carry out the assigned task; a framework for the actual speaking assignment provides ongoing practical guidance; a wrap-up section encourages thoughtful follow-up.

- *Leggiamo* is based on an authentic, thematically appropriate reading text. This section begins with a reading strategy and then guides students through pre-reading preparation, the actual reading task, including application of the strategy, and post-reading work.

The post-reading activities check comprehension at different levels and encourage students to use critical-thinking skills and make inferences. As chapters progress, more literary selections are introduced.

- *Scriviamo* begins with a specific strategy and related pre-writing preparation. A framework for carrying out the actual writing task is then provided, along with suggestions for appropriate follow-up.

LEGGIAMO

Strategie per leggere   Using title and subtitles to anticipate content

Before you begin reading a text, examine the titles, subtitles, and other headings that summarize the main ideas. Looking at these elements carefully can help you make preliminary assumptions about the content and activate your background knowledge of the topic.

Prima di leggere

4.53 The text below deals with a common issue facing young Italians and their parents. Before you read it, consider carefully the title and subtitle, and then answer these questions.

1. Look at the title of the reading, *Voglio (I want) tornare alle 5*. Who do you think is speaking? Do you think the person is talking about 5:00 P.M. or 5:00 A.M.?

Chapter 4, pages 126, 128

Strategie per scrivere
Writing an e-mail

An Italian e-mail is very similar to an informal letter. You can begin simply with the name of the person you are writing to, or you can use **Cara/o** + the person's name. Use everyday language in your message and make your points briefly. You can close with an informal expression, such as **Tanti cari saluti** or **Ciao**, followed by your name, or you can just type your name.

SCRIVIAMO

La routine giornaliera. Imagine that you have received Giulio's e-mail message (p. 106) and are now sending him a response. Tell him about your own daily and weekend routines, and ask him a couple of questions of your own.

Prima di scrivere

4.58 Follow these steps to organize your thoughts before drafting your message to Giulio.

1. Decide what interesting information you can share with Giulio in response to his e-mail. List major aspects of your daily routine that you want to mention.

The *Scriviamo* activities give students opportunities to practice writing for diverse practical and academic purposes. The writing topics draw upon the chapter themes, vocabulary, and grammatical structures.

■ *Guardiamo* guides students as they view chapter-related clips from the *Percorsi* video and starts with introduction of an initial comprehension strategy and pre-viewing preparation. In turn, a relevant activity assists students during viewing, and follow-up work checks comprehension and encourages reflection. This approach helps students improve their listening skills, become sensitive to visual clues, including facial expressions and body language common to Italians when speaking, and develop increased cultural awareness. The videos clips are available for purchase on the video DVD or available within *MyItalianLab*. See page xxi for additional *MyItalianLab* information and availability.

ATTRAVERSO

This visually rich section provides a concise regionally based overview of Italian art and architecture along with related historical, geographic, and economic information, "Big C". Beautiful photos expose students to Italy's rich cultural heritage and stunning landscapes, towns, and cities. The brief introductions are in English through Capitolo 4 (Volume 1). Starting with Capitolo 5, the informative photo captions are in simple Italian so that students can begin immediately to learn about Italy's regions in the target language. Related exercises and activities check comprehension and encourage students to make inferences and cross-cultural comparisons.

Chapter 4, page 132

VOCABOLARIO

Each chapter concludes with a list of the chapter's active vocabulary that has been presented in the three Percorsi. This section is recorded on *MyItalianLab* to help students master pronunciation of each word and expression. See page xxi for additional *MyItalianLab* information and availability.

Program Components

Most of the teacher supplements and resources for this text are available electronically for download to qualified adopters on the Instructor Resource Center (IRC).

Upon adoption or to preview, please go to PearsonSchool.com/Advanced and select "Online Teacher Supplements." You will be required to complete a brief one-time registration subject to verification of educator status. Upon verification, access information and instructions will be sent to you via email. Once logged into the IRC enter your text ISBN in the Search our Catalog box to locate your resources.

Student resources are available for purchase.

Annotated Instructor's Edition-*Complete text-includes all chapters*
The annotations offer detailed suggestions for presentation of new material and creative use of the exercises and activities, including options for variations and expansion. Answers for exercises and activities are also provided where appropriate. Available in print.

Instructor's Resource Manual (IRM)
This manual provides sample syllabi, lesson plans, as well as additional teaching tips. The IRM also provides the scripts for the listening comprehension activities within the *Student Activities Manual* and the interview video transcript. The IRM is available online for download only through the Instructor Resource Center.

Testing Program

By adopting a "modular" approach, the Testing Program allows for maximum flexibility, each chapter of the Testing Program consists of a bank of customizable quiz activities closely coordinated with the vocabulary and grammar presented in the corresponding chapter of the textbook. These quiz activities primarily elicit discrete answers. In addition, a highly flexible testing program provides two types of tests for each chapter—one that solicits more open-ended answers, and one that elicits more discrete answers. The Testing Program includes chapter tests and comprehensive examinations that test listening, reading, and writing skills, as well as cultural knowledge. This resource is available online for download through the Instructor Resource Center and within *MyItalianLab*, which provide teachers the ability to customize the tests more easily. See page xxi for additional *MyItalianLab* information and availability.

Audio CD to Accompany the Testing Program

All aural sections are recorded for the teacher's use in a classroom or laboratory setting. Available for purchase. Also available within *MyItalianLab*. See page xxi for additional *MyItalianLab* information and availability.

Image Resource Bank

MyItalianLab contains labeled and unlabeled versions of all of the line art images from the textbook. Teachers will be able to incorporate these images into presentation slides, worksheets, and transparencies, as well as find many other creative uses for them. See page xxi for additional *MyItalianLab* information and availability.

Audio CD to Accompany the Text

Offers each chapter's *In contesto* dialogues and listening activities. The audio is available for purchase on CD-ROM, on the Companion Web Site at www.pearsonhighered.com/percorsi, or within *MyItalianLab*. See page xxi for additional *MyItalianLab* information and availability.

Student Activities Manual (SAM)

The Student Activities Manual provides complete coordination with the structure and approach of the *Percorsi* text and offers an ample variety of written and listening activities correlated to the topics and grammar components presented in each of the textbook chapters. The traditional workbook exercises provide meaningful practice of the vocabulary and grammar structures introduced in each chapter, as well as practice in reading comprehension and writing skills. The audio exercises are integrated within each chapter and provide listening practice based on authentic speech and real-life situations. The video activities, also integrated within each chapter, complement the activities in the *Guardiamo* section of the textbook. These exercises offer students the ability to expand their understanding of the plot of the video segments while making connections between their own lives and the lives of the characters. The SAM Volume 1, 2 or 3 is available for purchase or within *MyItalianLab*.
See page xxi for additional MyItalianLab information and availability.

Audio CDs to Accompany the Student Activities Manual

Contain recordings for the listening comprehension activities within the SAM. This audio is available for purchase on CD-ROM, on the Companion Web Site at www.pearsonhighered.com/percorsi, or within *MyItalianLab*.
See page xxi for additional *MyItalianLab* information and availability.

Answer Key to Accompany the Student Activities Manual

Provides answers to all activities in the *Student Activities Manual*. Available for purchase or within *MyItalianLab*. See below for additional *MyItalianLab* information and availability.

Video Program to Accompany Percorsi

The *Percorsi* video, filmed specifically to accompany the textbook, helps bring Italy to the classroom. Through a series of unscripted interviews, the video introduces an engaging cast of Italian speakers who converse on high-interest themes from the text. These include their families, work and leisure activities, and their experiences. Rich and authentic cultural footage accompanies each interview segment. The video is available for purchase on DVD or within *MyItalianLab*. See below for additional *MyItalianLab* information and availability.

EXCEPTIONAL STUDENT AND TEACHER MEDIA RESOURCES

Companion Web Site www.pearsonhighered.com/percorsi

Organized by chapter, this open access Web site features links to web-based activities for language and cultural learning, and provides the in-text and *Student Activity Manual* audio programs.

myitalianlab MyItalianLab

Designed exclusively for **PERCORSI: L'Italia attraverso la lingua e la cultura,** 2e ©2012, **MyItalianLab** is a nationally hosted online learning system created for students and teachers of language courses. It brings together—in one convenient, easily navigable site—a wide array of language-learning tools and resources, including an **interactive version of the *Percorsi* student texts.** **MyItalianLab** offers student **activities, videos, audio** resources, Web links, **end-of-chapter vocabulary, readiness checks** with instant feedback and personalized instruction, animated **grammar tutorials** with comprehension checks, **verbal response voice-recording capabilities, verb charts, interactive glossary** with English-to-Italian and Italian-to-English translations, **tests,** a customizable online **gradebook,** and much more! Take a tour of this exciting new resource at **www.myitalianlab.com**

Upon textbook purchase, students and teachers are granted access to **MyItalianLab.** High school teachers can obtain preview or adoption access for **MyItalianLab** in one of the following ways:

Preview Access

■ Teachers can request preview access online by visiting PearsonSchool.comAccess_Request, using Option 2/3. Preview Access information will be sent to the teacher via email.

Adoption Access

■ With the purchase of this program, a Pearson Adoption Access Card, with codes and complete instructions, will be delivered with your textbook purchase. (ISBN: 0-13-034391-9)

■ Ask your sales representative for an Adoption Access Code Card (ISBN: 0-13-034391-9)
    or
■ Visit PearsonSchool.com/Access_Request. Using Option 2/3. Adoption access information will be sent to the teacher via email.

Students, ask your teacher for access.

CAPITOLO PRELIMINARE
Tanto per cominciare

Il Colosseo

Percorso I: Italian Pronunciation and Spelling: The Italian Alphabet
Percorso II: Useful Expressions for Keeping a Conversation Going
Attraverso: La penisola italiana

In this chapter you will learn how to:

◆ Pronounce and spell Italian words

◆ Keep a conversation going

Percorso I
Italian Pronunciation and Spelling: The Italian Alphabet

"Ecco alcuni Yankee d'Italia"

LOMBARDIA
Lawrence Ferlinghetti (poeta)
Joe Venuti (musicista)
Andrew Viterbi (ingegnere)

LIGURIA
Amadeo Giannini (banchiere)

FRIULI-VENEZIA GIULIA
Roy Jacuzzi (inventore)

EMILIA-ROMAGNA
Peter Kolosimo (scrittore)

ABRUZZO
Perry Como (cantante)
Pascal D'Angelo (scrittore)
Joseph La Palombara (politologo)
Madonna (cantante)
Henry Mancini (musicista)
Rocky Marciano (pugile)

MOLISE
Robert De Niro (attore)
Dean Martin (cantante)

BASILICATA
Francis Ford Coppola (regista)
Nicolas Cage (attore)

SARDEGNA
Franco Columbu (culturista)

PUGLIA
Brian De Palma (regista)
Sylvester Stallone (attore)
John Turturro (regista)
Rodolfo Valentino (attore)

SICILIA
Frank Capra (regista)
Chick Corea (musicista)
Joe Di Maggio (sportivo)
Bon Jovi (musicista)
Jake La Motta (pugile)
Al Pacino (attore)
Antonino Scalia (giudice)
Martin Scorsese (regista)
Frank Sinatra (cantante)
Frank Zappa (musicista)

CAMPANIA
Mario Cuomo (politico)
Geraldine Ferraro (politico)
Jay Leno (conduttore TV)
Mario Puzo (scrittore)
Bruce Springsteen (musicista)

CALABRIA
Danny DeVito (attore)
Connie Francis (cantante)
Leon Panetta (politico)
George Pataki (politico)

P.1 Che parole italiane sai già? List the Italian words you already know
in the following categories.

1. food
2. music
3. art
4. other

P.2 Cosa sai dell'Italia? Do you know any Italian regions or cities? How about famous people of Italian origin?

Occhio alla lingua!

1. What do you notice about the sounds and the corresponding spelling of Italian words?
2. What do you notice about the endings of Italian words?
3. What do you notice about how vowels are pronounced?

Così si dice   The Italian alphabet: Pronunciation

Italian is easy to pronounce because it is a phonetic language, which means that it is pronounced the way it is written. Italian and English use the Latin alphabet, but the sound of many letters differ in the two languages. Once you become familiar with the sounds of the Italian alphabet, you will have no trouble spelling Italian words and pronouncing them correctly.

The Italian alphabet has twenty-one letters. In addition, the letters *j, k, w, x,* and *y* are used in words of foreign origin. Every letter in Italian is pronounced except *h*. Below is the complete alphabet and a key to pronouncing it.

The Italian alphabet. Repeat each letter after the speaker.

a	*a*		n	*enne*
b	*bi*		o	*o*
c	*ci*		p	*pi*
d	*di*		q	*cu*
e	*e*		r	*erre*
f	*effe*		s	*esse*
g	*gi*		t	*ti*
h	*acca*		u	*u*
i	*i*		v	*vu*
l	*elle*		z	*zeta*
m	*emme*			

j (*i lunga*)   k (*kappa*)   w (*doppia vu*)   x (*ics*)   y (*i greca* or *ipsilon*)

 P.3 Le regioni italiane. Look at the regional map of Italy opposite the inside front cover of this book and locate the following regions. Repeat the name of each region.

1. Piemonte
2. Lombardia
3. Emilia-Romagna
4. Marche
5. Lazio
6. Abruzzo
7. Puglia
8. Sicilia
9. Sardegna

Lo sai che?   The Italian language

Italian is a Romance language. Like the other Romance languages—French, Spanish, Portuguese, and Romanian—it derives from Latin, the language of the ancient Romans.

The Italian language is based on the dialect spoken in Tuscany and in particular, in Florence. This historical development can be traced back to the cultural and political importance of Florence and all of Tuscany in the 1300s. Tuscan writers, such as Dante, Petrarch, and Boccaccio, wrote some of their most illustrious works in the Tuscan-Florentine idiom, giving this particular dialect prominence and prestige.

The Florentine poet Dante Alighieri wrote his greatest work, *La Divina Commedia,* in his dialect. This work became the linguistic model for all the writers who followed him who chose not to write in Latin. Because of this, Dante is considered the father of the Italian language.

Italian is the official language of Italy, but it is also spoken in southern Switzerland, in parts of Croatia, and in parts of the French territories of Corsica and Savoy. In addition to standard Italian, many Italians speak the dialect of their region or city, which can differ in significant ways from the official language. In Italy, there are also a number of linguistic and ethnic minorities who still speak their own language as well as Italian.

Painting of Dante Alighieri explaining *The Divine Comedy* (1465) by Domenico di Michelino, Florence, Duomo Santa Maria del Fiore

🔊 Le vocali

Italian has five basic vowel sounds: *a, e, i, o,* and *u.* Italian vowels are always pronounced with short, clear-cut sounds; they are never glided or elongated as in English. The vowels *e* and *o* have open and closed sounds, which can vary in different words. These sounds can also change from region to region.

Repeat each vowel and the related words.

a (*father*)	data	male	sta
e (*day*)	mese	e	sera (*closed e*)
e (*pet*)	bene	neo	sei (*open e*)
i (*machine*)	libro	grazie	italiano
o (*cold*)	nome	come	giorno (*closed o*)
o (*soft*)	buono	notte	nove (*open o*)
u (*rule*)	uno	tu	lunedì

Lo sai che?   Spelling in Italian

Italians use the names of major cities to spell their surnames. For example, to spell the last name **Boggio,** they would say: **Bologna, Otranto, Genova, Genova, Imola, Otranto.** You can use the following cities and words to spell your name in Italian.

A Ancona	**H** Hotel	**Q** Quadro	Foreign letters can be expressed as:
B Bologna	**I** Imola	**R** Roma	
C Caserta	**L** Livorno	**S** Siena	**J** Jeans
D Domodossola	**M** Milano	**T** Torino	**K** Kaiser
E Empoli	**N** Napoli	**U** Udine	**W** Washington
F Firenze	**O** Otranto	**V** Venezia	**X** Xilofono
G Genova	**P** Perugia	**Z** Zara	**Y** York

P.4 E adesso le città italiane. Now look at the regional maps inside the back cover of this book and locate these Italian cities as you repeat their names.

1. Asti
2. Arezzo
3. Assisi
4. L'Aquila
5. Agrigento
6. Ostia
7. Urbino

8. Nuoro
9. Brindisi
10. Siracusa
11. Reggio Calabria
12. Trieste
13. Cosenza
14. Sassari

Le consonanti

Many consonants in Italian are pronounced as in English, except that they are never aspirated, that is, never pronounced with a puff of air. Only a few consonants and some consonant combinations need particular attention.

1. The consonants *c* and *g* have a hard, guttural sound, when they precede the vowels *a, o,* and *u*. The *c* is equivalent to the English *call* and the *g* to the English *go*.

calendario	come	amico	acuto
gatto	agosto	guida	auguri

2. The letters *c* and *g* have a soft sound when they precede the vowels *e* and *i*. The *c* is equivalent to the English *church* and the *g* to the English *gentle*.

cena	piacere	ciao	cinese
gennaio	gelato	giorno	oggi

3. *Ch* and *gh* have a hard, guttural sound and are pronounced like the English *c* in *cat* and the *g* in *ghost*.

chi	chiami	Michelangelo	cherubino
ghetto	luoghi	spaghetti	ghirlanda

4. *Gli* is pronounced almost like the English *lli* in *million*.

luglio	foglio	famiglia	ciglio

5. *Gn* is somewhat similar to the English *ny* in *canyon*.

cognome	compagna	lasagne	spagnolo

Le consonanti doppie

In contrast to single consonants, double consonants are pronounced more forcefully and the sound is longer than a single consonant. Compare the sounds of the following words as you repeat them.

camino / cammino	casa / cassa
pena / penna	bruto / brutto
pala / palla	sono / sonno
speso / spesso	tuta / tutta

🔊 L'accento tonico

1. Most Italian words are stressed on the next-to-the-last syllable.

    studen**tes**sa   la**va**gna   ca**pi**to   par**la**re   stu**dia**re

2. If the stress falls on the last vowel, there is usually a written accent.

    città   università   nazionalità   caffè   tiramisù

3. Some words, however, are stressed on the third syllable from the last and a few on the fourth syllable from the last. Only consulting a dictionary will clarify where the stress falls.

    ri**pe**tere   **nu**mero   si**gni**fica   te**le**fono
    abitano   te**le**fonano   di**cia**moglielo

4. Some one-syllable words have a written accent to distinguish them from words that are spelled and pronounced the same but have a different meaning.

    e (*and*)   è (*is*)   da (*from*)   dà (*gives*)
    la (*the*)   là (*there*)   li (*them*)   lì (*there*)
    se (*if*)   sé (*self*)   si (*oneself*)   sì (*yes*)

👥👥 **P.5 Le regioni e i capoluoghi.** Take turns looking at the regional map of Italy opposite the inside front cover of this book and filling in the names of the missing regions on the map on page 1 of this chapter. Write also the name of the capital (**capoluogo**) of each region (**regione**).

👥👥 **P.6 Come si scrive?** How would you spell your name in Italian? Look at the list on page 3 for the names of important cities you can use.

Lo sai che? | The Italian peninsula

An aerial view of the Italian peninsula and the European continent

The Italian peninsula is easily recognizable because of its characteristic boot shape. Italy is divided into twenty regions, each one with its own capital. Rome is the capital (**capitale**) of the nation. The two major islands are Sardinia and Sicily, but there are many other smaller islands along the Italian coast: Capri, Ischia, Elba, and the Eolie are among the most famous. There are also two independent states within Italy: Vatican City and the Republic of San Marino.

P.7 Geografia. Take turns looking at the regional map of Italy opposite the inside front cover and completing the map on page 1 of this chapter with the following information. Help your partner write unfamiliar words by spelling them in Italian.

1. The seas that surround Italy
2. The nation's capital
3. Two major chains of mountains
4. Two important rivers

 P.8 Dove sono? Take turns locating the following cities and islands on the three maps inside the back cover of this book and indicating in which part of Italy (**nord, centro, sud**) and/or region they can be found.

1. Mantova
2. Siena
3. Parma
4. Agrigento
5. Pescara
6. Reggio Calabria
7. Pompei
8. Potenza
9. Verona
10. Cagliari
11. Isole Eolie
12. Elba
13. Capri

 P.9 Chi è? Take turns guessing who each of the following people is, finding him or her on the map on page 1, and spelling the name in Italian. Don't forget to use the names of important Italian cities to clarify sounds and letters.

1. Lombardia: un poeta
2. Puglia: un regista
3. Lombardia: un musicista
4. Calabria: una cantante
5. Campania: un politico
6. Sicilia: uno sportivo
7. Basilicata: un attore
8. Molise: un attore

Parmigiano Reggiano is only made in Italy and only in the provinces of Parma, Reggio Emilia, Modena, and in certain areas in the provinces of Bologna and Mantua. "Parmigiano-Reggiano DOP" (denominazione di origine protetta) will always be stamped in the rind.

Percorso II
Useful Expressions for Keeping a Conversation Going

 Per conversare

Now that you have a better understanding of Italian sounds and letters, you're ready to start speaking Italian. The following expressions will help you keep a conversation going. Repeat each expression.

Non capisco.	*I don't understand.*
Non lo so.	*I don't know.*
Che significa… ?	*What does . . . mean?*
Che vuol dire… ?	*What does . . . mean?*
Come si dice… ?	*How do you say . . . ?*
Come si pronuncia… ?	*How do you pronounce . . . ?*
Come si scrive… ?	*How do you write . . . ?*
Ripeta, per favore.	*Please repeat. (polite)*
Ripeti, per favore.	*Please repeat. (informal)*

 Espressioni in classe

Learning the following expressions will help you understand your instructor's and classmates' instructions in class. Repeat each expression.

Aprite il libro, per favore.	*Open your books, please.*
Ascoltate.	*Listen.*
Bene! Benissimo!	*Good! Very good!*
Capite?	*Do you understand?*
Chiudete il libro.	*Close your books.*
Come?	*What?*
Domandate…	*Ask . . .*
Indovinate…	*Guess . . .*
Leggete.	*Read.*
Prendete un foglio di carta.	*Get a piece of paper.*
Ripetete.	*Repeat.*
Rispondete.	*Answer.*
Scrivete.	*Write.*
Studiate.	*Study.*
Trovate…	*Find . . .*

Così si dice   Cognates

Your understanding of Italian will be enhanced by learning to recognize and use cognates. Cognates are words that look similar in different languages and have a similar meaning. Since in both English and Italian there are many words that derive from Latin and Greek, there are many cognates, and you will be able to understand numerous Italian words by using your knowledge of English.

Can you guess what the following words mean in English?

attenzione	matematica
attore	montagna
automobile	musica
biologia	nazionalità
calendario	nazione
città	professore
conversazione	regione
dizionario	studente
dottore	televisione
espressione	università
ingegnere	vocabolario

P.10 Che cosa diresti tu? What would you say in the following situations?

1. You didn't hear what the teacher said.
2. You want to know what **regione** means.
3. You didn't understand something the teacher said.
4. You want to know how to say *river* in Italian.
5. You want to know how to spell **montagna** in Italian.
6. You don't know the answer to something.
7. You want to know what **mare** means.
8. You want to know how to pronounce **Alpi.**

■ ATTRAVERSO LA PENISOLA ITALIANA

L'Italia e gli italiani

The terrain of the Italian peninsula is as diverse as the many different regions that it encompasses. Traditions, customs, architecture, dialects, cuisine, and even the physical appearance of its inhabitants differ from one region to another. Each region reflects the varied historical events that over the centuries helped shape Italy as a country and give it its unique character.

Italy became a nation-state in 1861. The various states of the peninsula and the islands of Sicily and Sardinia were united at that time under King Victor Emmanuel II, but it was only in 1870 that the final phase of unification took place. Even after more than a century and a half of unification, Italians have remained very attached to their own cities and regions. Interesting regional differences are still noticeable; this is an aspect of Italian culture that makes the country distinctive and fascinating.

The Italian Peninsula in Numbers

Population: 60,000,000

Area: 301,230 sq km

Coastline: 7,600 km

Regions: 20

The largest region: Sicily

The smallest region: Valle d'Aosta

The most populated region: Lombardia

Caltagirone, Sicilia

Gran Paradiso, Valle d'Aosta

Lago Maggiore, Lombardia

VERIFICHIAMO

P.11 Cosa sai dell'Italia? Which of the following statements are true?

1. Italy is about as large as California.
2. The Italian language varies from region to region.
3. Italy became a nation in 1920.
4. There are many beautiful beaches in Italy.
5. Sicily is its most populated region.
6. Lombardy is the largest region in Italy.
7. Italy used to be a monarchy.
8. Italy is a relatively young nation.
9. Valle d'Aosta is a region in Italy.
10. Sardinia is part of the Italian nation.
11. Italy is a culturally homogeneous country.
12. Italy is a mountainous country.
13. The Italian flag is similar to the American flag.
14. Italians are very proud of their cities.

P.12 Conosci l'Italia? Which Italian cities and regions do you associate with the following scenes? Explain your answers.

1.

2.

Giovani ragazzi
in piazza

Percorso I: Ciao, sono...
Percorso II: Le date, i giorni e i mesi
Percorso III: Informazioni personali
In pratica
Attraverso: Il Piemonte

In this chapter you will learn how to:

◆ Greet people and make introductions

◆ Express dates

◆ Count from 1 to 100

◆ Exchange personal information

Percorso I
Ciao, sono...

VOCABOLARIO

 **Buongiorno! Come si chiama?**

SIGNOR BIANCHI:	Buongiorno, Signora. Come va?
SIGNORA:	Molto bene, grazie. E Lei?
SIGNOR BIANCHI:	Bene, grazie.
SIGNORA:	Signor Bianchi, Le presento il professor Crivelli.
SIGNOR BIANCHI:	Piacere, professore. Come si chiama?
PROFESSOR CRIVELLI:	Mi chiamo Daniele, Daniele Crivelli.
SIGNORA:	Oh! È tardi. Devo andare. Arrivederci!

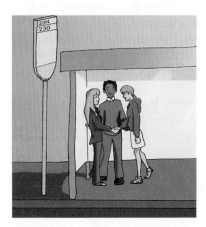

GIUSEPPE:	Ciao, Mariella, come stai?
MARIELLA:	Non c'è male. E tu, Giuseppe?
GIUSEPPE:	Abbastanza bene. Mariella, ti presento una mia amica.
MARIELLA:	Ciao! Come ti chiami?
TERESA:	Mi chiamo Teresa. Teresa Baldi. Buonasera, Mariella. Piacere.
GIUSEPPE:	A domani, Mariella.
MARIELLA:	Sì, a domani, Giuseppe. Ciao, Teresa. A presto!

I saluti

buongiorno *good morning, good afternoon*
buonasera *good afternoon, good evening, good night*
buonanotte *good night*
ciao *hi, hello, good-bye*
salve *hello*

così così *so-so*
male *badly*
Non sto bene. *I'm not well.*
Non c'è male. *Not too bad.*
Bene, grazie, e tu? *Fine, thank you, and you? (informal)*
Bene, grazie, e Lei? *Fine, thank you, and you? (formal)*

Le presentazioni

Come ti chiami (tu)? *What's your name? (informal)*
Come si chiama (Lei)? *What's your name? (formal)*
Mi chiamo... *My name is . . .*
Sono... *I am . . .*
E tu? *And you? (informal)*
E Lei? *And you? (formal)*
Ti presento... *This is . . . (informal)*
Le presento... *This is . . . (formal)*
Molto lieto/a. *Delighted.*
Piacere. *Pleased to meet you.*

Salutare le persone

arrivederci *good-bye (informal)*
arrivederLa *good-bye (formal)*
a domani *see you tomorrow*
a presto *see you soon*
ci vediamo *see you*
È tardi. Devo andare. *It's late. I have to go.*

Espressioni di cortesia

grazie *thank you*
prego *you are welcome*
scusa *excuse me (informal)*
scusi *excuse me (formal)*

Chiedere alle persone come stanno

Come stai (tu)? *How are you? (informal)*
Come sta (Lei)? *How are you? (formal)*
Come va? *How is it going?*
Sto... *I'm . . .*
abbastanza bene *pretty well*
bene *fine*
benissimo *very well, great*
molto bene *very well*

I titoli

professor(e)/ professoressa *professor*
signora *Mrs. / Ms.*
signor(e) *Mr.*
signorina *Miss*

Lo sai che? Greetings

Italians tend to be formal in their social exchanges. They use **buongiorno, buonasera, buonanotte**, and **arrivederLa** or **arrivederci** with people they do not know or with whom they do not have a close relationship. **Buongiorno** is used to greet people in the morning and until late afternoon. **Buonasera** is used starting in the late afternoon or early evening until late at night. **Buonanotte** is used only when parting for the night, before going to sleep. With family members, close friends, young children, and classmates, Italians are more informal, and **Ciao!** is frequently used as a greeting, as well as to say good-bye.

In Italy it is very common to shake hands when greeting someone. Frequently, close friends and family members also kiss each other on both cheeks, and at times they may embrace.

1.1 L'intruso. Select the word or expression that doesn't belong in each group.

1. grazie, ci vediamo, a presto
2. buongiorno, buonasera, benissimo
3. abbastanza bene, non c'è male, non sto bene
4. ciao, arrivederci, così così
5. grazie, scusa, prego
6. Piacere, Buonanotte, Molto lieto/a
7. professore, signore, professoressa
8. Sono..., Mi chiamo..., Come va?

Così si dice Saying what your name is

To find out someone's name you can ask, **Come si chiama (Lei)?** with people you
don't know well, or **Come ti chiami (tu)?** with friends and classmates. To respond, you
can simply say your name or answer with a complete sentence: **Mi chiamo Linda.**

mi chiamo	*my name is*
ti chiami	*your name is (informal)*
si chiama	*your name is (formal)*
si chiama	*his/her name is*

1.2 Formale o informale? Indicate which of the following expressions are
formal and which are informal.

	Formale	Informale
1. Come ti chiami?	_____	_____
2. Come sta?	_____	_____
3. E Lei?	_____	_____
4. ArrivederLa.	_____	_____
5. Scusa.	_____	_____
6. Bene, grazie, e tu?	_____	_____

1.3 L'opposto. Give the formal equivalent of the informal expressions, and
the informal equivalent of the formal ones.

1. Come ti chiami?
2. Come sta Lei?
3. E tu?
4. Ciao!
5. Scusi!
6. Ti presento…

1.4 Come si risponde? Match each sentence in the left column with the
appropriate response in the right column.

1. Come va?
2. Come ti chiami?
3. Ti presento Giuliano.
4. A domani.

a. Mi chiamo Roberto.
b. Non c'è male.
c. Arrivederci.
d. Piacere.

1.5 Cosa risponderesti? How would you respond to the following
questions and statements?

1. Ti presento Paolo.
2. Come va?
3. Come sta Lei?
4. Sono…

In contesto Piacere!

Giuseppe and Chiara, two students, meet on the first day of school.

GIUSEPPE: Ciao! Come ti chiami?
CHIARA: Chiara. E tu?
GIUSEPPE: Giuseppe. Come va?
CHIARA: Bene, grazie. E tu?
GIUSEPPE: Abbastanza bene. Ti presento il mio amico, Roberto.
CHIARA: Piacere.
ROBERTO: Molto lieto. Scusa, come ti chiami?
CHIARA: Mi chiamo Chiara.

1.6 Presentazioni. Rewrite the *In contesto* conversation using a formal register. Then act it out with two other classmates.

Occhio alla lingua!

1. Look at the people shown in the illustrations on page 11. Do you think they know each other well? Why?
2. Note how old the various people seem to be and how they are dressed. Do you think they are addressing each other in a formal or informal way?
3. What do you notice about the following verb endings: **mi chiamo, ti chiami, si chiama**? Can you detect a pattern?

Lo sai che? | Addressing people

In English, *you* is used to address a person directly, whether or not the speaker knows the person well. In Italian, there are two different ways to address a person: **Lei** and **tu**. Use the formal **Lei** when addressing older people, people with titles (**professore, professoressa, signore, signora,** etc.), or someone you don't know well, such as a waiter, salesperson, or other professional. Use the informal **tu** with children, friends, or someone you know well. In class, use the informal **tu** when talking to your classmates. Your instructor will probably also address you with the **tu** form. However, when speaking to your instructor, use **Lei** unless he/she tells you to use **tu**.

Signore, come si chiama (Lei)?	*Sir, what is your name? (formal)*
Come sta (Lei)?	*How are you? (formal)*
Come ti chiami (tu)?	*What is your name? (informal)*
Come stai (tu)?	*How are you? (informal)*

English speakers use *you* to address one person or a group of people. Italian has plural forms for *you*: **Loro** and **voi**. However, when speaking to two or more people, most Italians use **voi** with everyone, except in extremely formal situations. Note that **Lei** and **Loro** are frequently capitalized when they indicate the formal *you*.

GRAMMATICA

I pronomi soggetto

Verbs are used to express actions. The subject of a verb indicates who is performing an action. The subject can be a proper name, such as *Giovanni* or *Luisa,* or a pronoun, such as *I, you,* or *we.* You can use the following pronouns to address and refer to yourself, your classmates, and your teacher.

I pronomi soggetto			
Singolare		**Plurale**	
io	*I*	**noi**	*we*
tu	*you (informal)*	**voi**	*you (informal)*
Lei	*you (formal)*	**Loro**	*you (formal)*
lei	*she*	**loro**	*they*
lui	*he*		

1. Subject pronouns are used far less frequently in Italian than in English because the verb endings usually indicate the subject of a verb.

   —Come ti chiami? —*What's your name?*
   —Mi chiamo Giovanni. —*My name is Giovanni.*

2. Subject pronouns are generally used to clarify or emphasize a subject, and to point out a contrast between two subjects.

   Io mi chiamo Paolo e **lui** si chiama Giovanni. *My name is Paolo and his name is Giovanni.*

3. In Italian, *you* can be expressed with **tu / voi** or **Lei / Loro.**

1.7 Chi (Who)? What subject pronouns would you use to talk about the following people?

1. your brother
2. yourself
3. a neighbor's children
4. Signor Rossi
5. you and your sister
6. a female classmate
7. Dottoressa Alberti
8. an aunt and uncle

1.8 Quale pronome? Which form of *you* would you use in Italian to ask the following people how they are today?

1. your mother
2. your teacher
3. your cousins
4. your grandparents
5. your doctor
6. the school principal and his wife

1.9 Chi è? Complete the following sentences with the correct subject pronouns.

1. Come ti chiami _____ ? _____ mi chiamo Giulio.
2. Come si chiama _____? _____ si chiama Roberto.
3. Come si chiama _____? _____ si chiama Maria.
4. Signora, come si chiama _____? _____ mi chiamo Elisabetta Mazzotta.
5. Dottore, come si chiama _____? _____ mi chiamo Luigi Rodini.

Il presente di *stare*

In Italian, to inquire about someone's health you can ask, **Come va?** or, you can use the verb **stare** (*to be* or *to stay, to remain*). **Stare** is an irregular verb primarily used with expressions of health.

—Come sta, signora?   —*How are you, madam?*
—Sto bene, grazie.   —*I'm fine, thanks.*
—Come sta**nno** tutti a casa?   —*How is everyone at home?*

stare			
Singolare		**Plurale**	
io **sto**	*I am*	noi **stiamo**	*we are*
tu **stai**	*you are (informal)*	voi **state**	*you are (informal)*
Lei **sta**	*you are (formal)*	Loro **stanno**	*you are (formal)*
lui/lei **sta**	*he/she is*	loro **stanno**	*they are*

1. When asking a question in Italian, raise the pitch of your voice at the end of the question. The subject of the verb can be placed at the end of the sentence, at the beginning, or at times immediately after the verb.

   Come sta Maria?   *How is Maria?*
   Maria come sta?

2. **Sì** is used to answer a question affirmatively. If the answer to a question is negative, **no** is used.

   —Stai bene?   —*Are you well?*
   —No. Sto così così.   —*No. I feel so-so.*
   —Sta bene il signor Baldi?   —*Is Mr. Baldi well?*
   —Sì, sta benissimo!   —*Yes, he is very well!*

3. To make a sentence negative, **non** is used in front of the verb.

   —Non state bene oggi?   —*You are not well today?*
   —No. Non stiamo bene oggi.   —*No, we are not well today.*

 1.10 Chi sta... ? Listen to the following greetings and indicate whether each speaker is using a formal or informal register and whether he or she is addressing one person or more than one. Each greeting will be repeated twice.

	Formale	**Informale**	**Una persona**	**Più persone**
1.				
2.				
3.				
4.				

1.11 Come stai? Use the verb **stare** to ask how the following people are.

ESEMPIO: Alessandra
              Come sta Alessandra?

1. Tu
2. Riccardo e Rachele
3. I signori Berti
4. Francesca
5. Tu e Paolo
6. Roberto

I.12 Come va? Complete the following exchanges with the correct pronouns and/or the correct forms of the verb **stare**.

1. —Ciao, Giulio. Come _____?
   — _____ sto bene, ma Marco _____ piuttosto male oggi. Come _____ Lisa e Paolo?
   —Bene, grazie.
2. —Buongiorno, Signora. Come _____?
   —Bene, grazie. E _____?
3. —Salve, come _____ voi?
   — _____ abbastanza bene, grazie.

Scambi

I.13 Formale o informale? Look at the conversations on page 11 and list all of the words and expressions used in each of the following categories:

	Formale	Informale
Greetings	_____	_____
Introductions	_____	_____
Small talk	_____	_____
	_____	_____
	_____	_____
Saying good-bye	_____	_____
	_____	_____

Lo sai che? Italian first names

Most Italian first names end in **-o** for males and in **-a** for females: Robert**o**, Carl**o**, Renat**o**; Robert**a**, Carl**a**, Renat**a**. Some exceptions are Luca, Andrea, and Nicola, which are masculine first names.

Note that each day in the Italian Catholic calendar is dedicated to a saint. People celebrate their "name day," **l'onomastico**, as well as their birthdays.

I.14 Che nome è? Can you guess the English equivalents of these Italian names? **Alessandra, Anna, Antonio, Caterina, Chiara, Daniela, Giacomo, Giovanna, Giovanni, Giuseppe, Ilaria, Matteo, Michele, Paola, Rachele, Riccardo, Stefano, Vincenzo**

APRILE

1	sabato s. Ugo	**17**	lunedì dell'Angelo
2	domenica V di Quaresima	**18**	martedì s. Galdino
3	lunedì s. Riccardo	**19**	mercoledì s. Emma di G.
4	martedì s. Isidoro	**20**	giovedì s. Adalgisa
5	mercoledì s. Vincenzo Ferrer ☽	**21**	venerdì s. Anselmo v. ☾
6	giovedì s. Virginia	**22**	sabato s. Leonida
7	venerdì s. G. Battista de La Salle	**23**	domenica in Albis
8	sabato s. Dionigi	**24**	lunedì s. Fedele da S.
9	domenica delle Palme	**25**	martedì s. Marco evang.
10	lunedì s. Terenzio	**26**	mercoledì s. Marcellino m.
11	martedì s. Stanislao	**27**	giovedì s. Zita ●
12	mercoledì s. Zeno	**28**	venerdì s. Pietro Chanel
13	giovedì s. Martino I ○	**29**	sabato s. Caterina da Siena
14	venerdì s. Tiburzio	**30**	domenica s. Pio V papa
15	sabato s. Annibale		
16	domenica Pasqua di Resurrezione		

1.15 Ciao! Go around the room and introduce yourself to at least four classmates. Find out their names and how they are. Don't forget to say good-bye.

 1.16 Ti presento! Take turns saying how you would introduce your classmate to the following people: your best friend, signora Rossi, another classmate, professor Dini.

 1.17 Piacere! Go around the room and introduce yourself to some of your classmates, using formal expressions as if you were in a new job environment.

Lo sai che? | Using titles with names

In Italy, women are frequently greeted with the title **signora,** as in **Buongiorno, signora,** and at times the last name is also used: **Buongiorno, signora Pelosi. Signorina** is sometimes used to greet young or unmarried women. The title **signore,** on the other hand, is generally used with a man's last name, rather than alone, and the final **-e** is dropped: **Buonasera, signor Pirelli.** To greet teachers, the titles **professore,** for males, and **professoressa,** for females, are used with or without the last name: **Buonasera, professor Dini. Buonanotte, professoressa.** The final **-e** of **professore** is dropped in front of a name.

Percorso II
Le date, i giorni e i mesi

VOCABOLARIO

 ## Che giorno è oggi? Qual è la data di oggi?

OTTOBRE

lunedì	martedì	mercoledì	giovedì	venerdì	sabato	domenica
1 uno	**2** due	**3** tre	**4** quattro	**5** cinque	**6** sei	**7** sette
8 otto	**9** nove	**10** dieci	**11** undici	**12** dodici	**13** tredici	**14** quattordici
15 quindici	**16** sedici	**17** diciassette	**18** diciotto	**19** diciannove	**20** venti	**21** ventuno
22 ventidue	**23** ventitré	**24** ventiquattro	**25** venticinque	**26** ventisei	**27** ventisette	**28** ventotto
29 ventinove	**30** trenta	**31** trentuno				

La data

Che giorno è oggi?	*What day is it today?*
Oggi è lunedì.	*Today is Monday.*
Domani è martedì.	*Tomorrow is Tuesday.*
Dopodomani è mercoledì.	*The day after tomorrow is Wednesday.*
Qual è la data di oggi?	*What's today's date?*
Oggi è l'otto ottobre.	*Today is October eighth.*
Oggi è il primo gennaio.	*Today is January first.*
Quand'è il tuo compleanno?	*When is your birthday?*
Il mio compleanno è...	*My birthday is . . .*

I mesi

gennaio	*January*
febbraio	*February*
marzo	*March*
aprile	*April*
maggio	*May*
giugno	*June*
luglio	*July*
agosto	*August*
settembre	*September*
ottobre	*October*
novembre	*November*
dicembre	*December*

1.18 Che giorno è? Fill in the missing vowels and say what day it is.

1. l_n_d_
2. s_b_t_
3. d_m_n_c
4. m_rt_d_
5. g_ _v_d_
6. m_rc_l_d_

Lo sai che? | The Italian calendar

In Italy, the week, **la settimana,** begins on Monday. Note that the days of the week and the months are seldom capitalized. To state that something happens on a specific day, just say the day: **Il mio compleanno è lunedì.** (*My birthday is on Monday.*)

When dates are expressed in Italian, the day always precedes the month; for example, November 5 is **il 5 novembre** or **5/11.** Also, note that **il** precedes the number of the day, and **l'** precedes numbers that begin with a vowel. The first day of the month is **il primo: il primo gennaio.**

 1.19 Che mese è? Take turns saying what the following months are in Italian.

ESEMPIO: fourth month of the year
            aprile

1. second month of the year
2. fifth month of the year
3. seventh month of the year
4. eleventh month of the year
5. ninth month of the year
6. tenth month of the year

1.20 Che cos'è? Complete the sentences with one of the following words: che, tuo, qual, il, dopodomani, l', primo.

1. _____ è la data di oggi?
2. Oggi è domenica. _____ è martedì.
3. Oggi è il _____ dicembre.
4. _____ giorno è oggi?
5. Quand'è il _____ compleanno? _____ mio compleanno è il 5 novembre.
6. Oggi è _____ otto settembre.

In contesto   Ma oggi che giorno è?

Professor Rossi is asking Paul about the days of the week and the date.

do you know

PROFESSORE: Paul, lo sai° che giorno è oggi?

PAUL: Professore, che cosa significa «giorno»?

PROFESSORE: «Giorno» vuol dire *day*.

PAUL: Ah, bene, ho capito. Oggi è giovedì.

PROFESSORE: No, non è giovedì. Domani è giovedì.

that's true

PAUL: Sì, è vero!° Allora oggi è mercoledì, ma non so qual è la data di oggi.

PROFESSORE: Oggi è il sei ottobre.

 1.21 Ma oggi che giorno è? Indicate which of the following statements are true (**Vero**) according to the conversation and which are false (**Falso**).

1. Paul sa (*knows*) che giorno è oggi.
2. Il professore sa la data di oggi.
3. Dopodomani è venerdì.

GRAMMATICA

I numeri da 0 a 100

0 zero	12 dodici	24 ventiquattro	36 trentasei
1 uno	13 tredici	25 venticinque	37 trentasette
2 due	14 quattordici	26 ventisei	38 trentotto
3 tre	15 quindici	27 ventisette	39 trentanove
4 quattro	16 sedici	28 ventotto	40 quaranta
5 cinque	17 diciassette	29 ventinove	50 cinquanta
6 sei	18 diciotto	30 trenta	60 sessanta
7 sette	19 diciannove	31 trentuno	70 settanta
8 otto	20 venti	32 trentadue	80 ottanta
9 nove	21 ventuno	33 trentatré	90 novanta
10 dieci	22 ventidue	34 trentaquattro	100 cento
11 undici	23 ventitré	35 trentacinque	

1. The numbers **venti, trenta, quaranta**, up to **novanta**, drop the final vowel before adding **uno** or **otto**: **ventuno, ventotto, quarantuno, quarantotto, sessantuno, sessantotto.**

2. The number **tre** takes an accent when it is the last digit of a number over 20: **ventitré, cinquantatré.**

 1.22 Che numero viene dopo? Complete the following mathematical sequences, writing the missing numbers in words. Then take turns reading each sequence aloud.

1. 3 _____ 9 _____ 15 _____ 21 _____ 27 _____
2. 4 _____ 8 _____ 12 _____ 16 _____ 20 _____
3. 22 _____ 26 _____ 30 _____ 34 _____
4. 23 _____ 43 _____ 63 _____

 1.23 Quanto fa? Take turns asking and solving the following math problems. Note that **più** = *plus*, **meno** = *minus*, **per** = *times*.

ESEMPIO: S1: Quanto fa 13 + 5?
            S2: Fa diciotto.

1. 12 + 4 = ?
2. 15 + 5 = ?
3. 23 + 5 = ?
4. 9 × 7 = ?
5. 17 + 4 = ?
6. 8 + 11 = ?
7. 10 + 6 = ?
8. 100 − 60 = ?
9. 90 − 6 = ?
10. 60 − 4 = ?

Scambi

 1.24 I numeri. Write down the twelve numbers that you hear. Each will be repeated twice. Then exchange papers with a classmate and check his/her answers as you listen to the recording a second time.

a. _____
b. _____
c. _____
d. _____
e. _____
f. _____
g. _____
h. _____
i. _____
l. _____
m. _____
n. _____

1.25 Indovina che numero è! Write down eight numbers between 0 and 100. Then take turns guessing your partner's numbers. Help your partner by saying: **(molto) (un po')** **più alto**, *(a lot) (a little) higher;* **(molto) (un po')** **più basso**, *(a lot) (a little) lower.*

ESEMPIO: S1: 26

                  S2: Un po' più alto.

                  S1: 27

                  S2: Sì. Bravo/a!

 1.26 Le feste nordamericane. Take turns saying the following holidays and giving their dates.

1. *Halloween*
2. San Patrizio
3. San Valentino
4. il giorno dell'indipendenza degli Stati Uniti (*United States*)

 1.27 Qual è la data di oggi? Take turns reading and writing down the following dates. Then check your answers.

ESEMPIO: S1: 5/11

                  S2: il cinque novembre

1. 6/10
2. 10/1
3. 12/5
4. 11/7
5. 1/12
6. 21/6
7. 30/3
8. 28/2
9. 8/9
10. 23/8

 1.28 Quand'è il tuo compleanno? Find out the birthdays of at least three classmates and write the dates in Italian.

ESEMPIO: S1: Quand'è il tuo compleanno?

                  S2: Il 20 settembre.

 1.29 Quiz. Give the following information in Italian. Then exchange papers with a classmate and compare your answers.

1. the days of the weekend
2. a summer month
3. two autumn months
4. the months you don't go to school
5. the first day of the week in Italy
6. a month with only 28 days
7. two months with 30 days
8. a month with 31 days
9. the birthday of a classmate
10. your favorite day of the week

Percorso III
Informazioni personali

Di dove sei? Qual è il tuo numero di telefono?

Origine e nazionalità

Di dove sei (tu)?	*Where are you from? (informal)*
Di dov'è (Lei)?	*Where are you from? (formal)*
Sono di + città.	*I am from + city.*
Sono italiano/a / americano/a.	*I am Italian / American.*
Sono italo-americano/a.	*I am Italian-American.*
Dove sei nato/a (tu)?	*Where were you born? (informal)*
Dov'è nato/a (Lei)?	*Where were you born? (formal)*
Sono nato/a a + città.	*I was born in + city.*

Dati personali

Dove abiti (tu)?	*Where do you live? (informal)*
Dove abita (Lei)?	*Where do you live? (formal)*
Abito a Roma / a Toronto.	*I live in Rome / in Toronto.*
Qual è il tuo indirizzo?	*What's your address? (informal)*
Qual è il Suo indirizzo?	*What's your address? (formal)*
Il mio indirizzo è...	*My address is . . .*
Qual è il tuo numero di telefono?	*What's your phone number? (informal)*
Qual è il Suo numero di telefono?	*What's your phone number? (formal)*
Il mio numero di telefono è...	*My phone number is . . .*
Qual è la tua mail?	*What is your e-mail? (informal)*
Qual è la Sua mail?	*What is your e-mail? (formal)*
La mia mail è...	*My e-mail is . . .*
Quanti anni hai (tu)?	*How old are you? (informal)*
Quanti anni ha (Lei)?	*How old are you? (formal)*
Ho venti anni.	*I am twenty years old.*
Sei sposato/a?	*Are you married? (informal)*
È sposato/a?	*Are you married? (formal)*

Altre espressioni

il C.A.P. (codice di avviamento postale) *zip code*
chiocciola *at (@)*
e il tuo? *and yours? (informal)*
e il Suo? *and yours? (formal)*
punto *dot (.)*
il prefisso *area code*

Così si dice   Adjectives of nationality

Adjectives are used to indicate nationality. Adjectives of nationality, in their masculine singular form, can end in **-o** or **-e.** Those that end in **-o** change to **-a** when describing a female: **Paul è svizzero. Marie è svizzera.** Those that end in **-e** are the same for males and females: **Michelle è francese. Alain è francese.**

Masculine	Feminine
italian-**o**	italian-**a**
ingles-**e**	ingles-**e**

Paese	Nazionalità		Paese	Nazionalità	
Argentina	argentino/a	*Argentinean*	Grecia	greco/a	*Greek*
Australia	australiano/a	*Australian*	Inghilterra	inglese	*English*
Brasile	brasiliano/a	*Brazilian*	Italia	italiano/a	*Italian*
Canada	canadese	*Canadian*	Iran	iraniano/a	*Iranian*
Cina	cinese	*Chinese*	Messico	messicano/a	*Mexican*
Corea	coreano/a	*Korean*	Russia	russo/a	*Russian*
Francia	francese	*French*	Spagna	spagnolo/a	*Spanish*
Germania	tedesco/a	*German*	Stati Uniti	(nord)americano/a	*(North) American*
Giappone	giapponese	*Japanese*			

1.30 La nazionalità. Complete the sentences with the correct nationality.

1. Pablo abita a Madrid. È _____.
2. Julie abita a New York. È _____.
3. Mary abita a Londra. È _____.
4. Vladimir abita a Mosca. È _____.
5. Esteban abita a Buenos Aires. È _____.
6. Natalie abita a Parigi. È _____.
7. Hans abita a Berlino. È _____.
8. Lee abita a Pechino. È _____.

 1.31 Associazioni. Brainstorm all the words and expressions you associate with the following terms. Then read your list to the class. Do you all have the same words?

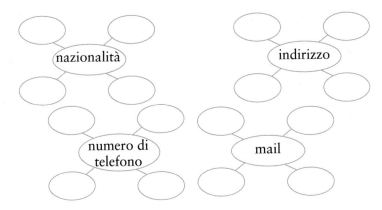

1.32 I miei dati anagrafici. Complete the identification card with your own personal data. Use the identification cards on page 23 as models.

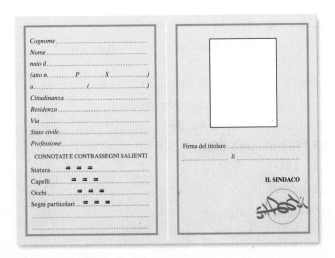

Expressing possession		
il mio	la mia	*my*
il tuo	la tua	*your (informal)*
il Suo	la Sua	*your (formal)*
il suo	la sua	*his/her*

1.33 Il formale. Complete the chart with the correct formal equivalents of the informal expressions in the left column.

Informale	Formale
Come ti chiami?	Come
E tu?	E
Di dove sei?	Di dov'
Dove abiti?	Dove
Qual è il tuo indirizzo?	Qual
E il tuo?	E
Qual è il tuo numero di telefono?	Qual
Qual è la tua mail?	Qual

1.34 Quali sono le domande? Complete the chart with the formal and informal questions that would elicit the responses shown.

Domanda		Risposta
Formale	Informale	
1.		Bene, grazie.
2.		Paolo Settembrini.
3.		Sono di Roma.
4.		Abito a Milano.
5.		Via Garibaldi, 22.
6.		02-798566

🔊 In contesto   All'Università di Torino

Two students at the University of Turin, Pablo and Maria, are getting acquainted before class.

PABLO: Maria, di dove sei? Sei italiana, vero?

MARIA: Sì, sono nata a Reggio Calabria, ma abito a Torino. E tu, di dove sei? Dove sei nato?

PABLO: Sono nato a Madrid. Sono spagnolo.

Senti°, Maria, mi dai° il tuo indirizzo?

MARIA: Certo! Abito in via Mazzini, 26.

PABLO: Qual è il tuo numero di telefono?

MARIA: 0347-46-25-37.

PABLO: E la tua email?

MARIA: È lmariani@yahoo.it.

PABLO: Grazie! Ciao, Maria, a domani!

Listen / can you give me?

1.35 Tu di dove sei? Indicate which of the following statements are true (**Vero**) and which are false (**Falso**) according to the *In contesto* conversation. Correct the statements that are false.

1. Maria è di Reggio Calabria.
2. Maria non abita a Torino.
3. Pablo abita a Madrid.
4. Pablo non è nato in Spagna.

1.36 Dati personali. Complete the chart with information about Pablo and Maria. Indicate with an *X* if you don't have the information.

	Pablo	Maria
Luogo di nascita		
Indirizzo		
Mail		
Numero di telefono		
Stato civile		

essere	
io **sono**	*I am*
tu **sei**	*you are (informal)*
Lei **è**	*you are (formal)*
lui/lei **è**	*he/she is*

abitare	
io **abito**	*I live*
tu **abiti**	*you live (informal)*
Lei **abita**	*you live (formal)*
lui/lei **abita**	*he/she lives*

avere	
io **ho**	*I have*
tu **hai**	*you have (informal)*
Lei **ha**	*you have (formal)*
lui/lei **ha**	*he/she has*

Occhio alla lingua!

1. Reread the *In contesto* conversation on page 26. How can you distinguish the male speaker from the female speaker?
2. What words do you notice that are not capitalized in Italian but would be capitalized in English?

GRAMMATICA

Il presente di *essere*

The verb **essere** (*to be*) is an irregular verb; it is used to identify and describe people, places, and things. It is also used with **di** to indicate place of origin.

—Chi è?
—È Giovanni.

—*Who is that?*
—*It's Giovanni.*

—Sono professore d'italiano.
—Sei studente?

—*I am a professor of Italian.*
—*Are you a student?*

—Di dove siete?
—Siamo di Torino.

—*Where are you from?*
—*We're from Torino.*

—Che cos'è?
—È un passaporto.

—*What is it?*
—*It's a passport.*

essere	
Singolare	**Plurale**
io **sono** *I am*	noi **siamo** *we are*
tu **sei** *you are (informal)*	voi **siete** *you are (informal)*
Lei **è** *you are (formal)*	Loro **sono** *you are (formal)*
lui/lei **è** *he/she is*	loro **sono** *they are*

1.37 Chi sono? Indicate the following people's nationality or profession by completing the sentences with the appropriate forms of **essere**.

1. Paola _____ studentessa.
2. Noriko _____ giapponese.
3. Io e Paolo _____ studenti.
4. Lei _____ professoressa.
5. Pablo _____ spagnolo.
6. Il signor Martelli _____ professore.
7. Sara e Linda _____ studentesse.
8. Tu e Juan _____ messicani.
9. Pierre e Paul _____ francesi.
10. Tu e Roberto _____ italiani.

1.38 Di dove sono? Take turns asking and telling where the following people are from.

ESEMPIO: il professor Rossini / Cuneo
             S1: Di dov'è il professor Rossini?
             S2: Il professor Rossini è di Cuneo.

1. il professor Rosati / Novara
2. Rosalba / Vercelli
3. io e Giuseppe / Biella
4. Laura e Filippo / Alessandria
5. io / Asti
6. tu e Paolo / Ossola

1.39 Informazioni. Complete the exchanges with the correct forms of **essere**.

1. —Gianni, di dove _____?
   — _____ di Roma.
2. —Carlo e Mario, _____ italiani?
   —Sì, _____ di Alessandria.
3. —Signora, Lei _____ francese?
   —Sì, _____ di Grenoble.
4. —Paolo, dove _____ Giuseppe e Luigi?
   —Giuseppe _____ a casa e Luigi _____ a scuola.

Scambi

1.40 Dati personali. Signora Rossini is applying for a passport. A clerk is asking her for information about herself. As you listen, complete the chart with information about signora Rossini. The conversation will be repeated twice.

Nome: _____ Cognome: _____

Luogo di nascita: _____ Data di nascita: _____

Indirizzo: _____ C.A.P.: _____

Prefisso: _____ Numero di telefono: _____

Stato civile: _____

1.41 Chi è? Take turns asking each other the following questions. Respond using the information from the identification cards on page 23.

1. Come si chiama la studentessa?
2. Dove abita?
3. Dov'è nata?
4. Qual è il suo indirizzo?
5. È americana?
6. Chi abita a Torino?
7. Qual è l'indirizzo di Mario Cioni?
8. Qual è la professione di Mario Cioni?
9. Quanti anni ha Mario Cioni?

> **Così si dice** Italian phone numbers
>
> Italian phone numbers and area codes can vary in length. The **prefisso** can consist of two, three, or four digits. The **prefisso** is usually stated in single digits and the phone number two digits at a time.

 1.42 Il numero di telefono. Take turns (1) saying the last name of each person below, spelling it, and stating his or her area code and phone number, and (2) writing this information down.

Baldi, Piero	06.4392567
Burci, Daniela	02.4832531
Corsi, Lucia	0966.7618902
Damiani, Filippo	055.2104976
Manfredi, Nicola	070.3459810
Nunzi, Andrea	0963.3247610

 1.43 Quale numero? You are studying in Torino. Take turns saying which telephone number you would call in the following situations.

1. You need to buy some medicine.
2. You want to see a play.
3. You want to go to the movies.
4. You have a toothache.
5. You need to know a teacher's telephone number.
6. You need to have your picture taken for your new passport.
7. You want to talk to a friend who is in the hospital.
8. You need to find out a flight schedule.

Numeri Utili 🔋

Ospedale Maria Vittoria	011.4936572
Farmacia Comunale	011.614284
Aeroporto Internazionale «Sandro Pertini»	011.5676361
Dottor Roberto Baldi, Dentista	011.9873000
Teatro «Erba»	011.6615447
Cinema «Massimo»	011.8138574
Università di Torino	011.5096618
Fotografia «Superottica»	011.2235567

1.44 Cosa manca (What's missing)? Take turns asking each other questions and filling in the missing information in the two versions of the address book page shown below. Work from only one version of the page as the basis for asking questions, filling in missing information, and supplying the information your partner requests.

Cognome	Nome	Indirizzo	Numero di telefono
Corsi	_____	Via Guelfa, 36	055.23 _____
_____	Claudio	Via Puccini, 87	02.4337465
_____	Serena	_____ di Spagna, 1	_____ .2615592
Marini	_____	_____	056.336427
Zamboni	Giovanni	Piazza _____ , 50	0966. _____

Cognome	Nome	Indirizzo	Numero di telefono
Corsi	Paola	Via _____ , 36	_____ .234638
Balboni	Claudio	_____ , 87	02. _____ 7465
Pratesi	Serena	Piazza di _____ , 1	06.26155 _____
_____	Alessio	Via Mazzini, 22	056.336427
_____	Giovanni	_____ Garibaldi, 50	_____ .680237

High School students meet in front of the Liceo Artistico before classes

In pratica

Buonasera! Ti presento Isabella.

Professore, qual è la Sua mail?

Piacere. Come ti chiami?

Il mio numero di telefono è 011-497-0052.

PARLIAMO

Presentiamoci (Let's introduce ourselves)! Imagine that you are at a party with your classmates and instructor. Greet and introduce yourself to as many people as possible and introduce those who do not know each other. Try, as well, to learn a little about each person to whom you speak.

Prima di parlare

1.45 Begin by completing the following activities.

1. Review how you can greet and introduce people, both formally and informally, in Italian. Also, how can you introduce yourself to someone you do not know or respond to an introduction?
2. Decide what questions you may want to ask people in order to get to know them better.

Mentre parli

 1.46 Now circulate in the classroom and chat with your classmates and instructor. Jot down a few notes with information to share later about each person to whom you speak.

Dopo aver parlato

 1.47 Share with the class what you have learned about some of your classmates and your instructor. For example, you might mention some of the following about each person:

1. il nome
2. di dov'è
3. dove abita
4. il numero di telefono
5. la mail

LEGGIAMO

Prima di leggere

1.48 Before you read the texts below, consider the following questions.

1. What type of texts do you think these are?
2. Where would you expect to find these texts?
3. What do the illustrations reveal about the content?

Strategie per parlare
Greeting people, making introductions, and exchanging information

When you know you will be meeting people and making introductions—at a party, for example—review the expressions you have learned for carrying out these functions at both the informal and formal levels. Think also what questions you can ask people to get to know them better.

Strategie per leggere
Using visual clues

The physical appearance of a text can help you anticipate the kind of information it is likely to contain. Examine visual clues, such as illustrations, type style, and the format itself to get a preliminary idea of the kind of text you will be dealing with and be better prepared to understand its content.

Mentre leggi

1.49 As you read, confirm or modify your assumptions about the types of texts you are dealing with.

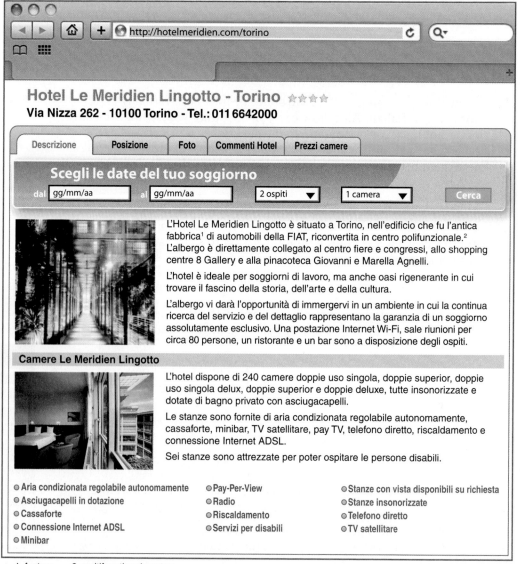

1. factory   2. multifunctional center

MUSEO NAZIONALE DEL CINEMA
FONDAZIONE MARIA ADRIANA PROLO - Torino Mole Antonelliana

Tariffe ingressi

Museo		Ascensore panoramico	
Intero €7,00		**Intero** €5,00	
Ridotto €5,00		**Ridotto** €3,50	
(Studenti universitari fino a 26 anni, over 65, gruppi min. 15 persone)		(Studenti universitari fino a 26 anni, over 65, gruppi min. 15 persone)	
Giovani e scuole €2,00		**Gratuito**	
(da 6 a 18 anni, gruppi scolastici)		(fino a 10 anni, disabili e accompagnatore)	
Gratuito			
(fino a 10 anni, disabili e accompagnatore)			

Dopo la lettura

1.50 Answer these questions based on the readings.

1. What number would you call if you wanted to stay near a large shopping center in Torino?
2. What could you do if you were in Torino and needed a taxi?
3. Where could you go if were interested in cinema? How much would your ticket cost? How about for your parents? How much would it cost to take the elevator to the top of the Mole Antonelliana?

1.51 Did you find the type of information you expected to find in these texts? How did the illustrations help you understand the texts?

SCRIVIAMO

Per iscriversi (*To enroll*) all'Università per Stranieri. You plan to attend the Università per Stranieri in Perugia this summer from July 1 to August 1. Complete the registration form with these dates and your personal information.

Strategie per scrivere   Filling out a form

Filling out forms is one of the most common types of writing people do. Usually, this task simply requires you to supply information using single words and short phrases. However, to complete a form accurately, it is essential to understand what information is requested. To figure out the meaning of any words you may not be familiar with, make logical assumptions based on your knowledge of the purpose of the form and the way it is organized.

Prima di scrivere

I.52 Before you begin to write, look at the form and try to determine exactly what information you need to supply. Knowing the purpose of the form, you should be able to figure out the meaning of any unfamiliar words or abbreviations. For example, what might the three abbreviations (**g, m, a**) after the term **data di nascita** mean? And can you find where you are asked to fill in your dates of residence?

UNIVERSITÀ PER STRANIERI DI PERUGIA **A**

MODELLO A

DOMANDA DI PRE-ISCRIZIONE
(Scrivere in stampatello)

La domanda di pre-iscrizione deve pervenire all'Università per Stranieri di Perugia
ALMENO UN MESE PRIMA DELL'INIZIO DEL CORSO SCELTO

Cognome _____

Nome _____

Sesso   M ☐   F ☐

Luogo di nascita _____ Data di nascita (g,m,a)   /   /

Nazionalità

Indirizzo: c.a.p. _____ Città _____

Via _____

Stato _____ Tel./Fax _____

e-mail _____ Professione _____

Titolo di studio: ☐ Diploma universitario   ☐ Diploma scuola superiore
                    ☐ _____

Permanenza: dal _____ al _____ corso scelto _____

Hai già frequentato i corsi dell'Università per Stranieri di Perugia?

Sì ☐   No ☐

Se sì, indica l'ultimo anno di frequenza _____ con tessera n° _____

Hai una borsa di studio? Sì ☐   No ☐   Se sì: dal _____ dal _____

Concessa da _____

Alla domanda di pre-iscrizione devono essere allegati: **I fotografia *, l' attestazione di versamento della tassa relativa a tutto il corso o al primo mese di corso.**
Il pagamento può essere effettuato:

☐ A)con assegno bancario non trasferibile intestato
      all'Università per Stranieri di Perugia

☐ B) con vaglia postale internazionale indirizzato
      all'Università per Stranieri di Perugia

☐ C) Bonifico Bancario (vedi pagina 26)

Data _____ Firma _____

* Un'altra fotografia dovrà essere consegnata presso la Segreteria Studenti
per il rilascio della tessera universitaria

La scrittura

1.53 Now fill out the form with all of the required information. Do not worry if you do not understand every word and expression.

La versione finale

1.54 Read over your completed form.

1. Are your responses coherent and correctly spelled?
2. For a final check, exchange forms with a classmate. Have you both provided similar types of information in the various sections? Discuss your responses.

GUARDIAMO

Prima di guardare

1.55 In the videoclip that you are about to see, several people introduce themselves briefly.

1. List the kind of information they are likely to give.
2. Now write down appropriate Italian expressions that you have learned for presenting this kind of information.

Mentre guardi

1.56 Answer these questions as you view the videoclip.

Indica chi...

1. ha 28 anni.
2. è di Pisa.
3. abita a Roma.
4. è nato/a a Firenze.
5. è sposato/a.
6. ha 21 anni.
7. ha 23 anni.

> **Strategie per guardare**
> Anticipating words and expressions
>
> When you know the topic of a film sequence (for example, making introductions), try to anticipate the words and expressions people are likely to use. This will help you to grasp what they say.

Dopo aver guardato

1.57 Now answer the following questions.

1. Match the people in the photos with the correct information about them by filling in their names in the spaces provided.

Felicita   Dejan   Vittorio   Emma   Plinio

a. _____ fa lo scrittore.
b. _____ fa l'avvocato (*lawyer*).
c. _____ studia filosofia all'università.
d. _____ studia al liceo (*high school*).
e. _____ è professoressa al liceo.

2. How do people introduce themselves? Which words and expressions did you recognize?

3. With which of the people you have met would you most like to be acquainted? Why?

■ ATTRAVERSO IL PIEMONTE

Piedmont, or **"al piè dei monti"** (*at the foot of the mountains*), is located just south of the Alps. Because of its proximity to the border, Piedmont has been influenced by many different cultures, especially that of France. After World War II, a wave of migrants from all over Italy, and particularly the southern agricultural regions, flocked to Piedmont in search of better working conditions and helped it become one of the most important centers of the Italian economy. Today it is one of the regions with the largest number of foreign immigrants.

Panorama di Torino, con il fiume Po e la Mole Antonelliana. Torino è il capoluogo del Piemonte. La Mole Antonelliana è considerata il simbolo della città. Costruita nel 1863 dall'architetto Alessandro Antonelli, è alta 167 metri. Nel 2006 a Torino si sono tenuti i Giochi Olimpiaci Invernali.

Il Lingotto, a Torino. L'ex stabilimento (*plant*) industriale della FIAT (**F**abbrica **I**taliana **A**utomobili **T**orino) oggi è una struttura multifunzionale con hotel, negozi, uffici, centro conferenze e spazi per esposizioni. Costruito nel 1927, il Lingotto è un esempio delle prime (*first*) architetture industriali. È famoso per la sua pista per le prove

 VERIFICHIAMO

First read the introduction to the region, then look at the photos and read the related captions

1.58 Vero o falso (*True or false*)? Indicate which of the following statements are true (**Vero**) and which are false (**Falso**).

1. Il Piemonte è nel sud d'Italia.
2. È una regione montagnosa.
3. Il Piemonte è vicino al mare.
4. È una regione importante per il turismo.
5. Torino è una piccola città agricola.
6. La famiglia Agnelli non è molto importante in Italia.
7. Il Piemonte ha molte grandi industrie, ma non è ricco di prodotti agricoli.
8. *La manifestazione interventista* è un'opera statica.

1.59 E nel vostro Paese? Discuss which region in your country is similar to Piedmont.

Le colline (*hills*) piemontesi vicino ad Alba coltivate a vite (*vines*). Il Piemonte è una regione molto importante per l'agricoltura. Nelle zone del Monferrato e dell'Astigiano si producono vini pregiati (*quality wines*) come **il Barolo, il Barbaresco, il Dolcetto, il Nebbiolo, il Barbera** e **l'Asti Spumante** (*sparkling*). Alba è anche famosa per i tartufi bianchi (*white truffles*). Le zone in pianura (*plains*), invece, sono famose per il riso (*rice*).

Un'opera futurista di Carlo Carrà: *La manifestazione interventista*, 1914.
Carlo Carrà, uno dei grandi artisti italiani del Futurismo prima e della pittura metafisica poi, è nato a Quargnento, in provincia di Alessandria, nel 1881. Qui Carrà usa la tecnica del collage per creare un'opera complessa e dinamica che suggerisce la confusione durante un comizio politico (*political rally*).

🔊 VOCABOLARIO

I saluti

a domani	*see you tomorrow*
a presto	*see you soon*
arrivederci	*good-bye (informal)*
arrivederLa	*good-bye (formal)*
buongiorno	*good morning, good afternoon*
buonanotte	*good night*
buonasera	*good afternoon, good evening, good night*
ciao	*hi, hello, bye (informal)*
ci vediamo	*see you*
È tardi. Devo andare.	*It's late. I have to go.*
salve	*hello*

Le presentazioni

Come si chiama (Lei)?	*What's your name? (formal)*
Come ti chiami (tu)?	*What's your name? (informal)*
E Lei?	*And you? (formal)*
E tu?	*And you? (informal)*
Le presento...	*This is . . . (formal)*
Mi chiamo...	*My name is . . .*
Molto lieto/a	*Delighted.*
Piacere.	*Pleased to meet you.*
Sono...	*I am . . .*
Ti presento...	*This is . . . (informal)*

Chiedere alle persone come stanno

Bene, grazie, e Lei?	*Fine, thank you, and you? (formal)*
Bene, grazie, e tu?	*Fine, thank you, and you? (informal)*
Come sta?	*How are you? (formal)*
Come stai?	*How are you? (informal)*
Come va?	*How is it going?*
Non c'è male.	*Not too bad.*
Non sto bene.	*I'm not well.*
Sto...	*I'm . . .*
abbastanza bene	*pretty well*
bene	*fine*
benissimo	*very well*
così così	*so-so*
male	*badly*
molto bene	*very well*

I pronomi soggetto: See p. 15.

I giorni della settimana

lunedì	*Monday*
martedì	*Tuesday*
mercoledì	*Wednesday*
giovedì	*Thursday*
venerdì	*Friday*
sabato	*Saturday*
domenica	*Sunday*

I mesi

gennaio	*January*
febbraio	*February*
marzo	*March*
aprile	*April*
maggio	*May*
giugno	*June*
luglio	*July*
agosto	*August*
settembre	*September*
ottobre	*October*
novembre	*November*
dicembre	*December*

La data

Che giorno è oggi?	*What day is it today?*
Domani è martedì.	*Tomorrow is Tuesday.*
Dopodomani è mercoledì.	*The day after tomorrow is Wednesday.*
Il mio compleanno è...	*My birthday is . . .*
Oggi è il primo gennaio.	*Today is January first.*
Oggi è l'otto ottobre.	*Today is October eighth.*
Oggi è lunedì.	*Today is Monday.*
Qual è la data di oggi?	*What's today's date?*
Quand'è il tuo compleanno?	*When is your birthday?*

I numeri da 0 a 100: See p. 21.

I Paesi e le nazionalità: See p. 25.

I dati personali

Abito a Roma / a Toronto.	*I live in Rome / in Toronto.*
Di dov'è (Lei)?	*Where are you from? (formal)*
Di dove sei (tu)?	*Where are you from? (informal)*
Dove abita (Lei)?	*Where do you live? (formal)*
Dove abiti (tu)?	*Where do you live? (informal)*
Dov'è nato/a (Lei)?	*Where were you born? (formal)*
Dove sei nato/a (tu)?	*Where were you born? (informal)*
È sposato/a?	*Are you married? (formal)*
Ho venti anni.	*I am twenty years old.*
Il Paese / paese	*country, nation / small town*

Il mio indirizzo è...	*My address is . . .*
Il mio numero di telefono è...	*My phone number is . . .*
La mia mail è...	*My e-mail is . . .*
Qual è il Suo indirizzo?	*What's your address? (formal)*
Qual è il tuo indirizzo?	*What's your address? (informal)*
Qual è il Suo numero di telefono?	*What's your phone number? (formal)*
Qual è il tuo numero di telefono?	*What's your phone number? (informal)*
Qual è la Sua mail?	*What is your e-mail? (formal)*
Qual è la tua mail?	*What is your e-mail? (informal)*
Quanti anni ha (Lei)?	*How old are you? (formal)*
Quanti anni hai (tu)?	*How old are you? (informal)*
Sei sposato/a?	*Are you married? (informal)*
Sono di + città.	*I am from + city.*
Sono americano/a.	*I am American.*
Sono italiano/a.	*I am Italian.*
Sono italo-americano/a.	*I am Italian-American.*
Sono nato/a a + città.	*I was born in + city.*

Altre espressioni

il C.A.P. (codice di avviamento postale)	*zip code*
chiocciola	*at (@)*
E il Suo?	*And yours? (formal)*
E il tuo?	*And yours? (informal)*
e, ed (*before vowels*)	*and*
grazie	*thank you*
no	*no*
il prefisso	*area code*
prego	*you are welcome*
professor(e)/professoressa	*professor*
punto	*dot (.)*
scusa	*excuse me (informal)*
scusi	*excuse me (formal)*
sì	*yes*
signora / sig. ra	*Mrs. / Ms.*
signor(e) / sig.	*Mr.*
signorina / sig. na	*Miss*

A Bologna c'è un'università molto antica

Percorso I: In classe
Percorso II: L'università
Percorso III: Le attività a scuola
In pratica
Attraverso: L'Emilia-Romagna

In this chapter you will learn how to:

◆ Identify people and things in an Italian-language classroom

◆ Describe campus buildings and facilities

◆ Describe everyday activities in different locations on campus

Percorso I
In classe

 Cosa c'è in classe?
L'aula

una luce
un calendario
un quaderno
una carta geografica
una porta
una lavagna
un orologio
uno studente
una finestra
una sedia
un gesso
una studentessa
un cancellino
un computer
una professoressa
una cattedra
uno zaino
un cestino
un libro
una calcolatrice
un banco
una matita   un foglio di carta   una penna

Gli oggetti in classe

un'agenda	*appointment book*
una borsa	*handbag*
un dizionario	*dictionary*
un giornale	*newspaper*
una gomma	*eraser*
una lavagna elettronica	*smart board*
uno schermo	*screen*
un televisore	*television*

Le persone

un amico/un'amica	*friend*
un compagno/una compagna	*classmate*
una donna	*woman*
un professore	*male teacher, professor*
un ragazzo/una ragazza	*boy/girl*
un uomo	*man*

Le domande

Che cosa c'è... ?	*What is there . . . ?*
Che cos'è?	*What is it?*
Chi è?	*Who is he/she?*

> **Così si dice** *Ecco*
>
> To point out people and things, you can use **ecco**. It is equivalent to the English: *here is, here are; there is, there are.* For example: **Dov'è uno zaino?** *Where is a backpack?* **Ecco uno zaino!** *Here (There) is a backpack!* **Ecco due zaini!** *Here (There) are two backpacks!*

2.1 L'intruso. Select the word that doesn't belong in each group.

1. un computer, una calcolatrice, una finestra
2. un gesso, una penna, un cestino
3. una sedia, un banco, una borsa
4. un giornale, un libro, un orologio
5. un quaderno, una cattedra, una lavagna elettronica
6. uno zaino, una lavagna, un cancellino
7. un computer, uno schermo, una luce
8. una donna, una ragazza, un uomo

 2.2 Mettiamoli in ordine (*Let's put them in order*)! Organize all the words that refer to people and things in the classroom, according to the following categories.

1. people
2. things you can read
3. things you use to write
4. things that don't fit in your backpack
5. things with numbers
6. things you use to do your homework
7. things you keep in your backpack

 2.3 Che cos'è? Write the Italian words for six people or things in the classroom on sticky notes. Then exchange sticky notes with a classmate and go around the room to post his/her labels where they belong.

🔊 In contesto   In classe

Marco, who has left everything at home, asks a classmate to help him out.

please, help me!	MARCO:	Marisa, ti prego, aiutami!°
	MARISA:	Calma, Marco! Che c'è?
everything	MARCO:	Ho lasciato tutto° a casa. Mi dai un foglio di carta?
	MARISA:	Eccolo!
	MARCO:	Grazie! Ma mi dai anche una penna?
Do you need anything else?	MARISA:	Ecco una penna! Ti serve nient'altro?°

2.4 È vero che... (*Is it true that . . .*)? Indicate which of the following statements are true (**Vero**) and which are false (**Falso**), according to Marco and Marisa's conversation. Correct the false statements.

1. Lo studente si chiama Marco.
2. Marco non ha una penna.
3. Marisa non ha un foglio di carta.

Occhio alla lingua!

I. What do you notice about the endings of the words in the illustration of the classroom and in the *Vocabolario* list on page 41?

2. Look at the words that refer to females. What do you notice about the endings of these words?

3. Look at the words that end in **-e**. What do you notice about them?

4. What do you think **un, uno, una,** and **un'** mean? How and when is each form used? Can you detect a pattern?

GRAMMATICA

Il genere dei nomi

Nouns, **i nomi,** are words used to refer to people, places, objects, or ideas. In Italian, nouns have a gender (**genere**). They are masculine or feminine. Masculine nouns usually end in **-o** and feminine nouns in **-a**. Some nouns end in **-e**. These can be either masculine or feminine. Nouns that end in a consonant are usually of foreign origin and are frequently masculine.

Il genere dei nomi	
Maschile	**Femminile**
un amic**o**	una penn**a**
un giornal**e**	una calcolatric**e**
un comput**er**	

Since it is not always possible to predict the gender of nouns based on their endings, you should always learn the article along with the noun, which shows the noun's gender. Here are some additional hints to help you determine if a noun is masculine or feminine.

1. Nouns that refer to males are generally masculine, and nouns that refer to females are usually feminine.

un regista	*a male film director*	una regista	*a female film director*
un cantante	*a male singer*	una cantante	*a female singer*
un padre	*a father*	una madre	*a mother*

2. Generally, nouns ending in **-ore** are masculine and those ending in **-rice** are feminine.

un att**ore**	*an actor*	un'att**rice**	*an actress*
uno scritt**ore**	*a male writer*	una scritt**rice**	*a female writer*

3. Most nouns ending in **-ione** are feminine.

una lez**ione**	*a lesson*	una conversaz**ione**	*a conversation*
una profess**ione**	*a profession*		

4. Abbreviated nouns retain the gender of the original words from which they derive.

un'auto *f.* (automobile)	*a car*	una bici *f.* (bicicletta)	*a bicycle*
una foto *f.* (fotografia)	*a photo*	un cinema *m.* (cinematografo)	*a movie theater*

2.5 Maschile o femminile? Indicate the gender of the following nouns.

1. film
2. conversazione
3. orologio
4. computer
5. scrittrice
6. giornale
7. bar
8. attore
9. lezione
10. direttore
11. porta
12. calcolatrice
13. foto
14. autobus
15. cinema
16. bici
17. attrice
18. madre

L'articolo indeterminativo

The Italian indefinite article, **l'articolo indeterminativo**, corresponds to the English *a* or *an* or to the number *one* when used with a noun (as in *one book* or *one pen*). The indefinite article is used with a singular noun, which it always precedes. The gender of the noun and its first letter determine which indefinite article it will take.

L'articolo indeterminativo		
Before nouns beginning with:	**Maschile**	**Femminile**
a consonant	**un** libro	**una** matita
a vowel	**un** amico	**un'**amica
s + consonant	**uno** studente	**una** studentessa
z	**uno** zaino	**una** zebra

2.6 Che cosa c'è in classe? Identify the numbered items in the illustration. Don't forget to include the indefinite article with each one.

> ### Così si dice *C'è / Ci sono*
>
> To indicate the existence of people, places, and things, you can use **c'è / ci sono**. **C'è** is used with singular nouns and is equivalent to the English *there is*. **Ci sono** is used with plural nouns and is equivalent to *there are*. For example: **In classe c'è una professoressa e ci sono molti studenti.** *In class there is a professor and there are many students.* To inquire about the existence of people, places, and things, you can ask: **C'è / Ci sono...?** and inflect your voice: **C'è un televisore in classe?** *Is there a television in class?* To respond, you could say: **No, non c'è un televisore, ma ci sono due schermi.** *No, there isn't a television, but there are two movie screens.*

 2.7 C'è...? Take turns playing the role of an Italian student who wants to know if the following items are in your classroom and answering his/her questions.

ESEMPIO: computer
            S1: C'è un computer?
            S2: Sì, c'è un computer. *o* No, non c'è un computer.

1. cestino
2. telefono
3. lavagna elettronica
4. cattedra
5. carta geografica
6. sedia
7. cancellino
8. orologio
9. calcolatrice
10. schermo
11. televisore
12. dizionario

 2.8 Associazioni. What objects or people do you associate with each of the following items?

ESEMPIO: un errore → una gomma

1. una matita
2. un quaderno
3. un orologio
4. un cestino
5. una borsa
6. un libro
7. una lavagna
8. un banco
9. una cattedra
10. uno schermo

Il presente di *avere*

Avere (*to have*) is an irregular verb frequently used to express possession. **Avere** is also used in many idiomatic expressions that you will learn in later chapters.

avere			
Singolare		**Plurale**	
io **ho**	*I have*	noi **abbiamo**	*we have*
tu **hai**	*you have (informal)*	voi **avete**	*you have (informal)*
Lei **ha**	*you have (formal)*	Loro **hanno**	*you have (formal)*
lui/lei **ha**	*he/she has*	loro **hanno**	*they have*

—Chi ha una penna?   —*Who has a pen?*
—Io ho una penna.   —*I have a pen.*

2.9 Chi ce l'ha (*Who has it*)? Indicate who has what things by matching the people in the left column with the statements in the right column.

1. Io	**a.** ha il tuo numero di telefono.
2. Tu e Carlo	**b.** hai la borsa della professoressa.
3. Io e il professore	**c.** ho l'indirizzo del professore.
4. Giovanna	**d.** abbiamo il quaderno di Luigi.
5. Gli studenti	**e.** hanno il libro d'italiano.
6. Tu	**f.** avete il libro di Luisa.

2.10 Che cosa hanno? Tell what items the following people have.

ESEMPIO: il professore / borsa
Il professore ha una borsa.

1. uno studente e una studentessa / quaderno
2. io / libro
3. Teresa / zaino
4. Giulio / calcolatrice
5. io e Carla / orologio
6. tu e Laura / penna
7. tu / computer
8. Marta e Carlo / una matita

Scambi

2.11 Dov'è? Some people are having trouble finding what they need. Listen to the brief conversations, which will be repeated twice, and identify what each person is looking for by writing the number of the exchange next to the appropriate illustration of the table (**il tavolo**).

a. _____

b. _____

c. _____

d. _____

2.12 Che cos'è? Take turns pointing out various objects in the classroom, asking what they are, and responding.

ESEMPIO: S1: Che cos'è?
            S2: È un libro.

 2.13 Chi ce l'ha? Go around the room and find at least two people who have the following items. The first person to complete this activity can confirm his/her findings by reading them aloud to the rest of the class.

1. un dizionario
2. un calendario
3. un giornale
4. un orologio
5. una borsa
6. uno zaino
7. un computer
8. un foglio di carta
9. un gesso
10. una gomma

 2.14 Dov'è? Make a list of six objects in your classroom. Then take turns asking where each item is and pointing it out.

ESEMPIO: S1: Dov'è un libro?
            S2: Ecco un libro.

Che cosa c'è sulla scrivania (*on the desk*)?

Percorso II
L'università

I palazzi, gli edifici e le strutture

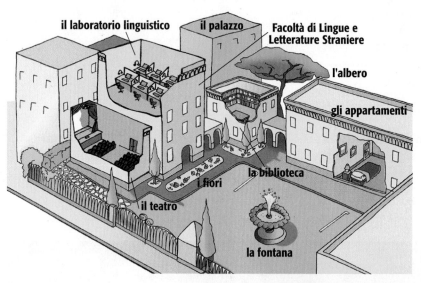

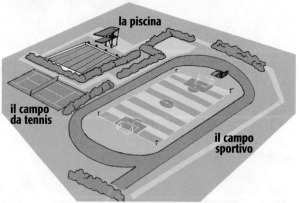

Per descrivere		Il posto *(Location)*	
alto/a	tall	**Dov'è / Dove sono?**	Where is it / Where are they?
basso/a	low, short	**a destra di**	to the right of
antico/a	antique, old	**a sinistra di**	to the left of
moderno/a	modern	**davanti a**	in front of
bello/a	pretty, beautiful	**dietro a**	behind
brutto/a	ugly, bad	**lontano da qui**	far from here
grande	big	**qui vicino**	nearby
piccolo/a	small	**vicino a**	near, next to
nuovo/a	new	**sopra**	on top of
vecchio/a	old	**sotto**	under, beneath
		tra / fra	between

La quantità		L'università	
quanti / quante?	how many?	la libreria	bookstore
molti / molte	many	la mensa	cafeteria
pochi / poche	few	la scuola	school
		lo stadio	stadium

2.15 Associazioni. Indicate the buildings and facilities you associate with the following activities, people, or things.

1. studenti
2. matite e penne
3. sport
4. pizza e pasta
5. film
6. libri

2.16 L'opposto. Give the opposite of the following words and expressions.

1. davanti a
2. sotto
3. vicino a
4. a sinistra di
5. molti
6. alto
7. nuovo
8. antico
9. grande
10. lontano da qui

Così si dice   Describing places and buildings

Like all adjectives, those used to describe places and buildings agree in number and gender with the nouns they describe. Adjectives whose masculine singular form ends in **-o** have four forms. Adjectives whose singular form ends in **-e** have only two forms, singular and plural.

L'accordo degli aggettivi

Singolare		Plurale	
un palazzo nuovo	a new building	molti palazzi nuovi	many new buildings
una biblioteca nuova	a new library	molte biblioteche nuove	many new libraries
un teatro grande	a big theater	molti teatri grandi	many big theaters
una piscina grande	a big pool	molte piscine grandi	many big pools

You will learn more about adjectives in Capitolo 3.

 2.17 Quali palazzi? List all the buildings on your campus or in your city that are:

1. alti e moderni
2. grandi e antichi
3. brutti e nuovi
4. vecchi e belli

Lo sai che?   The Italian university

Almost all Italian cities have a university. However, they usually don't have a centralized campus. The various schools (**facoltà**) and departments (**dipartimenti, istituti**) are scattered in buildings around the city, and each department has its own library. Since the typical Italian university does not have facilities such as a stadium, a swimming pool or tennis courts, students use the city's facilities.

Most Italian students attend a university in their own city and live at home. Those who attend a university in a different city commute, share apartments, or live in the **casa dello studente**, dormitories located in the city, usually near the university buildings.

The majority of Italian universities are public and tuition (**tasse**) is fairly low, based on the parents' income. There are also several private universities. The most famous of these are the Cattolica and the Bocconi in Milan, and the Cattolica and the LUISS (Libera Università Internazionale degli Studi Sociali) in Rome.

L'Università di Modena e Reggio Emilia

After three years, students can obtain a first degree, **laurea triennale**; then, after two more years, a second degree, **laurea magistrale**. Most universities also grant master's degrees and a graduate-level research degree, **il dottorato di ricerca**.

Italian universities participate in the Erasmus and Leonardo programs designed to promote student and faculty exchanges among the member nations of the European Union.

2.18 L'università. What are some similarities and differences between universities in Italy and universities in your country? What information about your university would probably be particularly interesting to an Italian student?

Così si dice   The prepositions *a* and *di* + *il, lo, la, l'*

To indicate location, you can use prepositions and prepositional phrases. When the prepositions **a** (*at, to*) and **di** (*of*) are followed by the definite article, they contract and become one word. For example: **Dov'è il teatro? È vicino *allo* stadio, a destra *della* mensa.** *Where is the theater? It's near the stadium, to the right of the cafeteria.*

a + il	a**l**	di + il	de**l**
lo	al**lo**	lo	del**lo**
la	al**la**	la	del**la**
l'	al**l'**	l'	del**l'**

Note that **sopra** (*above, on top of*) and **sotto** (*under, below*) are used with the definite article alone: **Il libro è sopra *la* cattedra. Lo zaino è sotto *il* banco.** You will learn more about prepositions in Capitolo 6.

In contesto   All'università

Roberta is asking a classmate where one of the university schools is located.

ROBERTA: Scusa, sai° dov'è la Facoltà di Lingue e Letterature Straniere?   *do you know*

PIETRO: Proprio qui vicino, in via Carlo Alberto, dietro alla vecchia
biblioteca di giurisprudenza. È il palazzo grande a sinistra del
Teatro Comunale.

ROBERTA: Grazie!

PIETRO: Figurati!°   *You're welcome!*

2.19 Dov'è la Facoltà di Lingue? Draw a map that shows the relationship
of the places mentioned by Roberta and Pietro. Then, with a classmate,
compare your maps and discuss any differences.

Occhio alla lingua!

1. Look at the endings of the words that refer to buildings and other
facilities in the illustration on page 48 and in the *In contesto*
conversation. Which words are feminine and which are masculine?
Which are singular and which are plural? How can you tell?
2. What do you think **il, lo, i, gli, la,** and **le** are?
3. Look at the first letter of the words that follow **il, l', i, gli, la,** and **le.**
Do you see any pattern?

GRAMMATICA

Il plurale dei nomi

In Italian, nouns are generally made plural by changing the final vowel.

Il plurale dei nomi			Singolare	Plurale
Nouns	**-o**	→ **-i**	palazz**o**	palazz**i**
ending in	**-a**	→ **-e**	piscin**a**	piscin**e**
	-e (*m.* or *f.*)	→ **-i**	professor**e**	professor**i**
			lezion**e**	lezion**i**

Here are some additional rules to help you form plurals:

1. Nouns ending in **-ca** or **-ga** and most nouns ending in **-go** retain the hard
guttural sound of the **g** in the plural, by adding an **h.**

una biblioteca	*a library*	due biblioteche	*two libraries*
un'amica	*a friend*	due amiche	*two friends*
un albergo	*a hotel*	due alberghi	*two hotels*

2. Most nouns ending in **-io** have only one **-i** in the plural.

un edificio	*a building*	due edifici	*two buildings*
uno stadio	*a stadium*	due stadi	*two stadiums*

3. Nouns ending in a consonant or an accented vowel and abbreviated nouns don't change in the plural.

un computer	*a computer*	due computer	*two computers*
un campus	*a campus*	due campus	*two campuses*
un'università	*a university*	due università	*two universities*
una **foto**(grafia)	*a photograph*	due **foto**	*two photographs*
un **cinema**(tografo)	*a movie theater*	due **cinema**	*two movie theaters*

2.20 Il plurale. Indicate which indefinite article to use with the following singular nouns, and then change the nouns to the plural using **molti** or **molte**.

ESEMPIO: libro
              un libro, molti libri

1. fontana
2. albero
3. computer
4. edificio
5. amica
6. piscina
7. studentessa
8. libreria
9. teatro
10. cinema
11. biblioteca
12. bar

2.21 Quanti? Tell how many of the following things and people are in your classroom.

ESEMPIO: libro
              Ci sono trenta libri.
              telefono
              Non c'è un telefono.

1. zaino
2. giornale
3. orologio
4. matita
5. studente
6. schermo
7. computer
8. banco
9. porta
10. televisore
11. studentessa
12. professore

2.22 Che cosa c'è a scuola? Tell how many of the following buildings, sites, or things are on your campus.

1. teatro
2. libreria
3. campo da tennis
4. biblioteca
5. mensa
6. fontana
7. albero
8. piscina
9. stadio
10. laboratorio linguistico

L'articolo determinativo

The Italian definite article, **l'articolo determinativo**, corresponds to the English *the*. Whereas in English the definite article is invariable, the Italian definite article has many forms since it agrees in number and gender with the noun it precedes. Its form also depends on the first letter of the word it precedes.

L'articolo determinativo

Before nouns beginning with:	Maschile		Femminile	
	Singolare	Plurale	Singolare	Plurale
a consonant	**il** teatro	**i** teatri	**la** libreria	**le** librerie
a vowel	**l'**albero	**gli** alberi	**l'**entrata	**le** entrate
s + consonant	**lo** stadio	**gli** stadi	**la** scuola	**le** scuole
z	**lo** zaino	**gli** zaini	**la** zebra	**le** zebre

1. **Il** and **i** are used with masculine nouns beginning with a consonant.
2. **La** and **le** are used with feminine nouns beginning with a consonant.
3. **La** becomes **l'** before feminine singular nouns beginning with a vowel. The plural **le**, however, doesn't change before words beginning with a vowel.
4. **Lo** and **gli** are used before masculine nouns that begin with a vowel, s + a consonant, or z. **Lo** becomes **l'** before masculine singular nouns beginning with a vowel.
5. When using a title to address someone, do not use the definite article. Use the definite article, however, when speaking *about* someone.

Buongiorno, **professoressa** Giuliani.	*Good morning, Professor Giuliani.*
La professoressa Giuliani abita a Roma.	*Professor Giuliani lives in Rome.*
Come va, **dottor** Castri?	*How is it going, Doctor Castri?*
Il dottor Castri è italiano.	*Doctor Castri is Italian.*

2.23 Ecco! Point out the following places and things on your campus to a new friend.

ESEMPIO: appartamenti
              Ecco gli appartamenti.

1. mensa
2. teatro
3. scuola
4. stadio
5. fontana
6. alberi
7. piscina
8. librerie
9. campi da tennis
10. laboratorio linguistico

2.24 La scuola. Describe your school in complete sentences, using the cues provided.

ESEMPIO: campus / piccolo
              Il campus (non) è piccolo.

1. biblioteca / grande
2. edifici / bassi
3. piscina / nuova
4. laboratorio linguistico / moderno
5. campi sportivi / grandi
6. stadio / vecchio

2.25 Una città italiana. Complete the following conversation using the appropriate forms of the definite article.

SERENA: Com'è (1) _____ città? È piccola?

LORENZO: Sì! Piccola e antica! (2) _____ palazzi sono tutti antichi.

SERENA: E (3) _____ scuola com'è?

LORENZO: Vecchia, ovviamente! (4) _____ palazzo è antico, ma (5) _____ aule sono moderne.

SERENA: E (6) _____ appartamento dove abiti, dov'è?

LORENZO: Vicino allo stadio. Ci sono anche (7) _____ campi da tennis e (8) _____ piscine.

SERENA: (9) _____ appartamenti sono piccoli?

LORENZO: No! Per fortuna sono grandi e tutti (10) _____ studenti sono soddisfatti.

2.26 Dove sono? Look at the classroom illustration on page 41 and indicate the location of each of the items listed below. Be sure to use the correct form of the definite article and come up with as many possibilities as you can.

ESEMPIO: libro
              S1:   Il libro è sopra il banco.
              S2:   Il libro è davanti allo zaino.

1. studenti
2. lavagna
3. banchi
4. professoressa
5. cattedra
6. penna
7. orologio
8. quaderni

Scambi

2.27 Che cos'è? Listen as different students request directions, and write the letter of the conversation that corresponds to the facility each person is looking for. Each conversation will be repeated twice.

1. _____ il laboratorio linguistico
2. _____ la piscina
3. _____ la mensa
4. _____ il teatro

2.28 Dov'è? Look at the illustration and indicate which structure or location is being described.

1. È davanti al teatro, tra la biblioteca e la piscina.
2. È a sinistra del campo da tennis, davanti allo stadio.
3. È a destra del teatro, dietro alla piscina.
4. È a sinistra dello stadio e davanti alla mensa.

2.29 La mia scuola. Choose three buildings or facilities on your campus and write a one- or two-line description of each one, mentioning the location. Then, in small groups, take turns describing the places and identifying them.

ESEMPIO: —Ci sono molti computer. È dietro la biblioteca. Che cos'è?
            —È il laboratorio linguistico.

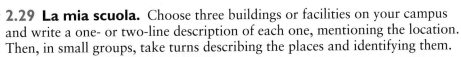

Lo sai che? | Bologna la Dotta

The Italian city of Bologna is known as **la Dotta** (*the learned one*) because of its university, which is one of the oldest in the world. Although the exact date of its founding is unknown, it is generally believed that the University of Bologna dates back to the end of the eleventh century, when groups of students all over Europe began forming their own study associations, which were independent from the Church. These associations were organized and administered directly by students, and they are considered the precursors of the modern-day university system.

Many famous Italians studied or at least spent some time in Bologna, among them Dante Alighieri, Francesco Petrarca, Leon Battista Alberti, and later Torquato Tasso and Carlo Goldoni. Thomas Becket, Desiderius Erasmus, Nicolaus Copernicus, and Albrecht Dürer also studied in Bologna.

La biblioteca Salaborsa della città di Bologna.

Until 1803, the university was situated in the palace known as *Archiginnasio*, built in 1563. In this building, in 1637, an anatomical theater was constructed for the teaching of anatomy and the dissection of corpses. It was almost destroyed during World War II, but was later rebuilt in its original form. Many tourists from all over the world visit it.

Today Bologna is still one of the most important research and study centers in Italy, and it is considered a lively student town. Several foreign universities have programs in this city.

2.30 Un'università antica. Which are the oldest universities in your country? Why are they famous?

Percorso III
Le attività a scuola

 ### Cosa fai ogni giorno a scuola?

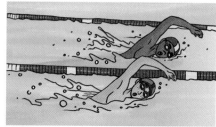

Mario e Giuseppe **nuotano** in piscina.

Giorgio **suona** la chitarra e Luisa **canta**.
Gli amici **ascoltano**.

Le attività

abitare	to live
arrivare	to arrive
aspettare	to wait for
cercare	to look for
cominciare	to start, to begin
desiderare	to wish
disegnare	to draw
domandare	to ask
entrare	to enter
frequentare	to attend
guardare (la televisione)	to watch (television)
imparare	to learn
incontrare	to meet
lavorare	to work
mangiare	to eat
parlare	to talk
pensare	to think
tornare	to return

Le materie (Academic subjects)

l'architettura	architecture
la biologia	biology
l'economia	economics
l'informatica	computer science
l'ingegneria	engineering
la filosofia	philosophy
la fisica	physics

il giornalismo	journalism
la giurisprudenza	law
le lettere	humanities
le lingue straniere	foreign languages
la materia	subject
la psicologia	psychology
le scienze naturali	natural sciences
le scienze politiche	political science
la sociologia	sociology
la storia	history

La descrizione delle materie

difficile	hard, difficult
divertente	fun, amusing
facile	easy
interessante	interesting
noioso/a	boring
Ti piace... ?	Do you like . . . (+ singular noun)?
(Non) Mi piace...	I (don't) like . . . (+ singular noun).

Quando (When)?

la mattina	in the morning
ogni giorno	every day
il pomeriggio	in the afternoon
la sera	in the evening
stasera	this evening

2.31 Le attività in un campus. Which activities do you associate with these places? Match the places in the left column with the activities in the column on the right.

1. la libreria
2. la biblioteca
3. la Facoltà di Architettura
4. la Facoltà di Musica
5. la piscina
6. la mensa
7. il campo da tennis
8. il cinema
9. lo stadio
10. il bar
11. la scuola

a. parlare
b. disegnare
c. mangiare un panino (*sandwich*)
d. guardare un film
e. nuotare
f. giocare a tennis
g. cercare un libro
h. suonare uno strumento (*instrument*)
i. comprare i quaderni e le penne
j. cantare
k. incontrare gli amici
l. studiare
m. imparare
n. pensare
o. guardare una partita (*game*) di calcio

2.32 La mia giornata a scuola. Combine elements from each of the three columns to tell what you do at school.

1. Arrivo	i professori	davanti alla mensa
2. Aspetto	gli amici	in libreria
3. Cerco	a scuola	la sera
4. Incontro	libri e quaderni	in classe
5. Parlo	a casa	nel laboratorio linguistico
6. Ascolto	un libro	ogni giorno
7. Compro	un'amica	la mattina
8. Torno	italiano	a teatro
	i CD	in biblioteca

 2.33 Le materie. Tell what subjects someone usually studies for each profession listed.

1. professore di lettere
2. dottore
3. scienziato
4. scrittore

 In contesto Davanti alla biblioteca

Giorgio and Anna are chatting in front of the library.

what are you doing here?	GIORGIO: Anna, che fai qui?°
	ANNA: Niente, aspetto Giovanna. E tu?
	GIORGIO: Cerco un libro d'italiano.
Do you feel like it?	ANNA: Mangiamo un panino insieme? Ti va?°
	GIORGIO: Certo! Alla mensa?
as soon as	ANNA: No! Mangiamo qualcosa al bar qui vicino, appena° arriva Giovanna.

2.34 Che cosa fanno (*What are they doing*)? Indicate which of the following statements are true (**Vero**) and which are false (**Falso**) according to Anna and Giorgio's conversation. Correct the false statements.

1. Anna ha un appuntamento con Giovanna.
2. Giorgio lavora in biblioteca.
3. Giorgio, Anna e Giovanna mangiano insieme al bar.

Occhio alla lingua!

1. Look at the illustration captions on page 56. What do you think the words in boldface type express?
2. Look at the endings of the words in boldface type and the various people doing the activities. Can you detect a relationship between the verb endings and the person or people performing the activities?

GRAMMATICA

Il presente dei verbi in -*are*

An infinitive is a verb that is not conjugated. In English, an infinitive consists of a verb preceded by *to*. In Italian, infinitives are distinguished by their endings. Infinitives of regular Italian verbs end in **-are**, **-ere**, or **-ire: parlare** (*to speak*), **scrivere** (*to write*), and **dormire** (*to sleep*). Regular verbs are conjugated by dropping the infinitive endings and adding a set of endings to the stem. Below are the present-tense endings for regular verbs whose infinitives end in -are. These are called first-conjugation verbs. Notice how the ending changes according to who performs the action.

parlare			
Singolare		**Plurale**	
io parl**o**	*I speak*	noi parl**iamo**	*we speak*
tu parl**i**	*you speak (informal)*	voi parl**ate**	*you speak (informal)*
Lei parl**a**	*you speak (formal)*	Loro parl**ano**	*you speak (formal)*
lui/lei parl**a**	*he/she speaks*	loro parl**ano**	*they speak*

The present tense in Italian can have the following meanings in English.

Studiamo l'italiano.   *We study Italian.*
We are studying Italian.
We do study Italian.

Here are some other rules you should keep in mind when using regular -are verbs.

1. Verbs that end in **-iare**, such as **cominciare, studiare,** and **mangiare,** drop the i of the stem in the **tu** and **noi** forms.

   cominciare: comincio, cominci, comincia, cominciamo, cominciate, cominciano
   mangiare: mangio, mangi, mangia, mangiamo, mangiate, mangiano

2. Verbs that end in **-care** and **-gare**, such as **giocare** (*to play*) and **spiegare** (*to explain*), add an h in the **tu** and **noi** forms to maintain the hard sound of the c and the g in the stem.

   giocare: gioco, giochi, gioca, giochiamo, giocate, giocano
   spiegare: spiego, spieghi, spiega spieghiamo, spiegate, spiegano

2.35 Chi lo fa? Listen to the brief exchanges among various students and their friends, and use an Italian subject pronoun to indicate the subject of each verb that you hear. Each exchange will be repeated twice.

1. _____, _____, _____;
2. _____, _____, _____, _____;
3. _____, _____;
4. _____, _____;
5. _____, _____

2.36 Chi? Indicate who is performing the following actions by matching the statements in the left column with the people in the column on the right.

1. Ascoltiamo i CD d'italiano.
2. Giocano a tennis.
3. Compra un dizionario.
4. Cerchi un libro.
5. Mangiano la pizza.
6. Nuotate in piscina.
7. Imparo l'italiano.
8. Incontrate gli amici.

a. io
b. tu e Renata
c. gli studenti
d. tu
e. Fabrizio
f. Luisa e Alessia
g. io e Paolo
h. voi

2.37 Che cosa fanno? Tell what the following people are doing.

1. Io / ascoltare il professore
2. La professoressa / insegnare
3. Tu / comprare / un quaderno
4. Tu ed un'amica / cercare un libro
5. Io e gli amici / suonare la chitarra
6. Gli studenti / nuotare in piscina
7. Una studentessa / studiare in biblioteca
8. Noi / parlare in italiano

2.38 Molte attività. Complete the sentences to indicate what people are doing. Use the correct form of one of the verbs in this list.

cercare	disegnare	entrare	giocare	imparare	suonare

1. Paolo e Giovanni _____ il piano.
2. Anna _____ un albero.
3. Tu e Mario _____ il numero di telefono di un amico.
4. Io e Carlo _____ l'italiano.
5. Tu _____ a tennis.
6. Io _____ in classe.

Il presente di *fare*

Fare (*to do, to make*) is an irregular verb. It is used in many idiomatic expressions, which you will learn in later chapters.

fare			
Singolare		**Plurale**	
io faccio	*I do, make*	noi facciamo	*we do, make*
tu fai	*you do, make (informal)*	voi fate	*you do, make (informal)*
Lei fa	*you do, make (formal)*	Loro fanno	*you do, make (formal)*
lui/lei fa	*he/she does, makes*	loro fanno	*they do, make*

—Che cosa fai questa mattina?
—Studio. Che cosa fate tu e Carlo?
—Facciamo i compiti.

—*What are you doing this morning?*
—*I am studying. What are you and Carlo doing?*
—*We are doing our homework.*

2.39 Che cosa fate? Ask what the following people are doing by supplying the missing forms of **fare**.

1. —Che cosa _____ Luca?
   —Gioca a calcio.

2. —Fabrizio, che cosa _____?
   —Studio.
3. —Che cosa _____ tu e Paolo?
   —Parliamo con gli amici.
4. —Che cosa _____ noi oggi?
   —Guardiamo un film.
5. —Che cosa _____ Roberto?
   —Aspetta Susanna.
6. —Che cosa _____ Roberto e Susanna?
   —Suonano la chitarra.
7. —Signora, che cosa _____?
   —Mangio un panino.

Scambi

 2.40 Che cosa fa? Look at Giulia's agenda and take turns indicating what she is doing each day this week and when—in the morning, afternoon, or evening. As you discuss what Giulia is doing, mention also what you yourselves will be doing each day at those times. Use verbs and expressions that you have learned.

ESEMPIO: Martedì mattina Giulia studia in biblioteca.
             Io studio in biblioteca giovedì sera.

OTTOBRE

lunedì **16** (10) ottobre	martedì **17** (10) ottobre	mercoledì **18** (10) ottobre	giovedì **19** (10) ottobre	venerdì **20** (10) ottobre	sabato **21** (10) ottobre
8 _____	8 _____	8 _____	8 _____	8 _____	8 _____
9 _____	9 _____	9 _____	9 *laboratorio linguistico*	9 _____	9 _____
10 _____	10 *biblioteca*	10 _____	10 _____	10 _____	10 _____
11 _____	11 _____	11 _____	11 _____	11 _____	11 _____
12 _____	12 _____	12 _____	12 _____	12 _____	12 _____
13 _____	13 _____	13 _____	13 _____	13 _____	13 _____
14 _____	14 _____	14 _____	14 _____	14 _____	14 _____
15 _____	15 _____	15 _____	15 _____	15 _____	15 _____
16 *piscina*	16 _____	16 _____	16 _____	16 _____	16 _____
17 _____	17 _____	17 _____	17 _____	17 *conservatorio*	17 _____
18 _____	18 _____	18 _____	18 _____	18 _____	18 _____
19 _____	19 _____	19 _____	19 _____	19 _____	19 _____
20 _____	20 _____	20 _____	20 _____	20 _____	20 *ristorante*
21 _____	21 _____	21 *teatro*	21 _____	21 _____	21 _____

domenica **22** (10) ottobre					
	8 _____	10 _____	13 _____	16 _____	19 _____
	9 _____	11 _____	14 *stadio*	17 _____	20 _____
		12 _____	15 _____	18 _____	21 _____

2.41 Chi? Go around the room and find at least two classmates who do the following things. Record your findings and report them to the class.

ESEMPIO: La mattina guarda la televisione.

S1:   La mattina guardi la televisione?
S2:   Sì, guardo la televisione la mattina. *o* No, non guardo la televisione la mattina.

Attività	Nome
1. Studia in biblioteca ogni giorno.	
2. Lavora il pomeriggio.	
3. Suona la chitarra o un altro strumento.	
4. Mangia alla mensa ogni giorno.	
5. Gioca a calcio.	
6. La sera guarda la televisione con gli amici.	
7. Canta.	
8. Disegna molto bene.	

 2.42 Studi... ? Write two subjects you like and two you don't. Then survey your classmates and find at least two people who are studying each subject. Find out if they like each subject, what they think about it, and record their responses.

ESEMPIO: S1:   Che cosa studi?
S2:   Studio matematica.
S1:   Ti piace?
S2:   Sì!
S1:   Perché?
S2:   È interessante e divertente e non è difficile!

 2.43 Indovina dove (Guess where)! Choose a place on campus and make a list of three activities that students do there. Then take turns reading your list to the others and guessing what place is being described.

Università di Salerno
Dove sono gli studenti?
Cosa fanno?

In pratica

 PARLIAMO

La vita da studente. Discuss your daily school-related activities with a classmate and find out what you have in common.

Prima di parlare

2.44 Begin by completing the chart to indicate what you usually do throughout your school day. Use **-are** verbs that you have learned in this chapter.

La mattina	Il pomeriggio	La sera

Mentre parli

 2.45 Share with a classmate what you do at different times in the day. Determine what things you both do at some point each day. Are there also some activities that you do not have in common?

ESEMPIO: —La mattina incontro gli amici a scuola. E tu?
—Io la mattina lavoro! Incontro gli amici il pomeriggio…

Dopo aver parlato

 2.46 Take turns summarizing for the class what the two of you do and do not have in common. How do your daily activities compare to those of the class as a whole?

LEGGIAMO

Prima di leggere

 2.47 Paying particular attention to words you recognize as cognates, look at the text "Madrelingua", then answer the following questions.

1. What type of text is this?
   a. un articolo
   b. una lettera
   c. una pubblicità

2. What is the topic of this text?
   a. un ristorante
   b. una scuola
   c. una banca

3. What words and other clues led you to draw these conclusions?

Strategie per parlare
Organizing information before you speak

When discussing a specific topic, such as your daily activities, and comparing your experiences with a friend, organize your information before you begin. Figure out a logical way to present it—for example, using chronological order—then make a few notes that you can use as the framework for your discussion.

Strategie per leggere
Recognizing and using cognates

As you learned in the Capitolo preliminare, many words look similar in English and Italian, since both languages contain terms derived from Latin. Words that are similar in spelling and meaning in two languages are called cognates and they are fairly easy to recognize. For example, the English ending -ty often corresponds to the Italian ending **-tà**: **università** (*university*), **città** (*city*). The English endings -tion and -sion often correspond to the Italian endings **-zione**: conversazionze (*conversation*) and **-sione**: **televisione** (*television*), **professione** (*profession*). Learning to recognize cognates can help you expand your vocabulary and understand what you read.

Mentre leggi

2.48 As you read the text, make a list of all the cognates that you recognize.

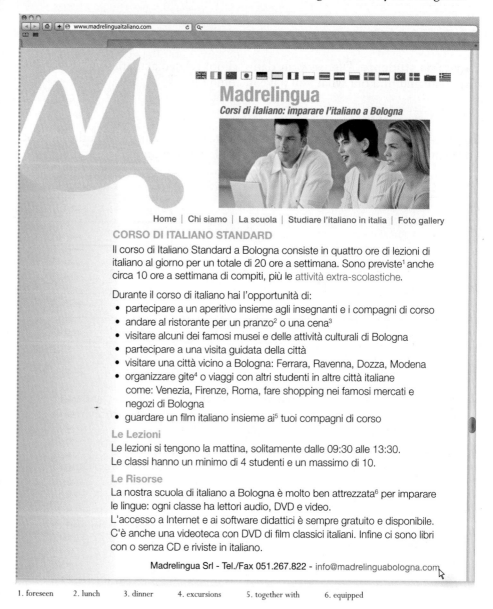

1. foreseen   2. lunch   3. dinner   4. excursions   5. together with   6. equipped

Dopo la lettura

 2.49 Work with a classmate and compare the cognates that you identified. Who has found more? Which words in your lists relate to the main focus of the reading?

2.50 Indicate which of the following statements are true (**Vero**) and which are false (**Falso**).

_____ 1. Gli studenti in questa scuola studiano italiano.
_____ 2. La scuola è in un campus universitario.
_____ 3. Gli studenti non sono italiani.
_____ 4. Gli studenti possono fare molte attività dopo le lezioni.
_____ 5. Le aule sono molto moderne.
_____ 6. Gli studenti studiano tutto il giorno.

2.51 Discuss the following questions:

1. Many students would like to study abroad, especially for the purpose of learning another language. Are you yourself planning to study abroad? Why or why not?
2. Would you be interested in studying Italian at Madrelingua in Bologna? List in Italian and share with your classmates several aspects of this school and its program that you find interesting.

SCRIVIAMO

Strategie per scrivere   Using semantic mapping to generate and organize ideas

Coming up with interesting ideas to write about can be challenging, especially for beginning language students. Semantic mapping can help you generate ideas and organize them effectively to get your point across. This process is simple and fun.

La nostra scuola. You are about to meet with a group of Italian students who have just arrived on your campus. Prepare some written notes, telling what schools and campuses in your country are like, before you talk with them.

Prima di scrivere

2.52 Follow these steps to create and use a semantic map.

1. Write **La scuola** and organize related words around it.

ESEMPIO:

2. Next, around each word related to **La scuola**, such as **Le attività**, brainstorm clusters of words and ideas that you associate with that word. For example, around **Le attività**, you might write **studiare, giocare a tennis**, etc.
3. Look at the semantic map you have created and ask yourself what Italian students would find most interesting and relevant. Keep in mind what you have learned about Italian schools and how they differ from those in your country. Decide which clusters of ideas (select at least three) you want to develop and in what order.

La scrittura

2.53 Prepare a first draft of your notes based on the clusters of ideas you have selected from your semantic map.

La versione finale

2.54 Let some time pass, then review your first draft.

1. Ask yourself if your ideas are expressed clearly and in a logical order. Make any necessary revisions.
2. Once you are satisfied with the content and organization, check the language of your notes.
   a. Are the verb forms correct?
   b. Are the articles and the number and gender of the nouns correct?
   c. Do the adjectives agree with the nouns they modify?
   d. Is the spelling correct throughout?

Strategie per guardare

Anticipating content

Use your own experience as a basis for anticipating and understanding the content of interviews in Italian. For example, when you know the subject of a sequence of interviews, consider what you already know about it and what the likely focuses will be. This will help you to follow the discussion.

GUARDIAMO

Prima di guardare

2.55 You are about to see some short interviews in which people talk about their schools.

1. Before watching this segment, list in Italian at least four school-related topics that might be discussed.
2. Beside each topic, note some related terms and expressions that the speakers may use.

Mentre guardi

2.56 As you watch and listen to each interview, pay particular attention to what people say about Italian schools and universities, and about students' activities. Are there any topics you should add to your list?

Dopo aver guardato

2.57 Now answer the following questions.

1. Which of the following fields of study do people mention in the video?

_____	architettura,	_____	economia,
_____	filosofia,	_____	geografia,
_____	giurisprudenza,	_____	ingegneria,
_____	matematica,	_____	psicologia,
_____	scienze naturali,	_____	scienze politiche,
_____	storia dell'arte		

2. Indicate which of the following statements about where Italian students live are true (**Vero**) and which ones are false (**Falso**) according to what people say in the video.

_____ **a.** Gli studenti universitari abitano con gli amici.

_____ **b.** Spesso gli studenti universitari abitano in famiglia.

_____ **c.** Tutti gli studenti abitano nel campus.

_____ **d.** Quando non abitano con i genitori (*parents*) gli studenti abitano in appartamenti.

3. What do people say about the campus? Explain the following statements according to what people say in the video.

   a. In Italia non c'è il campus.

   b. Secondo Gaia, a Firenze c'è una specie di campus con tre facoltà.

4. What subjects does Emma study that are not usually taught in high schools in your country?

 5. Think over what people in the video have said about their schools. If you were going to describe your school to an Italian student, would your description be similar to his or her description? Why or why not?

Questi ragazzi sono studenti? Sono a scuola? Cosa fanno?

■ ATTRAVERSO L'EMILIA-ROMAGNA

Bologna is known not only as **la Dotta** (*the learned one*), but also as **la Grassa** (*the fat one*), because of its fine cuisine. It is well kown for its **portici**, colonnades that extend along the city streets for almost 38 kilometers and allow people to walk around comfortably even in bad weather. A beautiful Medieval city, rich in history and culture, Bologna is the capital of the Emilia-Romagna region. Emilia-Romagna is famous for the foods produced in its fertile plains, its striking landscape, and its coastline cities, known as **la riviera romagnola**, which attract the young and old in search of lively and relatively inexpensive beaches and clubs. Emilia-Romagna is also an important cultural and economic center.

La fabbrica delle famose Ferrari a Maranello, vicino Modena. Enzo Ferrari costruisce (*builds*) la fabbrica a Maranello nel 1943 e nel 1945 è completato il progetto della prima automobile Ferrari, pronta nel 1947. Oggi a Maranello, oltre alla fabbrica, c'è il museo delle automobili Ferrari.

Una larga e affollata (*crowded*) spiaggia della riviera romagnola (Cattolica). La costa romagnola è lunga 150 chilometri. Le spiagge (*beaches*) sono molto grandi e affollate. In estate è la meta (*destination*) preferita di molti turisti italiani e stranieri. Ci sono numerosissimi alberghi, pensioni, ristoranti, bar e tante discoteche a prezzi ragionevoli (*reasonable prices*). La riviera romagnola è famosa per il cibo (*food*) e il ballo. È possibile mangiare e ballare a tutte le ore (*all hours*) del giorno e della notte. Rimini, Riccione e Milano Marittima sono i centri più importanti della costa adriatica. Rimini è particolarmente popolare fra i giovani.

VERIFICHIAMO

First read the introduction to the region, then look at the photos and read the related captions

2.58 Che cos'è? Tell what building, place, or person is being described.

1. Ha quasi 38 chilometri di portici e si chiama la Grassa per la sua cucina.
2. C'è il museo della Ferrari.
3. È un famoso direttore d'orchestra nato a Parma.
4. È famosa per i mosaici bizantini.
5. È il compositore dell'*Aida*.
6. È famosa per il prosciutto.
7. È una città turistica dove vanno molti giovani in estate.

 2.59 E nel vostro Paese? Are there university cities like Bologna in your country? How are they similar and how are they different?

2.60 Rimini. What do you think Rimini is like in the summer months? Would you like to go there? Are there any areas in your country similar to this city? Would Italians find them appealing? Why?

Palazzo della Pilotta nel centro storico di Parma. Parma è la capitale alimentare (*food*) d'Italia. È famosa per il prosciutto e il parmigiano e tante industrie alimentari che producono pasta e salumi. Parma è anche la città natale (*birth*) del direttore d'orchestra Arturo Toscanini (1867–1957). Inoltre a Busseto, vicino a Parma, è nato Giuseppe Verdi (1813–1901). *La traviata, Il trovatore* e l'*Aida* sono alcune delle sue opere (*operas*) più importanti.

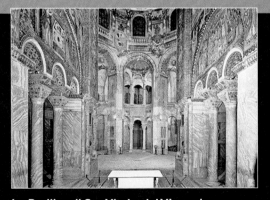

La Basilica di San Vitale, del VI secolo (*century*), con i suoi magnifici mosaici. Ravenna fu (*was*) la capitale dell'Impero (*Empire*) Romano d'Occidente (401–476), del regno degli ostrogoti (493–553) e dell' Esercato bizantino o Impero Romano d'Oriente (568–751). È una delle

🔊 VOCABOLARIO

In classe

un'agenda	appointment book
l'amico/a	friend
l'aula	classroom
il banco	student's desk
la borsa	handbag
la calcolatrice	calculator
il calendario	calendar
il cancellino	chalkboard eraser
la carta geografica	map
la cattedra	teacher's desk
il cestino	wastebasket
il compagno/la compagna	classmate
il computer	computer
il dizionario	dictionary
la donna	woman
la finestra	window
il foglio di carta	sheet of paper
il gesso	chalk
il giornale	newspaper
la gomma	eraser
la lavagna	chalkboard
la lavagna elettronica	smart board
il libro	book
la luce	light
la matita	pencil
l'orologio	clock, watch
la penna	pen
il professore	male teacher, professor
la professoressa	female teacher, professor
la porta	door
il quaderno	notebook
il ragazzo	boy
la ragazza	girl
la sedia	chair
lo schermo	screen
lo studente	male student
la studentessa	female student
il televisore	television
l'uomo	man
lo zaino	backpack

L'università

l'albero	tree
gli appartamenti	apartments
la biblioteca	library
il campo da tennis	tennis court
il campo sportivo	field, track
l'edificio	building
la Facoltà di Lingue e Letterature Straniere	Department of Foreign Languages and Literature

la fontana	fountain
i fiori	flowers
il laboratorio linguistico	language laboratory
la libreria	bookstore
la mensa	cafeteria
il palazzo	building
la piscina	pool
la scuola	school
lo stadio	stadium
il teatro	theater

Le materie

l'architettura	architecture
la biologia	biology
la chimica	chemistry
l'economia	economics
la filosofia	philosophy
la fisica	physics
la geografia	geography
il giornalismo	journalism
la giurisprudenza	law
l'informatica	computer science
l'ingegneria	engineering
le lettere	humanities
le lingue straniere	foreign languages
la matematica	mathematics
la psicologia	psychology
le scienze naturali	natural sciences
le scienze politiche	political science
la sociologia	sociology
la storia	history

Gli aggettivi

alto/a	tall
antico/a	antique, old
basso/a	low, short
bello/a	pretty, beautiful
brutto/a	ugly, bad
difficile	hard, difficult
divertente	fun, amusing
facile	easy
grande	big
interessante	interesting
moderno/a	modern
noioso/a	boring
nuovo/a	new
piccolo/a	small
vecchio/a	old

I verbi

abitare	to live
arrivare	to arrive
ascoltare	to listen to
aspettare	to wait for
cantare	to sing
cercare	to look for
cominciare	to start, to begin
comprare	to buy
desiderare	to wish
disegnare	to draw
domandare	to ask
entrare	to enter
frequentare	to attend
giocare (a calcio)	to play (soccer)
guardare (la televisione)	to watch (television)
imparare	to learn
incontrare (un amico/un'amica)	to meet (a friend)
insegnare	to teach
lavorare	to work
mangiare (un panino)	to eat (a sandwich)
nuotare	to swim
parlare	to talk
pensare	to think
studiare	to study
suonare (la chitarra)	to play (the guitar)
tornare (a casa / a scuola)	to return (home / to school)

Il posto

a destra di	to the right of
a sinistra di	to the left of
davanti a	in front of
dietro a	behind
lontano da qui	far from here
nella borsa, nello zaino	in the handbag, in the backpack
qui vicino	nearby
sopra	above, on top of
sotto	under, beneath
tra / fra	between
vicino a	near, next to

Le lezioni

Che cosa studi?	What are you studying?
Studio scienze politiche.	I'm studying political science.

Altre parole ed espressioni

C'è / Ci sono	There is / There are
Che cos'è?	What is it?
Chi è?	Who is it?
Dov'è / Dove sono?	Where is / Where are?
Ecco (un libro).	Here is / There is (a book).
la mattina	in the morning
molti/e	many
ogni giorno	every day
pochi/e	little, a few
il pomeriggio	in the afternoon
la sera	in the evening
stasera	this evening
Ti piace...?	Do you like ...? (+ singular noun)
(Non) Mi piace...	I (don't) like ... (+ singular noun)
quanti / quante?	how many?

Stefano Gabbana e
Domenico Dolce

Donatella Versace

Miuccia Prada

Giorgio Armani

Percorso I: La descrizione delle persone
Percorso II: L'abbigliamento
Percorso III: Le attività preferite
In pratica
Attraverso: La Lombardia

In this chapter you will learn how to:

◆ Describe people's appearance and personality

◆ Identify and describe articles of clothing

◆ Talk about your favorite activities

Percorso I
La descrizione delle persone

 **Come sono?**

Susanna

Ha diciotto anni: è **giovane.** È **alta, magra** e **bionda.** Ha i capelli **lunghi** e **lisci** e ha gli occhi **chiari.** È una ragazza un po' **triste** e molto **sensibile.**

Il professor Campi

È **basso, grasso, calvo,** con i baffi e gli occhiali. È sempre molto **gentile.**

La signora Rossini

Ha settantacinque anni: è **anziana.** Ha gli occhi **scuri** e ha i capelli **bianchi.** È una signora molto **seria** e **intelligente.**

Marco e Fabrizio

Sono **magri, alti, bruni** e **giovani.** Hanno la barba, hanno gli occhi **castani** e i capelli **corti** e **ricci.** Sono **sportivi** e **dinamici.**

La descrizione delle caratteristiche fisiche e psicologiche

allegro/a	*happy*
antipatico/a	*disagreeable, unpleasant*
atletico/a	*athletic*
avaro/a	*stingy*
bravo/a	*good, trustworthy, talented*
buffo/a	*funny*
calmo/a	*calm*
carino/a	*nice, cute*
cattivo/a	*bad*
comprensivo/a	*understanding*
elegante	*elegant*
espansivo/a	*friendly, outgoing*
generoso/a	*generous*
nervoso/a	*nervous, tense*
noioso/a	*boring*
paziente	*patient*
pigro/a	*lazy*
simpatico/a (*pl.* simpatici/simpatiche)	*pleasant, nice*
socievole	*sociable*
stanco/a	*tired*
studioso/a	*studious*
timido/a	*shy*

Chiedere e dare informazioni

Com'è? *What is he/she, it like?*

Come sono? *What are they like?*

Di che colore ha i capelli (gli occhi)? *What color is his/her hair (are his/her eyes)?*

Ha i capelli neri, castani, biondi, rossi, chiari, scuri. *He/She has black, brown, blond, red, light, dark hair.*

Ha gli occhi verdi, azzurri, castani, grigi, chiari, scuri. *He/She has green, blue, brown, hazel, light-colored, dark-colored eyes.*

Altre espressioni per descrivere

altro/a	*other, another*
caro/a	*dear, expensive*
molto/a	*many, a lot*
poco/a	*few*
quanto/a	*how much, how many*
stesso/a	*same*
vero/a	*real, true*

Altre parole per descrivere

molto	*very*
poco	*little, not very*
proprio	*really*
quanto?	*how much?*
troppo	*too much*

Per paragonare *(To compare)*

anche	*also*
invece	*instead, on the other hand*
ma, però	*but*
o, oppure	*or*

3.1 Il contrario. Reorganize the adjectives presented above and on page 73 by listing them as opposites.

3.2 Come sono? Rewrite the descriptions of the people on page 73 by expressing everything in opposite terms.

ESEMPIO: Susanna è alta e magra.
               Susanna è bassa e grassa.

1. Susanna
2. Il professor Campi
3. Marco e Fabrizio
4. La signora Rossini

 3.3 Quanti studenti... Indicate how many people in class fit each description.

1. Ha i capelli lunghi e biondi e gli occhi azzurri.
2. Ha i capelli corti e ricci e gli occhi azzurri.
3. Ha i capelli corti e lisci e gli occhi castani.
4. Ha i capelli castani, corti e ricci.
5. Ha gli occhi verdi, i capelli castani lunghi e lisci.
6. Ha i capelli corti e biondi e gli occhi castani.

 In contesto   Un bel ragazzo romano

Giovanna and Teresa are talking about another student in their class.

GIOVANNA:	Teresa, chi è quel° ragazzo bruno con gli occhiali?	*that*
TERESA:	Il ragazzo magro con gli occhi chiari e i capelli corti e ricci?	
GIOVANNA:	Sì, lui. Come si chiama?	
TERESA:	Paolo. È di Roma. È un bel ragazzo°, vero° ?	*good-looking guy / right*
GIOVANNA:	Sì. È proprio bello!	
TERESA:	È anche molto serio e intelligente, però è poco espansivo. E poi ha già la ragazza.	
GIOVANNA:	Peccato!° Com'è la ragazza?	*What a pity!*
TERESA:	È bionda e ha i capelli lunghi e lisci. Anche lei è carina e intelligente, però non è molto simpatica.	

3.4 Chi è? Identify Paolo and his girlfriend on the basis of Giovanna's and Teresa's descriptions. Then list some adjectives you can use to describe each of the other people shown.

3.5 È vero? Select the statements below that describe Paolo.

1. Paolo è italiano. _____
2. Paolo è brutto, ma espansivo. _____
3. Paolo ha i capelli castani. _____
4. Paolo ha molti amici. _____
5. Ha una bella ragazza. _____

Così si dice   *Quanto, molto, poco, troppo*

Quanto, molto, poco, and **troppo** can be used as adjectives or as adverbs. When they are used as adjectives, they agree in number and gender with the nouns they modify. When they are used as adverbs, they modify verbs, adjectives, or other adverbs, and they are invariable.

Quanti studenti hanno i capelli biondi?	*How many students have blond hair?*
Pochi studenti hanno i capelli biondi.	*Few students have blond hair.*
Troppi studenti sono **poco** seri.	*Too many students are not very serious.*
Gli studenti però sono tutti **molto** intelligenti e parlano **molto** bene.	*But the students are all very intelligent and they speak very well.*

Occhio alla lingua!

1. List all the words used to describe the people in the illustration captions on page 73.
2. What do you notice about the endings of the words you have listed?

GRAMMATICA

L'aggettivo

Adjectives, **aggettivi**, describe people, places, and things. In Italian, adjectives agree in gender (masculine/feminine) and number (singular/plural) with the nouns they describe. There are two basic types of adjectives in Italian: those that end in -o (**americano, alto, biondo**) and those that end in -e (**francese, giovane, triste**).

1. Adjectives that end in -o have four forms.

	Singolare	**Plurale**
Maschile	-o un ragazzo biond-**o**	-i due ragazzi biond-**i**
Femminile	-a una ragazza biond-**a**	-e due ragazze biond-**e**

Paolo è **alto** e **bruno**.	*Paolo is tall and dark-haired.*
Maria invece è **bassa** e **bionda**.	*Maria, instead, is short and blond.*
Hanno i capelli **corti** e **ricci**.	*They have short, curly hair.*
Carla e Giulia sono **italiane**.	*Carla and Giulia are Italian.*

2. Adjectives that end in **-e** have only two forms: a singular and a plural form.

	Singolare	**Plurale**
	-e	**-i**
Maschile	un ragazzo trist-**e**	due ragazzi trist-**i**
Femminile	una ragazza trist-**e**	due ragazze trist-**i**

| Carlo e Renata sono molto **intelligenti**. | *Carlo and Renata are very intelligent.* |
| Martina e Luisa sono **divertenti**. | *Martina and Luisa are fun.* |

Here are some other rules to help you use adjectives effectively:

1. When an adjective modifies two or more nouns of different genders, or a plural noun that refers to both genders, the masculine plural form of the adjective is always used.

| Mario e Luisa sono biond**i**. | *Mario and Luisa are blond.* |
| Gli studenti sono ser**i**. | *The students are serious.* |

2. Like nouns ending in **-ca**, **-ga**, and **-go**, adjectives that end in **-ca**, **-ga**, and **-go** change to **-che**, **-ghe**, and **-ghi** in the plural, in order to maintain the hard sound of the **c** and **g**.

| Le tue amiche sono simpati**che**. | *Your friends are nice.* |
| Laura ha i capelli lun**ghi**. | *Laura has long hair.* |

3. Most adjectives usually follow the noun they modify, but there are some exceptions. The following adjectives very often precede the noun they modify.

bello/a	*beautiful, nice*	giovane	*young*
bravo/a	*good, talented*	grande	*large, great*
brutto/a	*ugly*	nuovo/a	*new*
buono/a	*good*	piccolo/a	*small*
caro/a	*dear, expensive*	vecchio/a	*old*
cattivo/a	*bad*	vero/a	*true, real*

| È un **giovane** studente italiano. | *He is a young Italian student.* |
| È una **vera** amica. | *She is a true friend.* |

4. The following adjectives always precede the noun they modify.

altro/a	*other*
molto/a	*many, a lot, much*
poco/a	*a little, few*
questo/a	*this*
quanto/a	*how much, how many*
stesso/a	*same*
troppo/a	*too much, too many*

| —**Quanti** ragazzi ci sono in classe? | —*How many boys are there in class?* |
| —Ci sono **molti** ragazzi, ma **poche** ragazze. | —*There are many boys, but few girls.* |

3.6 Chi è? Listen to the descriptions of the people shown below, which will be repeated twice. Match each description with the person or people being described by writing in the corresponding letter.

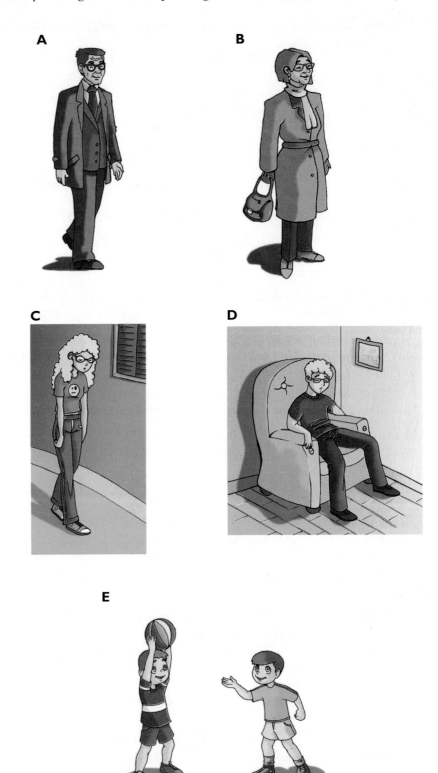

A   B

C   D

E

1. ____   2. ____   3. ____   4. ____   5. ____

3.7 Come sono questi personaggi? Describe the following celebrities using the adjectives given.

ESEMPIO: Sofia Loren / alto / simpatico
            Sofia Loren è alta e simpatica.

1. Roberto Benigni / buffo / allegro
2. Cecilia Bartoli / serio / sensibile
3. Jovanotti e Zucchero / bravo / dinamico
4. Donatella Versace e Giorgio Armani / elegante / espansivo
5. Eros Ramazzotti / bello / estroverso
6. Laura Pausini e Irene Grandi / carino / simpatico

3.8 Una mia amica. Rewrite the following paragraph to describe a female friend and use adjectives whose meaning is the opposite of the adjectives in italics.

Ho un amico *basso* e *magro*. È *bruno* ed ha i capelli *lunghi* e *ricci* e gli occhi *scuri*. È anche *sportivo*. È un ragazzo *espansivo* e *generoso*. È *divertente* e *simpatico*.

3.9 Alcuni amici. Complete this description of some friends by supplying the appropriate endings for the adjectives and adverbs.

1. Io ho molt _____ amici simpatic _____. Ho un car_____ amico italian_____, Beppe, e due car_____ amiche frances_____, Isabelle e Karine.
2. Beppe è molt_____ socievol_____ e sempre allegr_____. È un ragazzo giovan_____ e dinamic_____. È alt_____, ma non è molt_____ magr_____. Beppe è un ver_____ amico. È sempre molt_____ generos_____.
3. Isabelle è brun_____. Ha i capelli lungh_____ e ricc_____. È molt_____ intelligent_____ e allegr_____. È una ragazza divertent_____.
4. Anche Karine è una brav_____ ragazza, ma è un po' pigr_____. Non è molt_____ atletic_____.

3.10 Come sono i ragazzi e le ragazze a scuola? Describe the students in your classes by completing the following sentences with appropriate adjectives from the box. Make any necessary changes.

allegro	antipatico	bravo	buffo	carino	divertente
nervoso	elegante	gentile	paziente	noioso	
sensibile	serio	sportivo	studioso	timido	

1. Molti ragazzi sono...
2. Pochi ragazzi sono...
3. Molte ragazze sono...
4. Poche ragazze sono...

3.11 Come sono i professori? Write a short note to a friend describing and comparing three of your instructors.

3.12 Un vero amico/Una vera amica. Make a list of adjectives that describe how a true friend should be. Then compare lists with a classmate. How similar are your lists?

Scambi

3.13 Indovina chi è! Take turns describing a person in the illustration on page 75 and guessing who is being described.

3.14 Chi sono? Go around the room and ask yes/no questions in order to figure out the the name of the famous person your teacher has taped to your back.

ESEMPIO:　　S1:　Sono giovane?
　　　　　　　S2:　No.
　　　　　　　S1:　Ho gli occhi azzurri?

3.15 Paragoniamoli (*Let's compare them*)! Compare and contrast the following people. Then share your descriptions with the class.

ESEMPIO:　　Justin Timberlake e Placido Domingo
　　　　　　　Justin Timberlake è magro, invece Placido Domingo è grasso.
　　　　　　　Placido Domingo è un bravo cantante e anche Justin
　　　　　　　Timberlake è bravo...

1. Jay Leno e David Letterman
2. Woody Allen e Francis Ford Coppola
3. Julia Roberts e Madonna
4. ... ?

3.16 Com'è il tuo migliore amico/la tua migliore amica? Prepare a list of six questions to ask a classmate about his/her best friend. Inquire about the person's appearance and personality. Then use the list to interview a classmate.

Come sono?

Percorso II
L'abbigliamento

VOCABOLARIO

 Che cosa portano?

Marcella Conti

una maglia
nera

una gonna
lunga
rossa

gli stivali neri

Giuseppe Albertini

una bella
giacca blu

la cravatta
verde

la camicia
azzurra

dei bei
pataloni grigi

delle belle
scarpe beige

Giulia Marini

un bel
vestito
rosa

una
borsa
bianca

un bell'impermeabile
marrone

I colori

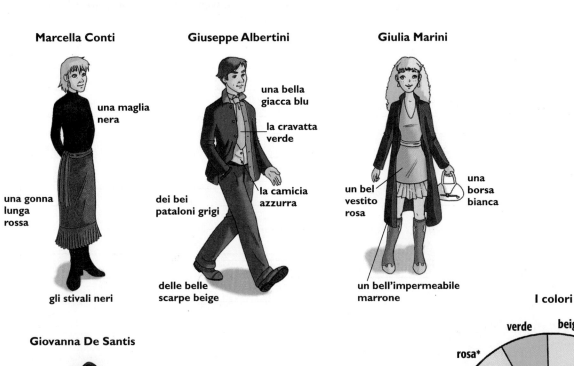

verde   beige*

rosa*   giallo

rosso   arancione*

nero   bianco

viola*   blu*

marrone   azzurro

grigio

*The colors **beige, viola, blu, rosa, marrone** and **arancione** do not change their endings.

Giovanna De Santis

una felpa
arancione

i jeans

Marco Boggi

la maglietta
gialla

dei pantaloni
corti verdi

le scarpe da
ginnastica blu

Domande sull'abbigliamento

Che cosa porti / porta? Che cosa indossi / indossa? *What are you/is he/she wearing?*

Di che colore è... ? *What color is . . . ?*

Di chi è? *Who is the designer? / Whose is it?*

3.17 Qual è il tuo colore preferito? Survey four classmates to find out their favorite colors. Don't forget to specify **chiaro** or **scuro**.

ESEMPIO: S1:   Qual è il tuo colore preferito?

S2:   Il mio colore preferito è il verde chiaro.

3.18 Cosa porti? List the clothing items that you normally wear at this time of the year and those that you don't.

3.19 Cosa portano? Complete the chart by indicating three different articles of clothing that three different classmates are wearing. Note the color of each article.

ESEMPIO:

Nome	Vestiti	Colori
Paolo	*giacca*	*nera*
1. _____	_____ _____ _____	_____ _____ _____
2. _____	_____ _____ _____	_____ _____ _____
3. _____	_____ _____ _____	_____ _____ _____

 3.20 Chi ce l'ha (*Who has it*)? Survey your classmates to find out who owns each of the following items. If you can't find anyone, write **nessuno** (*no one*). The first person to complete his or her chart gets to read it to the class to confirm the content.

Oggetto	Nome
1. una camicia bianca	
2. delle scarpe marroni	
3. uno zaino rosso scuro	
4. una penna viola chiaro	
5. una borsa nera	
6. una maglietta gialla	
7. una cravatta grigia	
8. una maglia blu scuro	

In contesto Che bel vestito!

Giuliano is complimenting his sister, who is particularly well dressed today.

GIULIANO: Mariella, come stai bene! Che bel vestito! È nuovo?

MARIELLA: Sì, ti piace? È di Versace.

GIULIANO: Sì, mi piace moltissimo; è molto bello e poi quel colore ti sta proprio bene°. E che belle scarpe!

MARIELLA: Ma come sei gentile oggi! Cosa vuoi?° Un'altra volta la mia macchina?°

GIULIANO: E dai!° Come sei, però!

looks really great on you
What do you want?
My car again?
Come on!

3.21 Il vestito di Mariella. Based on the dialogue, indicate which of these statements are true (**Vero**) and which are false (**Falso**).

1. Oggi Mariella porta un brutto vestito vecchio.
2. A Giuliano non piace il colore del vestito di Mariella.
3. Giuliano è un ragazzo onesto e gentile.

Occhio alla lingua!

1. Look at the illustrations and labels on page 81. What do you notice about the endings of the colors that describe the articles of clothing?
2. Look at the adjective **bello.** Do you notice any pattern in its usage?
3. What do you think **dei** and **delle** mean, as used in those captions?

GRAMMATICA

La quantità: *dei, degli, delle*

Dei, degli, and **delle** can be used with plural nouns to express indefinite quantities; you can think of these forms as plural forms of the indefinite article (**un, uno, una**). They are equivalent to the English *some, a few,* or *any.* As shown in the chart below, **dei, degli,** and **delle** follow the same pattern as the plural form of the definite article, **i, gli,** and **le. Dei** is used with masculine plural nouns that begin with a consonant. **Degli** is used with masculine plural nouns that begin with a vowel, **z,** or **s** + a consonant. **Delle** is used with feminine plural nouns that begin with a consonant or with a vowel.

Anna ha **dei** vestiti eleganti.   *Anna has some elegant dresses.*
Ho comprato **delle** scarpe nuove.   *I bought some new shoes.*

	Singolare	**Plurale**
Maschile	un vestito	dei vestiti
	un impermeabile	degli impermeabili
	uno zaino	degli zaini
Femminile	una cravatta	delle cravatte
	un'amica	delle amiche

3.22 Gli acquisti. Tell what clothes you just bought for school. Use **un, uno, una** or **dei, degli, delle**.

1. _____ giacca
2. _____ scarpe da ginnastica
3. _____ stivali
4. _____ zaino
5. _____ camicie bianche

6. _____ pantaloni neri
7. _____ maglie
8. _____ vestito
9. _____ magliette
10. _____ grande borsa

3.23 Che cosa c'è? Describe what is displayed in the store window. Use **un, uno, una** or **dei, degli, delle,** and don't forget to indicate the color of each item.

3.24 Cosa compri? Make a list of items of clothing that you would like to purchase this season. Use **un, uno, una** or **dei, degli, delle**.

Bello e quello

When placed before nouns, **bello** (*beautiful*) and **quello** (*that*) follow the same pattern as the definite article **il/lo/l'/la / i/gli/le**, as shown in the chart below.

Maschile before:	Singolare	Plurale
a consonant	**quel / bel v**estito	**quei / bei v**estiti
a vowel	**quell' / bell'**impermeabile	**quegli / begli i**mpermeabili
s + consonant	**quello / bello st**udente	**quegli / begli st**udenti
z	**quello / bello z**aino	**quegli / begli z**aini
Femminile before:		
a consonant	**quella / bella g**onna	**quelle / belle g**onne
a vowel	**quell' / bell'**amica	**quelle / belle a**miche

When **bello** follows the noun, it has the same four endings as adjectives that end in **-o**.

Quei pantaloni sono proprio **belli.**   *Those pants are really beautiful.*
Anche quelle camicie sono molto **belle.**   *Those shirts are also very beautiful.*

3.25 Che bello! A friend has just bought some new things for school. Comment on how beautiful they are.

ESEMPIO: la giacca
              —Che bella giacca!

1. la borsa
2. lo zaino
3. la maglietta
4. la felpa
5. l'impermeabile
6. le scarpe
7. l'orologio
8. il vestito

Che belle magliette!

3.26 L'armadio (*closet*). Look at the clothes in your friend's closet and comment on how nice they are. Use the correct form of **bello.**

ESEMPIO: —Che bella borsa!

3.27 Quanto costa? You are shopping in a clothing and accessories store. Point out each of the following items and ask the salesperson how much they cost.

ESEMPI: la borsa nera
            —Quanto costa *quella* borsa nera?
            le scarpe nere
            —Quanto costano *quelle* scarpe nere?

1. le scarpe da ginnastica
2. la gonna verde
3. i pantaloni corti neri
4. gli zaini rossi
5. i pantaloni grigi
6. i jeans bianchi
7. la camicia blu scuro
8. il vestito giallo

Scambi

3.28 Di chi parlano? Listen to three conversations overheard at a party. Each will be repeated twice. Match each conversation to the person being described by writing in the corresponding letter.

1. ____   2. ____   3. ____

Lo sai che? | Italian fashion

In Italy, the art of looking good permeates every aspect of daily life. Brand names and designer labels have always played a major role in Italians' quest to achieve the "perfect" look. Italians take fashion very seriously, as can be attested by the amount of money they spend each year on quality apparel and jewelry. Even in leaner economic times, fashion is important for Italians, although they may look for sales or shop in outlets in order to acquire the latest styles. A substantial percentage of Italian women wear designer clothing, **vestiti firmati,** and many Italian men favor tailor-made suits. In Italy, looking good is big business, and the fashion industry is one of the most important sectors of the economy.

Italian fashion also dominates the international designer clothing market. The "Made in Italy" label has become synonymous with unsurpassed quality, craftsmanship, and style. Italian designers such as Armani, Moschino, Gucci, Versace, Valentino, Krizia, Fendi, Prada, Gianfranco Ferré, Laura Biagiotti, and Benetton are famous throughout the world for both their designer fashions and their ready-to-wear clothing. Stores featuring their apparel can be found in the major cities of most countries.

American fashion is also very popular in Italy, especially among teenagers and young professionals who prefer a more casual look. Designers such as Ralph Lauren and Calvin Klein, and brand names such as Levi's, Guess, Timberland, and Nike, are very popular and can be found in stores in most Italian cities. The language of fashion has also been influenced by American English, and words such as **il blazer, il top, la T-shirt, il bomber, i jeans, il look, casual, glamour, trendy,** and **top model** have become part of everyday Italian.

3.29 Il look italiano

1. Which Italian designers are popular among members of your generation? And your parents' generation?
2. Do you own anything that is labeled *Made in Italy?*
3. Do you have any favorite Italian designers? How would you sum up the "Italian look" using adjectives that you have learned?

3.30 Che cosa ti metteresti (What would you wear)? List what you would wear for the following occasions.

1. to play tennis
2. to take a walk on a rainy day
3. to travel
4. to a special dinner date

3.31 Complimenti! Go around the room and compliment your classmates on their clothing and looks.

ESEMPIO: S1:   Che bel vestito!

S2:   Ti piace? È molto vecchio.

S1:   Ma è molto bello. Quel colore ti sta proprio bene!

S2:   Grazie, come sei gentile!

3.32 Com'è? Take turns pointing out and describing various items of clothing that your classmates are wearing. Use the adjective **quello** and follow the example.

ESEMPIO: S1:   Com'è quella gonna?

S2:   È lunga e rossa.

3.33 Che cos'è? Make a list of six items in your classroom. Then, working with a partner, take turns describing the location, color, and size of these items and guessing what each object is.

ESEMPIO: S1:   È grande e nera. È dietro alla cattedra.

S2:   La lavagna?

S1:   Sì!

3.34 Sono... Write a description of an imaginary person. Then pretend you are that person and, working with a partner, take turns describing yourself and having your partner draw the person described. Afterward, check each other's drawings.

Lo sai che?   Important centers of Italian fashion

Milan is considered the capital of the Italian fashion industry. High-fashion designers (**stilisti**), such as Giorgio Armani, Miuccia Prada, Donatella Versace, and Domenico Dolce and Stefano Gabbana, are based in Milan. Some of the most expensive and exclusive designer fashion boutiques can be found in what is known as the **quadrilatero della moda**, which includes the streets around Via Montenapoleone. In addition, some of the world's most famous designers flock every year to Milan to exhibit their *haute couture* creations in the city's exclusive fashion shows.

Florence (**Firenze**) is also an important fashion center. A number of ready-to-wear shows are staged in the city throughout the year. *Pitti Immagine* organizes a series of exhibits, such as *Pitti Uomo* (clothing and accessories for men), *Pitti Bimbo* (for children), and *Pitti Filati* (for textile and knitwear manufacturers).

Via Montenapoleone, Milano

Rome is another important fashion center. All major Italian and international designers have shops along the streets around Piazza di Spagna, Via Condotti, and Via Frattina. During the summer, an elegant fashion show, *Donna sotto le stelle*, is staged in Rome, in the beautiful Piazza di Spagna, and it is usually broadcast on TV.

3.35 La moda americana. Are there any cities in your country famous as fashion centers? Are they known for any particular lines of clothing? What do you think that would be appealing to young Italians about American clothing?

Percorso III
Le attività preferite

🔊 Cosa ti piace fare?

A Giulio piace **leggere.** Legge sempre.

A Giulio e Rita piace **correre.** Corrono ogni mattina.

A Giulio piace **dormire.** Dorme sempre molto.

A Rita non piace **pulire.** Invece Giulio pulisce spesso la casa.

Per parlare delle attività preferite

capire (-isc)	*to understand*
conoscere gente nuova	*to meet new people*
dipingere	*to paint*
discutere di politica / di sport	*to discuss politics / sports*
finire (-isc) (di + infinito)	*to finish (+ infinitive)*
parlare al telefono	*to talk on the phone*
preferire (-isc)	*to prefer*
prendere un caffè	*to have coffee*
rispondere alle mail	*to answer e-mail messages*
scrivere lettere / poesie	*to write letters / poems*
seguire le partite alla televisione	*to follow sports on TV*
vedere un film	*to see a movie*

Esprimere i gusti	La frequenza
(non) gli/le piace + infinito... *he/she likes (doesn't like . . .) + infinitive . . .*	**ogni giorno / mattina / sera** *every day / morning / evening*
(non) gli/le piace + singular noun... *he/she likes (doesn't like . . .) + singular noun . . .*	**qualche volta** *sometimes*
	raramente *rarely*
	sempre *always*
	spesso *often*

3.36 L'intruso. Select the word that doesn't belong in each group.

1. capire, leggere, correre
2. rispondere alle mail, dipingere, scrivere
3. prendere un caffè, seguire le partite alla televisione, vedere un film
4. dormire, discutere di politica, leggere
5. ogni giorno, raramente, sempre
6. parlare al telefono, pulire, conoscere gente nuova

3.37 Associazioni. What do you associate with these activities?

1. leggere
2. scrivere
3. pulire
4. parlare
5. rispondere
6. prendere
7. seguire
8. vedere

> You can use these expressions with a singular noun or an activity to talk about what you or other people like. To indicate dislikes, add **non** in front of each expression.
>
> | mi piace | *I like* |
> |---|---|
> | ti piace | *you (sing.) like* |
> | gli piace | *he likes / they like* |
> | le piace | *she likes* |

3.38 Non mi piace! List activities presented in the illustrations on page 88 and the *Vocabolario* list that you don't like. Then find classmates who dislike the same activities.

ESEMPIO: scrivere lettere
S1:   Ti piace scrivere lettere?
S2:   No, non mi piace scrivere lettere. *o* Sì, mi piace scrivere lettere.

3.39 Ti piace? Ask classmates if they like doing the activities shown in the illustrations on page 88 and in the *Vocabolario* list. Find out how often they do them.

ESEMPIO: S1:   Ti piace correre?
S2:   Sì, mi piace correre.
S1:   Spesso?
S2:   Sì, ogni mattina. *o* No, raramente.

◢◣ In contesto   Cosa ti piace fare?

Roberto and Cecilia are discussing what they like to do in their free time.

ROBERTO: Cosa fai quando non studi?

CECILIA: Dipende: leggo, scrivo, qualche volta ascolto musica. E poi, mi piace dormire! E tu?

ROBERTO: Niente di speciale! Non mi piace stare in casa. Qualche volta, se ho tempo, corro. Ma soprattutto, quando sono libero, preferisco incontrare gli amici in piazza e discutere di sport o di politica.

3.40 Hanno molto in comune (*Do they have a lot in common*)? Make a list of the activities that Roberto and Cecilia like and write at least three adjectives to describe each of the two friends. Then decide whether or not they have a lot in common.

Occhio alla lingua!

1. Look at the verbs that follow **piace** in the captions on page 88 and in the *In contesto* conversation. What do you notice about these verb forms?
2. What different conjugated verb forms do you see in the captions on page 88 and in the *In contesto* conversation? To which conjugation does each verb belong?

GRAMMATICA

Il presente dei verbi in -*ere* e in -*ire*

There are three verb conjugations in Italian: those with infinitives ending in -**are**, -**ere**, and -**ire**. You have learned how to form the present tense of regular -**are** verbs by dropping the infinitive ending and adding the appropriate first-conjugation endings to the stem. The charts below show the endings for regular -**ere** and -**ire** verbs. Remember to drop the -**ere** and -**ire** from the infinitives before adding the endings to the stem.

leggere	dormire
legg**o**	dorm**o**
legg**i**	dorm**i**
legg**e**	dorm**e**
legg**iamo**	dorm**iamo**
legg**ete**	dorm**ite**
legg**ono**	dorm**ono**

Dormite molto?	*Do you (pl.) sleep a lot?*
Scriv**ono** molti messaggi.	*They write a lot of messages.*
Luisa legge sempre.	*Luisa is always reading.*

Some -**ire** verbs, such as **preferire** (*to prefer*), **finire** (*to finish*), **pulire** (*to clean*), and **capire** (*to understand*), insert -**isc**- before the present-tense endings, except in the **noi** and **voi** forms. Verbs using -**isc**- in the stem are identified in the vocabulary lists.

preferire	
prefer-**isc**-o	prefer-iamo
prefer-**isc**-i	prefer-ite
prefer-**isc**-e	prefer-**isc**-ono

Che cosa preferisci?	*What do you prefer?*
Preferiscono ballare.	*They prefer to dance.*
Io capisco i miei amici.	*I understand my friends.*
Quando finisce la lezione?	*When is class over?*
Noi puliamo spesso la camera.	*We clean our room often.*

3.41 Chi lo fa? Listen to each sentence, which will be repeated twice, and indicate who is performing the action by writing down the correct subject pronoun.

1. _____   5. _____
2. _____   6. _____
3. _____   7. _____
4. _____   8. _____

3.42 Che cosa fanno? Tell what everyone is doing by matching the people in the left column with the activities in the right column. Some activities can be used twice.

1. Io
2. Marta
3. Gli studenti
4. Tu
5. Io e Riccardo
6. Tu e Giovanna
7. Carlo
8. Giuseppe e Marisa
9. Voi

a. prende un caffè.
b. puliamo la camera.
c. non capisci l'italiano.
d. preferiscono studiare in biblioteca.
e. seguite le partite alla TV.
f. ascoltano la radio.
g. guardo la TV.
h. nuotiamo in piscina.
i. giocate a tennis.

3.43 Che cosa preferite fare? Tell what you and some of your friends prefer to do on Saturdays.

ESEMPIO: Daniela / dormire
             Daniela preferisce dormire.

1. Tina / pulire la casa
2. Paolo / ballare
3. Io e Paola / vedere un film
4. Tu e Andrea / cenare in un ristorante
5. Rosanna e Maria / ascoltare la musica
6. Io / rispondere alle mail

3.44 Che cosa fate spesso ? Tell what you and others do often by completing the sentences with the appropriate forms of the verbs in the box.

correre	discutere	finire	giocare
guardare	prendere	scrivere	vedere

1. Noi _____ a calcio ogni sabato mattina.
2. Paolo _____ un caffè con gli amici.
3. Io _____ ogni mattina ai giardini.
4. Giovanna _____ la televisione ogni sera.
5. Io e i miei compagni _____ i compiti.
6. Tu e Paolo _____ di politica.
7. Fabrizio _____ una mail alla sua ragazza.
8. Giovanna e Paolo _____ un film.

Scambi

 3.45 Chi lo fa ? Find at least two people in your class who do each of the following activities.

Attività	Nome	Nessuno
1. Corre ogni mattina.		
2. Legge il giornale ogni giorno.		
3. Suona la chitarra.		
4. Parla molto al telefono.		
5. Dorme meno di quattro ore la notte.		
6. Mangia raramente a casa.		
7. Qualche volta vede un film italiano.		
8. Pulisce spesso la casa.		

 3.46 Che cosa fate ogni giorno? Discuss which of these activities you do and how often you do them.

ESEMPIO: scrivere lettere
S1:   Scrivete lettere?
S2:   Sì, io scrivo lettere spesso.
S3:   Io invece scrivo lettere raramente.

1. scrivere poesie
2. vedere gli amici
3. leggere un libro
4. nuotare in piscina
5. discutere di politica
6. giocare a tennis
7. pulire la casa
8. ascoltare la radio
9. dormire più di dieci ore
10. rispondere alle mail

 3.47 Cosa abbiamo in comune. Using the responses from activity 3.46, consider what you and your classmates have in common. Then take turns summarizing for the class what you have learned about everyone's activities.

ESEMPIO: Non scriviamo lettere spesso: Paul scrive lettere qualche volta. Hillary e Natalie scrivono lettere raramente. Io non scrivo lettere...

In pratica

PARLIAMO

Gaia

Ilaria

Vittorio

Dejan

Strategie per parlare   Describing people

When you describe a person, organize your information so as to highlight different aspects of his or her appearance and temperament. For example, you might start with a physical description, and then provide details about personality and likes and dislikes.

Un amico italiano/Un'amica italiana. Imagine that several people whom you have met initially through the *Percorsi* video—Gaia, Ilaria, Vittorio, and Dejan—will be visiting your campus this summer to study English. For which person would you like to be the host? Describe that person to your classmates. Start with a physical description, and then imagine what his or her personality and tastes are like.

Prima di parlare

3.48 Begin by completing the following activities.

1. Decide for which person you would like to be the host.
2. Decide how you will describe that person's physical appearance.
3. Imagine what the person's personality is like, what his or her tastes in clothing are likely to be, and what activities he or she may like. Make a few notes, if you need to.

Mentre parli

 3.49 With a small group of classmates, take turns presenting your descriptions—real and imagined—of the person for whom you would like to be the host. Make your descriptions as interesting and imaginative as possible. Answer any questions your classmates may have.

ESEMPIO: Vorrei ospitare (*I would like to host*) Ilaria. Ha i capelli lunghi ed è molto bella. È elegante. Porta sempre bei vestiti e belle scarpe. È simpatica, gentile e generosa. Le piace parlare al telefono. Non le piace pulire la casa! ...

Dopo aver parlato

 3.50 Now draw some conclusions by comparing the people you have imagined and described. What do they have in common and how do they differ?

ESEMPI: Ilaria e Dejan sono simpatici e molto intelligenti.

A Gaia piace leggere e a Vittorio piace correre.

Ilaria e Gaia sono molto eleganti.

LEGGIAMO

Strategie per leggere   Using illustrations to understand content

Often advertisements and newspaper and magazine articles are accompanied by illustrations that depict or reinforce the content. Focusing on the illustrations both before and as you read will help you greatly in understanding the text.

Prima di leggere

3.51 The following text is taken from an advertising brochure featuring the Florentine hair salon *Domina*. Before you read it, complete the following activities:

 1. Look at the photos of the three hairdressers and compare and contrast each person's physical appearance. Then decide which adjectives you think might best describe their personalities.

 2. What do you think each person in the photo might do often?

Mentre leggi

3.52 As you read, underline words that refer to people's physical characteristics and circle those that describe people's personalities.

Claudio:

Creative Director di Domina. Ha i capelli biondi e gli occhi azzurri. È italiano, di Firenze. È alto e magro. Ha frequentato una scuola a Londra e lavora anche all'Accademia della Oréal a Roma. Ama la musica e la poesia. È appassionato d'arte. Nel suo negozio[1] ha installato due grandi schermi dove si vedono brevi[2] filmati di cantanti[3] italiani. Sui muri del negozio ogni settimana i clienti possono leggere poesie di famosi scrittori italiani e stranieri.

Gina:

È la stilista di Domina ed esperta del colore. È bionda, con i capelli corti e grandi occhi verdi. Ha una bella personalità dinamica ed estroversa e si occupa[4] delle pubbliche relazioni. È una persona allegra e simpatica. Le piace viaggiare e parlare con i clienti. Ha studiato a Roma e a Milano.

Simone:

Anche lui stilista di Domina, è il manager del gruppo. È bruno, con gli occhi neri e i capelli castani e ricci. Ama lo sport. Gioca a tennis e a calcio. Molto organizzato e appassionato di computer, pensa lui a computerizzare tutte le informazioni sui clienti. Anche lui ha studiato a Roma e a Milano.

1. shop   2. short   3. singers   4. takes care of

•DOMINA•

Capelli per donna e uomo
uno degli indirizzi
più moderni in città.
Via XXVII aprile, 53-55r
Tel. 055494848
orario: 9-18
www.dominahair.com

Hair for women and men

Dopo la lettura

3.53 Complete the following activities.

1. Identify in the photo each person who is described. Explain each of your choices in Italian.
2. Complete the chart below in Italian, and then compare Claudio, Gina, and Simone. What do they have in common? How are they different?

	Claudio	**Gina**	**Simone**
Carattere			
Cosa fa spesso?			

3. Which person do you especially like? Why? **Mi piace di più... perché...**

SCRIVIAMO

Strategie per scrivere   Writing a personal ad

When you write a personal ad for a newspaper, a magazine, or an Internet site you have to communicate a great deal of information in just a few lines. Focus on the facts and details you want to convey, and then express them using short sentences, abbreviations, and key words.

Cerca amici. Using the personal ads below as examples, write your own personal ad.

Prima di scrivere

3.54 Follow these steps to plan and organize your ad.

1. Choose a few words that best describe you and your personality.
2. List your likes and dislikes.
3. Indicate what sort of person you would like to meet.
4. Write down your e-mail address.
5. Think carefully about your lead phrase. Remember that it is important to attract your reader's attention!

"Cerca amici...

Ciao Italia! Ho 24 anni, sono un ragazzo francese. Sono alto, bello e anche molto intelligente. Vorrei corrispondere in italiano con ragazze e ragazzi italiani. Tra i miei hobby: cinema, arte e letteratura. Scrivetemi, rispondo a tutti.
Alain.

bruneau27@yahoo.com

Ho 22 anni, sono un po' timida e non molto dinamica. I miei hobby: i viaggi, la musica, conoscere gente nuova. Vorrei corrispondere con tanti ragazzi della mia età.
Gabriella.

lenci@libero.it

Ho 18 anni, sono sportivo ed estroverso. Mi piace ballare, nuotare, giocare a tennis, ma soprattutto mi piace suonare la chitarra. Vorrei corrispondere in italiano o in inglese con ragazzi di tutto il mondo.
Paul.

pjones27@gmail.com

Vorrei corrispondere con ragazze della mia età, 16 anni. Sono carina, simpatica e sensibile. Mi piacciono il cinema e la musica. Mi piace anche scrivere e leggere poesie.
Luisa.

luisarivi@gmail.com

La scrittura

3.55 Use your notes to write a first draft of your personal ad. Begin with a catchy lead phrase, then present the information you have prepared as concisely as possible.

La versione finale

3.56 Reread and check your first draft.

1. Is the information clear?
2. Do the phrases you chose express adequately and in a well-organized way what you are trying to communicate?
3. Check spelling, articles, verbs, nouns, and adjective endings.

GUARDIAMO

Strategie per guardare   Paying attention to visual clues

You can often learn a great deal about what is going on in a film sequence by focusing on visual clues. Look closely, for example, at what each person is doing and how he/she seems to be interacting with others. Also, take note of any objects that receive special attention.

Prima di guardare

3.57 In this videoclip, four people talk about their friends and two discuss their personal tastes. Watch the video once without sound, focusing carefully on the visual clues. Then on the basis of your observations, answer the following questions.

1. What are people doing in each scene?
2. What objects do they focus on?
   a. fotografie   b. giornali

3. In some instances, can you tell whom the speaker is describing?
   a. amiche e amici   b. compagni e compagne di scuola

Mentre guardi

3.58 Watch the videoclip a second time with sound and complete the following activities.

1. Briefly describe Tommaso, Iacopo, and Fabrizio.
2. Select the articles of clothing Emma mentions.
   a. i jeans   b. una gonna
   c. le scarpe da ginnastica   d. gli stivali
   e. la felpa   f. una maglietta

Dopo aver guardato

3.59 Now supply the information requested below.

1. Complete the chart.

Nome	Carattere	Attività preferite
Alessandra		
Tommaso		
Iacopo		

2. Briefly describe in Italian the following items that Gaia shows.

   a. un vestito originale
   b. una gonna lunga
   c. una giacca

3. Prepare and act out with a classmate a short dialogue in which you describe yourselves and what you like to wear.

■ ATTRAVERSO LA LOMBARDIA

Since the 1980s, Milan, the capital of Lombardy (**Lombardia**) and the second largest city in Italy after Rome, has been renowned worldwide as an international fashion center. In the World War II years, it was the capital of the Resistance in Italy. In the 1960s, an economic boom quickly transformed it into the industrial and financial center of the nation. Milan and the entire region of Lombardy have always played a major role in the political, economic, and cultural life of Italy. The region is also famous for its natural beauty, artistic treasures, and charming cities. And, of course, Milano is also the home of risotto alla milanese, a rice dish made with saffron, and cotoletta alla milanese, a breaded veal chop friend in butter. Panettone and pandoro, two traditional Italian Christmas cakes, can also trace their origins to Milano.

Piazza del Duomo a Milano. La piazza del Duomo, a forma rettangolare, è considerata il cuore (*heart*) e l'anima (*soul*) di Milano. È situata al centro della città. Il Duomo, costruito in stile gotico, è interamente in marmo e adornato da 3400 statue. Nel punto più alto c'è la famosa *Madonnina*, una statua alta quattro metri, simbolo di Milano. La Galleria Vittorio Emanuele unisce la piazza del Duomo con un'altra famosa piazza, Piazza della Scala, dove c'è il prestigioso teatro alla Scala, probabilmente il teatro lirico più noto del mondo.

L'Ultima Cena di Leonardo da Vinci (1498) nel refettorio (*refectory*) del convento domenicano della Chiesa di Santa Maria delle Grazie, Milano. È un'opera tipica del rinascimento milanese. In quest'opera Leonardo narra con un realismo impressionante (*amazing*) l'episodio evangelico

VERIFICHIAMO

First read the introduction to the region, then look
at the photos and read the related captions.

3.60 È vero che... Find specific information in the readings to confirm the
following statements.

1. A Milano ci sono molte belle opere e famose strutture da visitare.
2. Milano è anche famosa per la musica.
3. Il Lago di Como è un importante centro turistico.
4. Mantova è una città molto ricca di opere d'arte.

 3.61 E nel tuo Paese? Is there a region similar to Lombardy in your
country? How about a city similar to Milan? What is it like?

3.62 Turismo. Have you ever visited Lombardy? Do you think you would
like to visit it? Why? What areas would you like to visit?

Bellagio, sul Lago di Como. Il Lago di Como è uno dei più grandi
laghi in Italia. È famoso per le sue bellezze naturali, tutto circondato da
montagne. Lungo (*Along*) il lago ci sono tante località turistiche con
ville lussuose e meravigliosi giardini. Ogni anno molti turisti stranieri
visitano questa zona. Bellagio è una famosa e pittoresca località sul
Lago di Como. Alessandro Manzoni (Milano, 1785–1873) immortalò
(*immortalized*) il Lago di Como in un famoso libro, *I promessi sposi*,
considerato il primo romanzo (*novel*) realista italiano.

Andrea Mantegna, *La Camera degli Sposi.* La Camera
degli Sposi si trova nel Palazzo Ducale di Mantova,
un'affascinante città d'arte. Andrea Mantegna dipinse (*painted*)
questi affreschi (*frescos*) fra il 1465 e il 1474 per la famiglia
Gonzaga, i signori di Mantova. Gli affreschi del Mantegna
rappresentano il mondo raffinato (*refined*) della corte dei
Gonzaga. In particolare quest'opera è famosa per l'uso della

🔊 VOCABOLARIO

Chiedere e dare informazioni

Com'è?	What is he/she/it like?
Come sono?	What are they like?
Di che colore ha i capelli (gli occhi)?	What color is his/her hair (are his/her eyes)?
Ha i capelli neri, castani, biondi, rossi.	He/She has black, brown, blond, red hair.
Ha gli occhi verdi, azzurri, castani, chiari.	He/She has green, blue, brown, light-colored eyes.

I nomi

i baffi	mustache
la barba	beard
il caffè	coffee
i capelli	hair
la casa	home, house
il film	film, movie
la gente	people
la lettera	letter
gli occhi	eyes
gli occhiali	glasses
la poesia	poem
la politica	politics
lo sport	sport
il telefono	phone
la televisione	television

L'abbigliamento

i (blu) jeans	jeans
la camicia	shirt
la cravatta	tie
la felpa	sweatshirt
la giacca	blazer, jacket
la gonna	skirt
l'impermeabile (m.)	raincoat
la maglia	sweater
la maglietta	T-shirt
i pantaloni (corti)	pants (short)
la scarpa	shoe
le scarpe da ginnastica	tennis shoes
gli stivali	boots
il vestito	dress, suit

I verbi

capire (-isc)	to understand
conoscere	to meet, to know
correre	to run
discutere (di)	to discuss
dormire	to sleep
finire (-isc) (di + infinito)	to finish (+ infinitive)
indossare	to wear
leggere	to read
portare	to wear
preferire (-isc)	to prefer
prendere	to have, to take
pulire (-isc)	to clean
rispondere (a)	to answer
scrivere	to write
vedere	to see

La descrizione

allegro/a	cheerful
altro/a	other
antipatico/a	disagreeable
anziano/a	elderly
atletico/a	athletic
avaro/a	stingy
bello/a	beautiful
biondo/a	blond
bravo/a	good, trustworthy
bruno/a	dark-haired, brunette
buffo/a	funny
buono/a	good
calmo/a	calm
calvo/a	bald
carino/a	cute, nice
caro/a	dear, expensive
castano/a	chestnut, brown
cattivo/a	bad
chiaro/a	light (color)
corto/a	short
dinamico/a	dynamic, energetic
elegante	elegant
espansivo/a	friendly, outgoing
estroverso/a	extroverted
generoso/a	generous
gentile	nice, kind
giovane	young
grasso/a	fat
intelligente	intelligent
liscio/a	straight (hair)
lungo/a	long
magro/a	thin, slender
molto/a	many
muscoloso/a	muscular
nervoso/a	nervous, tense
paziente	patient
pigro/a	lazy
poco/a	few

quanto/a	*how much, how many?*
quello/a	*that*
questo/a	*this*
riccio/a	*curly*
scuro/a	*dark*
sensibile	*sensitive*
serio/a	*serious*
simpatico/a	*nice*
socievole	*sociable*
sportivo/a	*active*
stanco/a	*tired*
studioso/a	*studious*
timido/a	*shy*
triste	*sad*
vero/a	*true, real, sincere*

I colori: See p. 81.

Altre parole ed espressioni

anche	*also*
e	*and*
(non) gli/le piace	*he/she likes (doesn't like)*
invece	*instead, on the other hand*
ma, però	*but*
molto	*very*
ogni giorno / mattina / sera	*every day / morning / evening*
o, oppure	*or*
poco	*not very*
proprio	*really*
qualche volta	*sometimes*
quanto?	*how much?*
raramente	*rarely*
sempre	*always*
spesso	*often*
stesso	*same*
troppo	*too much*

Una passeggiata ad Ascoli Piceno, nelle Marche

Percorso I: Le attività di tutti i giorni
Percorso II: I pasti e il cibo
Percorso III: Le stagioni e il tempo
In pratica
Attraverso: Le Marche

In this chapter you will learn how to:

◆ Tell time

◆ Describe your everyday activities

◆ Talk about food and your eating habits

◆ Describe weather conditions and seasonal activities

Percorso I
Le attività di tutti i giorni

 Cosa facciamo ogni giorno?

La mattina e la sera di Riccardo

Riccardo si sveglia.

Riccardo si alza.

Riccardo si lava i denti.

Riccardo si fa la doccia.

Riccardo si fa la barba.

Riccardo si veste. Si mette una camicia e i jeans.

Riccardo fa colazione con il padre e la sorella.

Riccardo si spoglia e si prepara per andare a letto.

Riccardo si addormenta.

L'ora

A che ora... ?	*At what time . . . ?*
adesso / ora	*now*
avere fretta	*to be in a hurry*
essere in ritardo	*to be late*
impegnato/a	*busy*
libero/a	*free, available*
Che ora è? / Che ore sono?	*What time is it?*
È presto.	*It's early.*
È tardi.	*It's late.*

Le attività di tutti i giorni

avere un appuntamento	*to have an appointment, to have a date*
cenare	*to have dinner*
divertirsi	*to have a good time*
fare la spesa	*to go grocery shopping*
farsi il bagno	*to take a bath*
pettinarsi (i capelli)	*to comb one's hair*
pranzare	*to have lunch*
riposarsi	*to rest*
truccarsi	*to put on makeup*

Quando?

di solito / generalmente	*usually*
dopo / poi	*after, then*
infine	*at last*
ogni giorno / tutti i giorni	*every day*
più tardi	*later*
prima	*first*

Così si dice   Telling time

To ask what time it is, say: **Che ora è?** or **Che ore sono?** You can respond using a complete sentence or just stating the hour and minutes: **(È) l'una e cinque.** *(It's) five after one.* **(Sono) le due meno venti.** *(It's) twenty to two.*

To indicate the time, use **è...** with **l'una, mezzogiorno,** and **mezzanotte.** Use the plural **sono le...** with all other time expressions. Express the hour and minutes before or after the hour as follows:

- Use **di mattina** after the hour to indicate A.M.
- For P.M., add to the time **del pomeriggio** (12 P.M. to 5 P.M.), **di sera** (5 P.M. to midnight), or **di notte** (midnight to early morning).

Usually, however, it is not necessary to include these expressions in everyday conversation, especially when the time of day is clear: **Faccio colazione alle otto.** *I have breakfast at 8:00.*

To find out when something occurs, ask: **A che ora... ?** To respond, use **a, all', alle** + the hour.

—**A che ora comincia la lezione? A mezzogiorno?**

—**No, comincia all'una e finisce alle due.**

 È l'una.

 È l'una e un quarto.

 Sono le due meno venti.

 Sono le due meno un quarto.

 Sono le due e venti.

 Sono le due e mezzo (mezza).

 È mezzanotte. o È mezzogiorno.

Lo sai che? The 24-hour clock

Did you know that in Italy the use of the 24-hour clock is widespread? Train, bus, plane, movie, and theater schedules are always expressed using the 24-hour clock. Subtract 12 to convert from the 24-hour clock to the 12-hour clock.

Il film comincia alle 21.30 (ventuno e trenta)   *The movie begins at 9:30 P.M. and ends at*
e finisce alle 23.15 (ventitré e quindici).   *11:15 P.M.*

 4.1 A che ora? Referring to the RETE 4 schedule, take turns asking each other when each of the programs listed begins. Express the time using the 24-hour clock.

ESEMPIO: *La grande vallata*
                S1:   A che ora comincia *La grande vallata*?
                S2:   Comincia alle 6.

1. *Giudice Amy*
2. *Leoni al sole*
3. *La sai l'ultima?*
4. *Tg 4 Rassegna stampa*
5. *Tg 4 Telegiornale.* All'interno: Vie d'Italia
6. *Distretto di polizia*

 4.2 Che ora è? Take turns pointing to each clock and saying what time it is.

1. _____   2. _____   3. _____   4. _____

5. _____   6. _____   7. _____

4.3 Che significa? Match each expression with its definition.

1. fare colazione   a. mangiare a mezzogiorno
2. pranzare   b. comprare cose da mangiare
3. essere impegnato/a   c. mangiare la sera
4. fare la spesa   d. mangiare la mattina
5. avere fretta   e. avere molte cose da fare
6. cenare   f. avere poco tempo

MERCOLEDÌ 1

RETE 4

6.00	**La grande vallata** Il ricatto di un amico. Telefilm
6.55	**Mediashopping**
7.25	**T.J. Hooker** Missione a Chicago. Telefilm
8.30	**Miamy Vice** Borrasca. Telefilm
9.50	**Febbre d'amore**
10.00	**Vivere**
10.35	**Giudice Amy** Le colpe dei padri. Telefilm
11.30	**Tg 4 – Telegiornale** All'interno: Vie d'Italia
11.40	**Doc** Una vera campionessa. Telefilm
12.25	**Distretto di polizia** Alleluja. Telefilm
13.25	**Anteprima Tg 4**
13.30	**Tg 4 – Telegiornale** All'interno: Meteo
14.05	**Il tribunale di Forum** Conduce Rita Dalla Chiesa
15.10	**Balko** Telefilm
16.10	**Sentieri**
16.30	**Leoni al sole** Regia di Vittorio Caprioli
18.45	**Anteprima Tg 4**
18.55	**Tg 4 – Telegiornale** All'interno: Meteo
19.35	**Ieri e oggi in TV**
19.50	**Tempesta d'amore**
20.30	**Nikita** Telefilm
[21.10]	**LA SAI L'ULTIMA?** VARIETÀ Regia **Egidio Romio** Conduce **Lorella Cuccarini, Massimo Boldi**
23.05	**The Unit** Obblighi di riconoscenza – Selezione. Telefilm
0.50	**NYPD** Confidenze. Telefilm
1.40	**Tg 4 – Rassegna stampa**
2.05	**Il mistero di Storyville** Regia di Mark Frost (Thriller, 1992)
4.00	**L.A. Dragnet** Telefilm
4.40	**Alfred Hitchcock** Telefilm

4.4 L'intruso. Select the word that does not belong.

1. avere fretta, cenare, essere impegnato/a
2. farsi il bagno, farsi la doccia, fare colazione
3. svegliarsi, addormentarsi, pranzare
4. vestirsi, divertirsi, mettersi
5. lavarsi, leggere le mail, prepararsi
6. guardarsi allo specchio, di solito, tutti i giorni

4.5 In che ordine? Number the following activities in the order in which you would do them. Then compare your list to a classmate's. How similar or different are your lists?

_____ Mi riposo.

_____ Mi vesto.

_____ Ceno.

_____ Pranzo.

_____ Mi faccio la doccia.

_____ Faccio colazione.

_____ Mi sveglio.

_____ Faccio la spesa.

_____ Guardo la televisione.

_____ Mi addormento.

_____ Mi spoglio.

_____ Parlo al telefono.

In contesto   Giorno dopo giorno!

Giulio, an Italian student, has sent his new virtual American friend, Jason, an e-mail describing his daily activities.

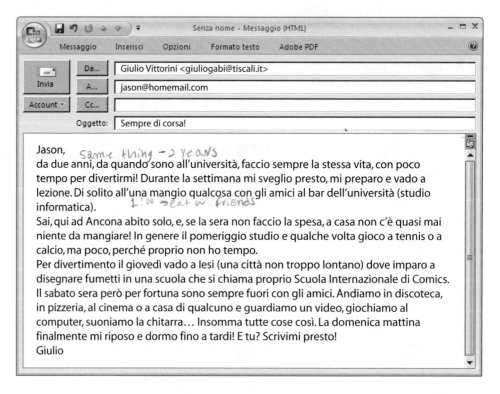

Jason,

same thing → 2 years

da due anni, da quando sono all'università, faccio sempre la stessa vita, con poco tempo per divertirmi! Durante la settimana mi sveglio presto, mi preparo e vado a lezione. Di solito all'una mangio qualcosa con gli amici al bar dell'università (studio informatica).

1:00 → eat w/ friends

Sai, qui ad Ancona abito solo, e, se la sera non faccio la spesa, a casa non c'è quasi mai niente da mangiare! In genere il pomeriggio studio e qualche volta gioco a tennis o a calcio, ma poco, perché proprio non ho tempo.

Per divertimento il giovedì vado a Iesi (una città non troppo lontano) dove imparo a disegnare fumetti in una scuola che si chiama proprio Scuola Internazionale di Comics. Il sabato sera però per fortuna sono sempre fuori con gli amici. Andiamo in discoteca, in pizzeria, al cinema o a casa di qualcuno e guardiamo un video, giochiamo al computer, suoniamo la chitarra... Insomma tutte cose così. La domenica mattina finalmente mi riposo e dormo fino a tardi! E tu? Scrivimi presto!

Giulio

4.6 La routine di Giulio. Complete the chart by indicating what Giulio does most weekday mornings and afternoons, on Thursday, and on the weekend.

La settimana di Giulio				
la mattina	il pomeriggio	il giovedì	il sabato	la domenica
si sveglia				

 4.7 Che tipo è? Indicate which of the following adjectives best describe Giulio and explain why: **sportivo, allegro, antipatico, dinamico, estroverso, gentile, pigro, serio, simpatico, socievole, studioso, timido, triste.**

Occhio alla lingua!

1. Look at the illustrations on page 103 and read the captions. What kind of activities is Riccardo engaged in? What do you notice about most of the verbs used to indicate his daily activities?
2. Read Giulio's e-mail again; then consider the following verbs used in his message: **mi sveglio, mi preparo, mi riposo.** What do these verbs have in common?
3. Who or what is the subject of each verb listed in #2?

GRAMMATICA

Il presente dei verbi riflessivi

Reflexive verbs indicate that the subject acts on himself or herself. For example: *I wash myself. We dress ourselves.* In Italian, reflexive verbs are always accompanied by reflexive pronouns: **mi, ti, si, ci, vi, si.** In English, on the contrary, the reflexive pronouns are not always used, and many actions that the subject does to himself or herself are not expressed with a reflexive construction: *I get undressed, I take a shower, and then I go to bed.*

Simona **si** lava.	*Simona washes herself.*
Mi alzo alle otto.	*I get up at eight.*
I ragazzi **si** vestono.	*The boys are getting dressed.*

Reflexive verbs are conjugated like the other verbs you have studied. Reflexive pronouns are placed directly in front of the conjugated verb, and they are always attached to the infinitive after dropping the final -e.

	alzarsi	mettersi	vestirsi
io	**mi** alzo	**mi** metto	**mi** vesto
tu	**ti** alzi	**ti** metti	**ti** vesti
lui/lei	**si** alza	**si** mette	**si** veste
noi	**ci** alziamo	**ci** mettiamo	**ci** vestiamo
voi	**vi** alzate	**vi** mettete	**vi** vestite
loro	**si** alzano	**si** mettono	**si** vestono

In negative sentences, **non** always precedes the reflexive pronoun.

Non si alza mai prima delle otto.   *He never gets up before eight.*

4.8 Che cosa fanno ogni giorno? Indicate what everyone does each day by matching the people in the left column with the actions in the right column.

1. Tu
2. Luigi
3. Io e Marco
4. Tu e Giovanna
5. Io
6. Marcella e Cecilia

a. vi fate la doccia.
b. mi alzo alle sette.
c. ti fai la barba.
d. si truccano.
e. si riposa dopo cena.
f. ci mettiamo i jeans.

4.9 La famiglia di Giorgio. Explain what Giorgio and his family do every day. Form complete sentences using the elements given.

1. Giorgio / svegliarsi tardi
2. io e Carla / alzarsi presto
3. Lucia / truccarsi sempre
4. Giorgio e Marco / farsi la barba ogni mattina
5. Carla / riposarsi il pomeriggio
6. Lucia e Marco / divertirsi in casa con gli amici

4.10 Cosa fanno? Listen as different people talk about daily activities. Each person's comments will be repeated twice. Write the conjugated verb(s) that you hear in each sentence. The first one has been done for you as an example.

1. __mi alzo_____   _____
2. _____   _____
3. _____   _____
4. _____   _____
5. _____   _____
6. _____   _____

4.11 Cosa facciamo ogni giorno? Describe what you and the following people do each day by completing the sentences with the correct form of one of the verbs in the box.

addormentarsi	alzarsi	cenare	divertirsi
fare	farsi	leggere	mettersi
pranzare	riposarsi	spogliarsi	svegliarsi

1. Ogni mattina io __s_____ alle otto e poi _____ alle otto e dieci.
2. Ogni pomeriggio io e Francesca _____ la spesa al supermercato.
3. Di solito io e Luigi _____ a mezzogiorno alla mensa.
4. La sera i bambini _____ il bagno e non la doccia.
5. Io _____ sempre a casa alle otto di sera con la mia famiglia.
6. Tu e Serena prima _____ le mail e poi _____ con un bel libro.
7. Paolo e Giuseppe giocano a tennis ogni giorno e _____ molto.
8. La sera io _____, _____ il pigiama e _____ a mezzanotte.

4.12 Spesso o no? Take turns asking individuals in your group if they do the following activities, how often, and at what time. Remember to use appropriate time expressions: **sempre, spesso, qualche volta, la mattina, la sera, di solito, tutti i giorni, mai.** Conclude by preparing together a short description of the daily activities you have in common.

ESEMPIO: alzarsi
             S1: Ti alzi presto?
             S2: Sì, mi alzo presto tutti i giorni. *o* No, non mi alzo mai presto.
             S1: A che ora ti alzi?
             S2: Mi alzo alle sette…

1. truccarsi / farsi la barba
2. mettersi un vestito elegante
3. lavarsi i capelli
4. lavarsi i denti

5. divertirsi
6. addormentarsi
7. riposarsi il pomeriggio
8. alzarsi

> ### Così si dice   To say *never*
>
> To express *never* in Italian, place **non** in front of the verb and **mai** after the verb: **Non mi sveglio mai presto.** *I never wake up early.*

Scambi

Lo sai che?   Business hours

QUESTO ESERCIZIO OSSERVA
IL SEGUENTE ORARIO GIORNALIERO

DALLE 8:00   ALLE 13:00

DALLE 17:00   ALLE 20:00

CHIUSURA SETTIMANALE

In most Italian towns and cities, stores and other places of business still close for lunch and reopen from 3:30 P.M. or 4:00 P.M. until 7:30 P.M. or 8:00 P.M., depending on the season. It is very common, in fact, for businesses to have seasonal schedules. For example, the stores in downtown Ancona are open from 9:00 to 12:30 and 4:00 to 7:30 in the winter, and from 9:00 to 12:30 and 4:30 to 8:00 in the summer. Also, most stores in Ancona are closed on Sundays and one morning or afternoon a week. Schedules can vary from city to city; in a number of large cities, many downtown stores are open on Sundays and have an **orario continuato** during the week (i.e., they don't close for lunch).

 4.13 L'orario. Complete the chart below, in Italian, to compare business hours in your country and in Italy.

	Nel tuo Paese	In Italia
Orario dei negozi		

4.14 Chi lo fa? Go around the room and find two classmates who do the following things.

Attività	Nome	
1. Si sveglia alle sei ogni mattina.		
2. La domenica si alza a mezzogiorno.		
3. Prima fa colazione e poi si fa la doccia.		
4. Non fa mai colazione la mattina.		
5. Si trucca o si fa la barba ogni mattina.		
6. Finisce di studiare a mezzanotte ogni sera.		
7. Si fa il bagno ogni sera prima di andare a letto.		
8. Arriva sempre tardi a scuola.		
9. Si mette i pantaloni corti per giocare a tennis.		

 4.15 Intervista: Che orario hai? Interview a classmate about his/her daily class schedule and take notes. How does it compare to your own schedule?

ESEMPIO:
S1: Che orario hai?
S2: Ho lezione il lunedì e il mercoledì.
S1: Che lezione hai il lunedì? A che ora?
S2: Alle otto ho lezione di matematica...

 4.16 Fissiamo un appuntamento. Referring to your weekly planner, write two activities you would like to do with a classmate on different days and at different times. Then set dates with two different classmates to get together at a mutually convenient day and time.

ESEMPIO:
S1: Pranziamo insieme martedì a mezzogiorno?
S2: No, ho lezione di matematica. Sono libero/a lunedì a mezzogiorno.
S1: Bene. Pranziamo insieme lunedì a mezzogiorno.

 4.17 Che tipo è? Use the following questions to interview a classmate about his/her daily routine. On the basis of your classmate's responses, decide which adjectives describe him/her best and write a note to your teacher explaining your conclusions.

1. Ti svegli presto o tardi la mattina? Ti piace svegliarti presto?
2. Come ti vesti ogni giorno? Cosa ti metti?
3. Dove pranzi di solito? Dove ceni?
4. Di solito, hai molto tempo libero o poco? Cosa fai il pomeriggio dopo la scuola?
5. Cosa fai la sera quando torni a casa?
6. A che ora ti addormenti generalmente? Cosa fai prima?

Percorso II
I pasti e il cibo

 Cosa mangiamo e beviamo?

Le bevande

della cioccolata
del vino
del latte
della birra
del succo di frutta
del tè
del caffè
dell'acqua minerale
un cappuccino

I primi

della minestra
del riso
della pasta

I secondi, i contorni e le verdure

dell'arrosto
del pollo
dell'aragosta
delle carote
una bistecca
del pesce
delle patatine fritte
delle vongole
dei gamberetti
dei fagiolini
dell'insalata
del pane
del cavolfiore
delle patate
dei piselli
degli asparagi
degli spinaci
dei pomodori

I dolci e la frutta

delle banane
del gelato
dell'uva
delle arance
delle mele
del formaggio
della macedonia

I pasti

la colazione *breakfast*
il pranzo *lunch*
la cena *dinner*

Per esprimere le nostre esigenze (*needs*)

avere bisogno di *to need*
avere fame *to be hungry*
avere sete *to be thirsty*
avere voglia di *to feel like having or doing something*

Mangiare e bere

bere *to drink*
cucinare *to cook*
ordinare *to order*
servire *to serve*

 4.18 La cucina italiana. Make a list of Italian foods you are familiar with and indicate into which category they would fall: **primi piatti, secondi piatti, contorni, pane, dolci e frutta.**

4.19 L'intruso. Select the word that doesn't belong in each group.

1. il riso, la minestra, le banane
2. l'arrosto, il pollo, il gelato
3. il pane, gli spinaci, il cavolfiore
4. la mela, l'uva, il caffè
5. il pesce, il latte, l'acqua minerale
6. le vongole, il succo di frutta, la bistecca
7. i gamberetti, l'aragosta, i fagiolini
8. le carote, il cavolfiore, il formaggio
9. il vino, l'arancia, la mela
10. i piselli, i funghi, le vongole
11. i pomodori, la birra, il tè
12. avere fame, servire, avere sete
13. avere voglia, avere bisogno, ordinare

 4.20 Cosa mangia? Indicate what the following people are likely—and not likely—to eat and drink.

1. È mattina e Mario ha sete.
2. Paola ha fame all'ora di cena e non le piace la carne.
3. A Maurizio piace molto la frutta.
4. Carla ha voglia di dolci.
5. Iacopo ha fame all'ora di pranzo e gli piacciono le verdure.
6. È sera e Carolina ha sete.

🔊 In contesto   Ho fame!

Roberta has run into her friend Fabrizio in front of a café near their school.

ROBERTA:	Ciao, Fabrizio, che fai?
FABRIZIO:	Esco ora da lezione. Vado al bar a prendere qualcosa°. Sto morendo di fame!° Vieni con me?
ROBERTA:	Ma è solo mezzogiorno!

something
I am starving!

FABRIZIO:	Sai, la mattina non faccio mai colazione e quindi° a mezzogiorno sono affamato. Tu di solito a che ora pranzi?	*therefore*
ROBERTA:	A casa mia pranziamo quasi sempre all'1.30. E tu, torni a casa?	
FABRIZIO:	No! Mangio qualcosa qui al bar, un panino o della pasta. Però poi la sera faccio un pasto completo: mangio il primo e il secondo, un contorno e anche la frutta.	
ROBERTA:	Invece noi facciamo un pranzo più tradizionale e poi a cena mangiamo solo del formaggio e dell'insalata, quasi sempre verso le 8.30.	
FABRIZIO:	Senti, però, perché non mi accompagni al bar lo stesso? Ti offro qualcosa da bere.	

4.21 I pasti di Fabrizio e Roberta. Complete the chart based on what you have learned about Fabrizio's and Roberta's eating habits. Then, compare your responses with those of a classmate.

	Pasto	Quando?	Cosa mangia?
Fabrizio			
Roberta			

Occhio alla lingua!

1. Look at the illustrations of foods and drinks on page 111. Do you remember what **dei, degli,** and **delle** mean? What do **del, dello, dell'**, and **della** mean in this context?
2. What do you think is the difference between *degli spinaci* and *dei gamberetti*? And between *del caffè* and *della pasta*? Can you detect a pattern?

GRAMMATICA

La quantità: *del, dello, dell', della*

In Capitolo 3, you learned that **dei, degli,** and **delle,** the equivalent of *some* or *a few* in English, are used with plural nouns that can be counted to express indefinite quantities.

Compro delle banane.	*I am going to buy some bananas.*
Mangio delle patate e dei piselli.	*I am eating potatoes and peas.*

1. **Del, dello, dell'**, and **della** are used with singular nouns to indicate a part of something, the English equivalent of *some*. They are used with words referring to food and other things that can be cut or measured but not counted. Compare these two sentences:

Prendo della macedonia.	*I'm having some fruit salad.*
Compro delle vongole.	*I'm buying some clams.*

2. **Del, dello, dell'**, and **della** follow the same pattern as the definite article **il, lo, l', la.** The form used depends on the gender of the word and the letter it begins with.

Il partitivo		Maschile	Femminile
before	a consonant	del formaggio	della cioccolata
	s + a consonant or z	dello zucchero	
	a vowel	dell'olio	dell'acqua

4.22 La borsa della spesa. Tell what is in your shopping bag by completing the sentences with the correct form of **del, dello, dell'**, or **della**.

Nella borsa della spesa ci sono _____ formaggio, _____ vino, _____ verdura, _____ pane, _____ zucchero, _____ acqua minerale, _____ birra, _____ pesce.

Lo sai che? Meals in Italy

Tutti in pizzeria!

A typical Italian breakfast usually consists of coffee (**espresso** or **cappuccino**) and cookies (**biscotti**), a croissant (**cornetto**), or a pastry (**pasta**). Even children often have coffee with milk. Lunch may consist of a **primo piatto**—a pasta dish, rice, or soup; a **secondo piatto**—fish, meat, or chicken; and a **contorno**—a vegetable dish. Italians drink water and wine with their meals and conclude the meal with fruit and **espresso**. Beer is also increasingly popular, especially with pizza, a favorite dinner item.

Traditionally, lunch has been the most important meal of the day, and Italians used to return home to eat with their family. However, this custom is changing; many people now eat lunch during a short break at school or work, and dinner, served after 8:00 P.M., is becoming the most important family meal.

Children often have a small snack, called **uno spuntino** or **una merenda**, around 5:00 in the afternoon.

 4.23 I pasti. What do you find most distinctive about meals in Italy? What might an Italian friend find interesting about meals in your country?

4.24 Al supermercato. You just arrived at the grocery store but cannot find your shopping list. Call your roommate to find out what you have to buy, asking the questions below, with the correct form of **del, dello, dell'**, or **della**. Your roommate, played by another student, will respond in the negative, offering an alternative in each instance.

ESEMPIO: C'è _____ acqua minerale?
S1:   C'è <u>dell'</u>acqua minerale?
S2:   No, ma c'è della Coca-Cola.

1. C'è _____ vino in frigorifero?
2. Ci sono _____ spaghetti?
3. C'è _____ caffè?
4. Ci sono _____ arance?
5. C'è _____ insalata?
6. Ci sono _____ piselli per cena?

Il presente di *bere*

The verb **bere** (*to drink*) is irregular. An archaic form of its infinitive, **bevere**, is used to conjugate it. The **-ere** is dropped from **bevere** and second conjugation present tense endings are added to the stem.

bere (bevere)
bev**o**
bev**i**
bev**e**
bev**iamo**
bev**ete**
bev**ono**

4.25 Quando? Tell when the following people drink the beverages indicated: for breakfast, lunch, or dinner?

ESEMPIO: io / del caffè
Bevo del caffè a colazione.

1. tu / del tè
2. noi / dell'acqua minerale
3. mia madre e mio padre / del vino
4. Gianni / un cappuccino
5. tu e Margherita / del latte
6. Gabriella / un espresso

 4.26 E tu? Discuss what you and your friends drink throughout the day, as well as with breakfast, lunch, and dinner.

Scambi

4.27 A cena a casa mia. As you listen to two friends talking about a dinner party they will be hosting, select the phrases that best complete the statements about their plans. You will hear their conversation twice.

1. Fabio fa la spesa *questa sera / domani.*
2. A Laura piacciono *gli spaghetti con i gamberetti e le vongole / gli spaghetti con le zucchine.*
3. Laura dice (*says*) che Fabio *beve troppo caffè / cucina molto bene.*
4. Fabio cucina anche del riso perché *Giulia non si sente bene / a Giulia non piace il pesce.*
5. Per secondo, Fabio cucina *del pesce con carote e fagiolini / del pollo con patate e piselli.*
6. Laura compra *la macedonia / il gelato.*

Così si dice *Piace / Piacciono*

Use **piace** when the thing liked is singular and **piacciono** when the thing liked is plural. For example: **Mi / Ti piace la bistecca.** *I / You like steak.* **Non mi / ti piacciono i gamberetti.** *I / You don't like shrimp.* **Gli/Le piace il pollo.** *He/She likes chicken.* **Non gli/le piacciono le verdure.** *He/She doesn't like vegetables.*

4.28 Mi piace... / Mi piacciono... Make a list of the vegetables, fruits, and meats or fish shown in the illustrations on page 111 that you especially like. Make a second list of anything that you don't like. With a partner, compare your lists. Do you like and dislike the same things?

4.29 La spesa. Prepare a weekly shopping list for an Italian family of four that eats all their meals at home.

4.30 I tuoi pasti. Interview a classmate about his/her mealtime habits and complete the following chart. How do your classmate's habits compare to your own?

ESEMPIO:
S1: A che ora pranzi?
S2: Di solito pranzo all'una e mezza.
S1: Che cosa bevi?
S2: A pranzo bevo l'acqua e poi prendo un caffè.

Pasto	A che ora?	Dove?	Con chi?	Che cosa mangi?	Che cosa bevi?
la colazione					
il pranzo					
la cena					

4.31 Una cena. On a piece of paper write two things you like and one thing you don't like in each of the following categories: **primi, secondi, contorni, dolci, bevande.** Then working in small groups, organize a dinner party and decide together what to serve so everybody will enjoy the meal.

Percorso III
Le stagioni e il tempo

 Quale stagione preferisci?
Le stagioni

L'estate. C'è il sole. Il tempo è bello e fa caldo.

L'autunno. Fa fresco.

L'inverno. Quasi sempre il tempo è brutto.
Fa freddo e nevica.

La primavera. Qualche volta piove.

Le attività nelle diverse stagioni

andare
 a ballare *to go to dance*
 in bicicletta *to ride a bike*
 al cinema *to go to the movies*
 in discoteca *to go to a disco*
 al mare *to go to the beach*
 in pizzeria *to go to a pizzeria*
fare
 dello sport *to do sports*
 trekking *to go hiking*
 una passeggiata *to take a walk*
 vela *to sail*

giocare
 a baseball *to play baseball*
 a basket *to play basketball*
 a carte *to play cards*
 a football *to play football*
 a golf *to play golf*
pattinare *to skate*
prendere il sole *to sunbathe*
sciare *to ski*
uscire *to go out*
venire *to come*

Che tempo fa?

È nuvoloso. *It's cloudy.*
C'è nebbia. *It's foggy.*
Tira vento. / C'è vento. *It's windy.*

Caldo o freddo?

avere caldo *to be hot*
avere freddo *to be cold*

4.32 Che tempo fa? Write the names of the seasons and the months that correspond to each one. Then describe the weather conditions usually associated with each season.

4.33 Che fai quando... ? Match the weather conditions with the appropriate activities.

1. C'è il sole.
2. Nevica.
3. Piove.
4. Tira vento.
5. Fa molto freddo.
6. Fa fresco.
7. Il tempo è bello.
8. Fa molto caldo.

a. andare al cinema
b. fare una passeggiata
c. fare vela
d. prendere il sole
e. giocare a carte
f. sciare
g. giocare a basket
h. fare trekking

4.34 Che cosa fate tu e i tuoi amici? Complete each sentence with one of the following words or expressions, making any necessary changes.

andare al cinema fare vela	avere caldo football	avere freddo giocare a carte	ballare golf	baseball trekking

1. Quando (io) _____ mi metto una felpa.
2. Il sabato sera andiamo in discoteca a _____.
3. Se c'è vento, andiamo al mare a _____?
4. Domani sera, se piove, venite a casa mia a _____?
5. Ti piace _____? Conosci i film di Fellini?
6. Non mi piace fare una passeggiata quando c'è il sole e io _____!
7. Quali sport fai? Giochi a _____, a _____ o a _____?
8. Laura e Fabrizio vanno spesso in montagna a fare _____.

4.35 E tu, quando lo fai? List some activities you like to do and some activities you avoid doing in different seasons. Then share your list with a partner and compare your preferences.

 **In contesto** Che programmi hai?

Paolo and Susanna are talking about the weather and their plans for an outing tomorrow.

PAOLO: Susanna, che fai stasera? Io esco con Giorgio. Vieni?

SUSANNA: No, non vengo. Stasera vado a letto presto, perché domani, se non piove, vado a Numana a prendere un po' di sole, dopo tanti mesi in casa! Perché non vieni anche tu? O vai alla partita?

PAOLO: Certo che vengo anch'io! A che ora andiamo?

SUSANNA: Prestissimo!

PAOLO: Vengono anche Marco e Angela?

SUSANNA: No, sono a sciare. Pensa, in primavera! A me però non piace sciare e poi in montagna ho sempre freddo!

PAOLO: Io adoro la primavera, perché la temperatura è perfetta e posso andare a correre o a giocare a tennis quasi ogni giorno. A domani, allora!

4.36 I programmi di Paolo e Susanna. Indicate which of the following statements are true (**Vero**) and which are false (**Falso**) according to the conversation. Then correct the false statements.

1. A Susanna piace il caldo.
2. Questa sera Susanna resta a casa.
3. Paolo è sportivo.
4. La stagione attuale è l'autunno.

Occhio alla lingua!

1. Look at the verbs in the *In contesto* conversation. What unfamiliar verb forms do you notice?
2. What do you think is the difference between the forms **vado** and **vai**, and among the forms **vengo**, **vieni**, and **vengono**?
3. What expression(s) with **avere** can you find in the *In contesto* conversation? What other expressions can you remember?

GRAMMATICA

Il presente di *andare, venire e uscire*

The present tense of the verbs **andare** (*to go*), **venire** (*to come*), and **uscire** (*to go out*) is irregular.

andare	venire	uscire
vado	vengo	esco
vai	vieni	esci
va	viene	esce
andiamo	veniamo	usciamo
andate	venite	uscite
vanno	vengono	escono

A che ora **esci** di casa la mattina?	*At what time do you leave the house in the morning?*
La sera **va** spesso a teatro.	*She often goes to the theater in the evening.*
Vengono a scuola alle otto.	*They come to school at eight.*

4.37 Dove vanno? Imagine where the following people are going at the times indicated. Use the 12-hour clock in your responses.

ESEMPIO: 8.00 / io
            Alle otto vado a scuola.

1. 9.00 / Giovanna
2. 12.30 / noi
3. 16.15 / voi
4. 18.45 / tu
5. 21.00 / i miei amici
6. 23.00 / Marco

4.38 Quando usciamo? Tell when you and your friends go out. Complete the sentences with the correct forms of the verb **uscire**.

1. (Io) _____ tutti i sabati con gli amici.
2. Riccardo non _____ mai la sera!
3. Tu e Giulia _____ dopo cena.
4. Carlo e Mario _____ il sabato sera.
5. (Tu) _____ con noi il weekend?
6. (Noi) _____ alle cinque ogni sera.

4.39 Vieni a casa mia? You are having a small dinner party at your house and are discussing with a friend who is going to be there. Complete the conversation with the correct forms of the verb **venire**.

—Fabrizio, allora tu e Giorgio (1) _____ insieme? O tu
(2) _____ solo?
—No, (noi) non (3) _____ insieme: Giorgio (4) _____ in autobus verso le 8, e poi io (5) _____ in macchina alle 9. Prima proprio non posso.
—Sono molto contento perché (6) _____ anche Paolo e Anna!
—Bene! E Carla (7) _____?
—Sì! Certo!

4.40 Intervista. With a classmate, take turns asking each other if and when you do the following activities. Then report what you have discovered to the class.

ESEMPIO: uscire il sabato sera
            S1: Esci il sabato sera?
            S2: Sì, il sabato sera esco spesso.

1. venire a scuola ogni giorno
2. andare al cinema spesso
3. uscire la sera durante la settimana
4. andare in discoteca
5. bere qualcosa con gli amici
6. uscire la domenica pomeriggio
7. andare in pizzeria
8. venire a scuola in bicicletta

Espressioni con *avere*

The irregular verb **avere** is used in many idiomatic expressions that in English often require the verb *to be*.

Ho diciotto anni.	*I am eighteen years old.*
Hai sete?	*Are you thirsty?*
Di che cosa hai voglia?	*What do you feel like having?*
Ho fame, ho voglia di un panino.	*I am hungry, I feel like having a sandwich.*

avere... anni	*to be ... years old*
avere bisogno di	*to need*
avere caldo	*to be (feel) hot*
avere fame	*to be hungry*
avere freddo	*to be (feel) cold*
avere fretta	*to be in a hurry*
avere sete	*to be thirsty*
avere sonno	*to be sleepy*
avere voglia di...	*to feel like doing or having something*

4.41 Perché lo fai? Explain why you do the following things, using an idiomatic expression with **avere**.

1. Mi metto la maglia perché...
2. Bevo un po' d'acqua perché...
3. Mangio un panino perché...
4. Corro a scuola perché...
5. Non mi metto una giacca, ma mi metto una maglietta perché...
6. Vado a letto perché...

4.42 La mia amica Claudia. Complete the description of Claudia using the correct forms of **avere** or **essere**.

Claudia (1) _____ molto simpatica e socievole. La mattina (2) _____ spesso fretta, perché si sveglia tardi. Per andare a scuola di solito porta solo i jeans e una maglietta, perché (3) _____ sempre caldo. Frequenta l'università, ma (4) _____ molto giovane: (5) _____ solo diciotto anni! Ci vediamo quasi ogni giorno all'università e all'ora di pranzo, se noi (6) _____ fame, mangiamo qualcosa insieme. Claudia (7) _____ molto attiva e quando va a correre (8) _____ sempre molta sete. Claudia (9) _____ una persona allegra e non (10) _____ bisogno di molte cose per essere contenta.

Lo sai che? | Celsius *versus* Fahrenheit

In Italy, as in many other countries, temperature is measured in degrees according to the Celsius scale. Zero degrees Celsius is equivalent to 32 degrees Fahrenheit. In Italian, **temperatura minima** indicates the lowest expected temperature and **temperatura massima** the highest expected temperature.

4.43 Average temperatures. The average temperatures in Ancona are 1–9 degrees Celsius in the Winter, 7–17 degrees in the Spring, 17–28 degrees in the Summer, and 6–10 degrees in the Fall. How would you express the approximate equivalents in degrees Fahrenheit? How would you describe the weather in Ancona?

Gradi centigradi   **Gradi Fahrenheit**

Scambi

4.44 Chi lo dice? You will hear three people talking about the weather. Write the number of each person's comments beside the illustration to which they correspond. Each person's comment will be repeated twice.

1. _____

3. _____

2. _____

4.45 Le previsioni del tempo. Look at the weather map and answer the following questions.

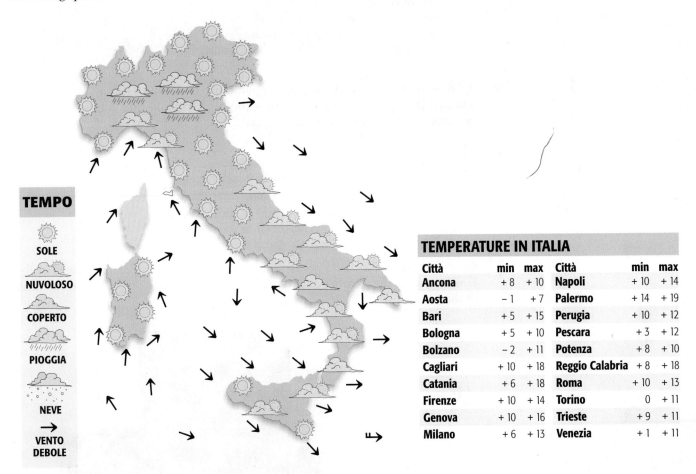

TEMPO

SOLE

NUVOLOSO

COPERTO

PIOGGIA

NEVE

→ VENTO DEBOLE

TEMPERATURE IN ITALIA

Città	min	max	Città	min	max
Ancona	+ 8	+ 10	Napoli	+ 10	+ 14
Aosta	– 1	+ 7	Palermo	+ 14	+ 19
Bari	+ 5	+ 15	Perugia	+ 10	+ 12
Bologna	+ 5	+ 10	Pescara	+ 3	+ 12
Bolzano	– 2	+ 11	Potenza	+ 8	+ 10
Cagliari	+ 10	+ 18	Reggio Calabria	+ 8	+ 18
Catania	+ 6	+ 18	Roma	+ 10	+ 13
Firenze	+ 10	+ 14	Torino	0	+ 11
Genova	+ 10	+ 16	Trieste	+ 9	+ 11
Milano	+ 6	+ 13	Venezia	+ 1	+ 11

1. Com'è oggi il tempo?
   a. al Nord
   b. al Centro
   c. al Sud
   d. sulle isole

2. Quali sono le temperature minime e massime nelle città seguenti? Come è il tempo in queste città?
   a. a Milano
   b. a Pescara
   c. a Firenze
   d. a Bari

 4.46 Che fai e quando? Indicate what activities you usually do during each season and what clothes you wear. Then find a classmate who has similar tastes and habits.

Stagione	primavera	estate	autunno	inverno
Attività				
Vestiti				

4.47 Che facciamo? Discuss what you can do in the following situations.

1. Siete ad Ancona per il weekend.
2. È sabato sera e avete voglia di uscire.
3. È una sera di dicembre e fa freddo.
4. Cè il sole e avete voglia di fare dello sport.

4.48 Aiuto (*Help*)! An Italian acquaintance is coming to visit your country and is planning to spend a weekend with you. Imagine—and act out—your telephone conversation when he/she calls. You want to discuss:

1. il tempo
2. i vestiti che deve (*he/she needs*) portare
3. le attività che potete (*you can*) fare insieme

ESEMPIO: S1: Pronto! Sono Anna.
            S2: Anna, come stai? Quando arrivi?
            S1: Arrivo venerdì. Com'è il tempo? ...

4.49 In città. Ask a classmate questions about a city he or she knows well. Find out what the weather is like there and what things you do at various times of the year.

Com'è vestita questa ragazza? Che tempo fa?

Ombrelli di tanti colori davanti a un negozio (*store*)! Che stagione è?

In pratica

PARLIAMO

Di che cosa parlano le persone della foto per conoscersi meglio (*to get better acquainted*)?

Strategie per parlare Asking questions to gather information
Asking questions is a good way to get to know someone and to gather needed information. To ask questions, remember common phrases you have learned, such as: **A che ora… ?** and **Ti piace… ?**, and essential question words, including: **quando, come, che cosa, perché,** and **chi**.

Per abitare insieme. Imagine that you are looking for a roommate. With a classmate, take turns asking each other about your daily schedules, activities, and habits. Then decide if the two of you would be compatible as roommates.

Prima di parlare

4.50 Follow these steps to prepare to talk with your classmate.

1. In Italian, using vocabulary you have learned, make a list of points you would like to ask your classmate about.
2. Make a list of at least six questions you can ask in order to get the desired information. For example, to learn about your classmate's schedule, you might ask: **A che ora ti svegli? A che ora vai a letto?**

Mentri parli

 4.51 Taking turns, ask each other the questions you have prepared and write down the responses. What conclusions can you reach? Would the two of you be compatible as roommates?

Dopo aver parlato

 4.52 With your classmate, explain your decision to others in your class.

ESEMPIO: Possiamo (*We can*) abitare insieme perché ci addormentiamo alle dieci... *o* Non possiamo abitare insieme perché Andrea lavora di notte...

LEGGIAMO

Strategie per leggere Using title and subtitles to anticipate content

Before you begin reading a text, examine the titles, subtitles, and other headings that summarize the main ideas. Looking at these elements carefully can help you make preliminary assumptions about the content and activate your background knowledge of the topic.

Prima di leggere

4.53 The text below deals with a common issue facing young Italians and their parents. Before you read it, consider carefully the title and subtitle, and then answer these questions.

1. Look at the title of the reading, *Voglio* (I want) *tornare alle 5*. Who do you think is speaking? Do you think the person is talking about 5:00 P.M. or 5:00 A.M.?
2. Now consider the subtitle. How would you interpret the first two sentences: "Estate fa rima con discoteca. E con notti insonni per i genitori (*parents*)." Select all possible responses.
   a. In estate non c'è scuola e i giovani escono la sera.
   b. L'estate è il periodo perfetto per andare in discoteca.
   c. I genitori si preoccupano per i figli.
   d. I genitori lavorano di notte.
   e. I genitori non dormono quando i figli tornano a casa molto tardi.
3. According to the following question in the subtitle, what two choices do parents have: "Bisogna (*Is it necessary*) essere inflessibili o negoziare?"
4. The last sentence gives additional information about the content of the reading: "Ne parlano due esperti." Who is going to be quoted in this reading?
5. Summarize in your own words what you think the reading is about and what sorts of opinions will be given. Does the accompanying illustration back up your assumptions?

Mentre leggi

4.54 As you read, focus on the opinions expressed by the two psychotherapists. Identify which are Crepet's opinions and which are Charmet's opinions.

Voglio tornare alle 5

Estate fa rima con discoteca. E con notti insonni per i genitori. Bisogna essere inflessibili o negoziare? Ne parliamo con due esperti.

Con l'arrivo dell'estate la discoteca esercita sui ragazzi un richiamo irresistibile. Così la notte diventa argomento di scontro[1] con i figli e anche tra i genitori, perché spesso ce n'è uno più severo[2] e uno più disponibile alla mediazione. Discutiamo delle notti in discoteca due psicoterapeuti dell'adolescenza che la pensano in modo diverso: Paolo Crepet, l'intransigente, e Gustavo Pietropolli Charmet, il negoziatore.

■ **Orari.** «È bene limitarli, specie[3] con i più giovani. La ragazzina di 15 anni non può tornare a casa alle cinque, nemmeno[4] se vi dice che tutte le sue amiche hanno il permesso» non ha dubbi Crepet. Charmet è più morbido: «Se i ragazzi si dimostrano maturi, gli orari possono essere negoziati, anche in base alle abitudini[5] di tutto il gruppo, a cui l'adolescente è molto legato[6]. A patto[7], però, di conoscere bene amici e ambiente[8] frequentati dai propri figli». Per i due psicologi, comunque, l'orario previsto[9] per il rientro va rispettato.

Giovanna Goj

1. confrontation   2. strict   3. particularly   4. not even   5. habits
6. close   7. Provided that   8. place   9. established

Dopo la lettura

4.55 Look over the opinions that you identified as you read the article. Were your initial assumptions based on the title and subtitle accurate?

4.56 Indicate which of the following statements are true (**Vero**) and which are false (**Falso**). Find statements in the text to support your responses.

1. Molti ragazzi giovani desiderano restare in discoteca fino alle cinque di mattina.
2. I genitori si preoccupano molto quando i figli sono in discoteca tutta la notte.
3. I due psicoterapeuti sono molto severi.
4. Secondo Crepet, una ragazza di 15 anni può (*may*) tornare a casa alle cinque di mattina.
5. Secondo gli psicologi, i ragazzi devono (*must*) tornare all'ora stabilita (*established*).

4.57 Answer the questions, comparing your own experience with that of young Italians.

1. I ragazzi italiani escono la sera dopo cena? A che ora tornano a casa di solito i ragazzi del vostro Paese quando escono la sera?
2. I ragazzi italiani vanno spesso in discoteca? E voi?
3. C'è un limite di età per andare in discoteca nel vostro Paese?

SCRIVIAMO

La routine giornaliera. Imagine that you have received Giulio's e-mail message (p. 106) and are now sending him a response. Tell him about your own daily and weekend routines, and ask him a couple of questions of your own.

Prima di scrivere

4.58 Follow these steps to organize your thoughts before drafting your message to Giulio.

1. Decide what interesting information you can share with Giulio in response to his e-mail. List major aspects of your daily routine that you want to mention.
2. Make a second list of weekend activities that are important to you.
3. Write three questions that you would like to ask Giulio—about his activities as a student in Ancona, about his tastes in food, or about the climate where he lives.

La scrittura

4.59 Prepare a draft of your e-mail, using Giulio's message as a model and the notes that you have prepared. Remember to begin and to close your message appropriately.

La versione finale

4.60 Let some time pass, then read your draft.

1. Have you written a concise, clearly organized message based on your notes?
2. Check the language of your e-mail: Look at the agreement of nouns and adjectives. Are the verb forms correct? Is your spelling correct?
3. Revise your draft, watching for any other possible errors.

GUARDIAMO

Prima di guardare

4.61 In this video segment, four people (Ilaria, Chiara, Felicita, and Plinio) talk about their daily activities and one person (Fabrizio) talks about his food preferences. After you view this segment, you will be asked about these people's everyday schedules and eating habits. Before you view it, write down in Italian four aspects of their lives you think they may choose to discuss.

Mentre guardi

4.62 As you watch this segment, answer the following questions.

1. Indicate at what time:
   a. si alza Felicita
   b. si alza Ilaria
   c. cena Plinio

2. What do the following people do?
   a. Quando torna a casa, Chiara...
   b. La mattina Felicita...

3. Select the correct statement about each person:
   a. Chiara lavora tutti i giorni dalle otto alle due.
      Chiara si alza alle otto ogni mattina.
   b. Plinio pranza sempre a mezzogiorno.
      Plinio pranza verso le due.
   c. Felicita si trucca sempre.
      Felicita va al cinema il pomeriggio.
   d. Ilaria mangia un panino a scuola.
      Ilaria pranza a casa.

4. What is Fabrizio cooking?
   a. arrosto e piselli
   b. pollo e asparagi

5. Select the foods that are mentioned in the video.

riso	frutta	gamberetti	pollo	macedonia	pasta
verdura	succo d'arancia	caffè	asparagi	spinaci	uva

Dopo aver guardato

4.63 Now discuss the following questions:

1. Compare your daily schedule with that of some of the people in the video. Indicate:
   a. a che ora ti svegli tu e a che ora si svegliano Felicita e Ilaria.
   b. a che ora pranza e cena Plinio. E tu?

2. Whose daily activities are most similar to your own? Explain why.

3. What comments can you make about Italian meals after watching the video? Do you particularly like any of the foods that are mentioned?

■ ATTRAVERSO LE MARCHE

The Marche is a prosperous and peaceful Italian region that stretches from the Apennine mountains to the Adriatic Sea. Few tourists visit the inland areas, but the beautiful beaches, countryside, and splendid medieval and Renaissance towns with great artistic treasures attract many visitors every year.

The Marche region is populated by farmers and artisans; however, there are numerous industries as well. Some of these include the footwear industry Todds and Hogan, the naval industry in Ancona and Fano, and the paper production industry in Fabriano.

Urbino, una piccola città rinascimentale rinchiusa (*closed in*) tra le sue mura (*walls*) con il Palazzo Ducale. Fece costruire il palazzo (*had the palace built*) Federico da Montefeltro, il signore della città dal 1444 al 1482, il periodo più glorioso della cittadina. Frequentò (*Visited*) la corte dei Montefeltro lo scrittore Baldassarre Castiglione (1478–1529). Nella sua opera *Il libro del Cortegiano*, Castiglione descrive il perfetto cortigiano (*courtesan*) e la vita giornaliera dei signori che vivevano a palazzo in quegli anni. Oggi il Palazzo Ducale è la Galleria Nazionale delle Marche e contiene le opere di Piero della Francesca, di Paolo Uccello e di tanti altri famosi artisti del Rinascimento.

La Muta (1507, Galleria Nazionale delle Marche, Urbino) di Raffaello Sanzio, uno dei grandi pittori (*painters*) del Rinascimento. In questo ritratto (*portrait*) è evidente l'influenza di Michelangelo e Leonardo. Raffaello Sanzio nacque (*was born*) a Urbino nel 1483. Affrescò (*Frescoed*) le Stanze Vaticane a Roma per il Papa (*Pope*) Giulio II. Nelle sue opere (*works*) si nota il culto della perfezione delle forme e della bellezza classica. Raffaello è sepolto (*buried*) nel Pantheon a Roma.

VERIFICHIAMO

First read the introduction to the region, then look at the photos and read the related captions.

4.64 Associazioni. Indicate which cities and people you associate with the following items.

1. *Il Barbiere di Siviglia*
2. Il Pantheon
3. Federico da Montefeltro
4. Recanati
5. Le Stanze Vaticane
6. *Il Cortegiano*
7. Il mare
8. La Galleria Nazionale delle Marche

4.65 E nel tuo Paese? In your country, is there any area similar to the Marche region? Explain how it is similar and how it is different and what would be interesting for Italians to know about this region.

4.66 Un viaggio nelle Marche. What area or city in particular would you like to visit in the Marche region? Why? What do you think you could learn about Italy from this region?

Un paesaggio tipico delle Marche: colline (*hills*) e campi (*fields*) nella campagna fra Montecassiano e Montefiano, vicino a Macerata. Su una di queste colline, a circa dieci chilometri dal mare, si trova Recanati, dove è nato Giacomo Leopardi (1798–1837), uno dei più grandi poeti italiani. Nelle sue poesie (*poems*), Leopardi parla spesso del suo paese.

Pesaro: il Palazzo Ducale del '400 in Piazza del Popolo. Pesaro è una città molto antica, situata sul mare. A Pesaro è nato Gioacchino Rossini (1792–1868), grande compositore. La sua opera più famosa è probabilmente *Il Barbiere di Siviglia*. Ogni anno a Pesaro c'è il Rossini Opera Festival dedicato al musicista.

🔊 VOCABOLARIO

L'ora

A che ora...?	At what time ...?
a mezzanotte	at midnight
a mezzogiorno	at noon
di mattina, di sera, di notte	A.M., P.M.
di / del pomeriggio	in the afternoon
Che ora è? / Che ore sono?	What time is it?
È presto.	It's early.
È tardi.	It's late.
impegnato/a	busy
in ritardo	late
libero/a	free, available
il tempo libero	free time

Le attività giornaliere

addormentarsi	to fall asleep
alzarsi	to get up
andare a letto	to go to bed
avere un appuntamento	to have an appointment, a date
cenare	to have dinner
divertirsi	to have fun, to have a good time
fare	
colazione	to have breakfast
la spesa	to buy groceries
farsi la doccia / il bagno / la barba	to take a shower / a bath / to shave
lavarsi	to wash up
i denti	to brush one's teeth
mettersi	to put on
ordinare	to order
pettinarsi (i capelli)	to comb (one's hair)
pranzare	to have lunch
prepararsi	to get ready
riposarsi	to rest
servire	to serve
spogliarsi	to undress
svegliarsi	to wake up
truccarsi	to put on makeup
uscire	to go out
venire	to come
vestirsi	to get dressed

Espressioni di tempo

adesso / ora	now
di solito / generalmente	usually
dopo / poi	after / then
infine	at last
non... mai	never

ogni giorno / tutti i giorni	every day
prima	first
più tardi	later

I pasti

la cena	dinner
la colazione	breakfast
il contorno	side dish
cucinare	to cook
il dolce	dessert
il pranzo	lunch
il primo / il secondo (piatto)	first / second course

Le bevande

bere...	to drink ...
l'acqua minerale	mineral water
la birra	beer
il caffè	coffee
il cappuccino	coffee and steamed milk
la cioccolata	chocolate
il latte	milk
il succo di frutta	fruit juice
il tè	tea
il vino	wine

Gli alimenti

l'arancia	orange
l'aragosta	lobster
l'arrosto	roast
gli asparagi	asparagus
la banana	banana
la bistecca	steak
la carota	carrot
il cavolfiore	cauliflower
i fagiolini	string beans
il formaggio	cheese
la frutta	fruit
i gamberetti	shrimp
il gelato	ice cream
l'insalata	salad
la macedonia	fruit salad
la mela	apple
la minestra	soup
il pane	bread
la pasta	pasta
la patata	potato
le patatine	french fries
il pesce	fish

i piselli	*peas*
il pollo	*chicken*
il pomodoro	*tomato*
il riso	*rice*
gli spinaci	*spinach*
l'uva	*grapes*
le verdure	*vegetables*
le vongole	*clams*

Espressioni per descrivere il tempo

Che tempo fa?	*What's the weather like?*
C'è nebbia.	*It's foggy.*
C'è il sole.	*It's sunny.*
È nuvoloso.	*It's cloudy.*
Il tempo è bello / brutto.	*It's nice / bad weather.*
Fa caldo / freddo / fresco.	*It's hot / cold / cool.*
Piove.	*It's raining.*
C'è vento / Tira vento.	*It's windy.*
Nevica.	*It's snowing.*

Le stagioni

l'autunno	*autumn, fall*
l'estate	*summer*
l'inverno	*winter*
la primavera	*spring*
Che stagione preferisci?	*Which season do you prefer?*

Le attività nelle varie stagioni

andare	
al cinema	*to go to the movies*
in discoteca	*to a disco*
al mare	*to go to the beach*
in bicicletta	*to go biking*
in pizzeria	*to go to a pizzeria*
a ballare	*to go dancing*
fare	
dello sport	*to play sports*
una passeggiata	*to take a walk*
trekking	*to go hiking*
vela	*to sail*
giocare	
a basket	*to play basketball*
a baseball	*to play baseball*
a carte	*to play cards*
a football	*to play football*
a golf	*to play golf*
pattinare	*to skate*
prendere il sole	*to sunbathe*
sciare	*to ski*

Espressioni con *avere*: See p. 121.

Un matrimonio
italiano

Percorso I: La famiglia e i parenti
Percorso II: Le feste in famiglia
Percorso III: Le faccende di casa
In pratica
Attraverso: La Toscana

In this chapter you will learn how to:

◆ Talk about your family and relatives

◆ Describe family holidays and parties

◆ Talk about household chores

Percorso I
La famiglia e i parenti

 ### Com'è la tua famiglia?

Albero geanealogico di Lorenzo de' Medici

Giovanni di Bicci e Piccarda Bueri
i bisnonni di Lorenzo
(i suoi bisnonni)

nato nel 1449
morto nel 1492

Cosimo il Vecchio e Contessina de' Bardi
il nonno di Lorenzo   la nonna di Lorenzo
(i suoi nonni)

Pietro il Gottoso e Lucrezia Tornabuoni   **Giovanni**
il padre di Lorenzo   la madre di Lorenzo   *lo zio di Lorenzo*
(i suoi genitori)   **(suo zio)**

Lorenzo De' Medici e Clarice Orsini   **Giuliano**
la moglie di Lorenzo   *il fratello di Lorenzo*
(sua moglie)   **(suo fratello)**

Lucrezia e Iacopo Salviati   **Piero e Giovanni**   **Giulio**
la figlia di Lorenzo il marito di Lucrezia   *i figli di Lorenzo*   *il figlio illeggittimo*
(i suoi figli)   *di Giuliano*

Maria Salviati   **Lorenzo Duca d'Urbino**
la figlia di Lucrezia   *il figlio di Piero*
la nipote di Lorenzo   *il nipote di Lorenzo*
(i suoi nipoti)

Giorgio Vasari *Portrait of Lorenzo de' Medici (the Magnificent)*, Florence, Uffizi, Scala/Art Resource, NY.

Per parlare della famiglia

il bambino/la bambina *child*
il cugino/la cugina *cousin*
il figlio unico/la figlia unica *only child*
i gemelli/le gemelle *twins*
morto/a *dead*
il/la nipote *grandson/granddaughter; nephew/niece*
i nonni materni/paterni *maternal/paternal grandparents*
il papà/la mamma *dad/mom*
i parenti *relatives*
vivo/a *alive*

Lo stemma della famiglia Medici

Per discutere dei rapporti tra i familiari

andare d'accordo con *to get along with*
Che lavoro fa? *What does he/she do?*
È avvocato / casalinga / ingegnere / medico. *He/She is a lawyer / a housewife / an engineer / a doctor.*
divorziato/a *divorced*
il fratello/la sorella più grande / più piccolo/a *older / younger brother / sister*
In quanti siete? *How many are there in your family?*
Siamo in... *There are . . . of us*
litigare *to argue*
somigliare a *to look like, to be like*
vivere *to live*

Così si dice La famiglia allargata

In Italian, the words **patrigno** (*stepfather*), **matrigna** (*stepmother*), **fratellastro** (*stepbrother*), and **sorellastra** (*stepsister*) have a slightly negative connotation. Italians often use instead expressions such as **il marito di mia madre** (*my mother's husband*), **i miei fratelli acquisiti** (*my stepbrothers*), and **la mia sorella acquisita** (*my stepsister*).

5.1 Le generazioni. Osserva l'albero genealogico di Lorenzo de' Medici a pagina 135 e indica quali delle frasi seguenti sono vere e quali sono false. Correggi quelle false.

1. Il fratello di Lorenzo è Giovanni.
2. Il nonno di Lorenzo si chiama Cosimo il Vecchio.
3. Giuliano è il cugino di Lucrezia, Piero e Giovanni.
4. Lucrezia, Piero e Giovanni sono gli zii di Giulio.
5. Piero e Giovanni sono i nipoti di Pietro il Gottoso e Lucrezia Tornabuoni.
6. Giovanni di Bicci è il padre di Lorenzo.

5.2 L'albero genealogico. Osserva l'albero genealogico di Lorenzo de' Medici e completa le frasi. Usa l'articolo corretto.

1. Lucrezia Tornabuoni è _____ di Pietro il Gottoso e _____ di Lorenzo.
2. Lucrezia Salviati è _____ di Piero e _____ di Giulio.
3. Maria Salviati è _____ di Lorenzo e _____ di Lucrezia.
4. Lorenzo e Giuliano sono _____ di Pietro il Gottoso.
5. Pietro il Gottoso e Lucrezia Tornabuoni sono _____ di Lorenzo e _____ di Lucrezia, Piero e Giovanni.
6. Lorenzo è _____ di Lucrezia Salviati.
7. Lucrezia, Piero e Giovanni sono _____ di Giuliano.
8. Giovanni di Bicci e Piccarda Bueri sono _____ di Lorenzo.

5.3 Chi sono? Indica chi sono le seguenti persone.

1. Il fratello di mia madre è mio _____.
2. La sorella di mio padre è mia _____.
3. Il figlio di mia zia è mio _____.
4. La figlia di mia sorella è mia _____.
5. I figli dei miei figli sono i miei _____.
6. Mio padre e mia madre sono i miei _____.

5.4 L'intruso. Elimina la parola che non c'entra.

1. il marito, il nipote, la moglie
2. andare d'accordo, somigliare, litigare
3. la zia, la nipote, la moglie
4. i fratelli, i gemelli, gli zii
5. i parenti, i genitori, i cugini
6. divorziato, sposato, bambino

Così si dice Azioni reciproche

The plural forms of the reflexive pronouns (**ci, vi, si**) can be used with the **noi, voi,** and **loro** forms of many verbs to indicate reciprocal actions. —**Vi vedete spesso?** *Do you see each other often?* —**No, ma ci telefoniamo e ci scriviamo sempre.** *No, but we always call and write to each other.* —**Giuseppe e Claudia invece si vedono ogni weekend.** *Giuseppe and Claudia, on the other hand, see each other every weekend.*

 In contesto Una famiglia italiana

Alberto Sorrentino descrive la sua famiglia.

Mi chiamo Alberto Sorrentino. Sono di Napoli, ma lavoro a Roma da molti anni. Sono avvocato. Mia moglie, Luisa, insegna all'Università di Roma. Abbiamo due belle bambine, Giulia e Patrizia. Patrizia ha cinque anni e ancora° non va a scuola, ma sa già° leggere e scrivere. Giulia invece fa la terza elementare. I miei genitori vivono a Napoli. Mio padre ha 70 anni ed è in pensione. Mia madre è casalinga. I miei nonni paterni sono morti, la mia nonna materna, invece, vive con i miei genitori. Ho anche due sorelle e un fratello. La mia sorella più grande, Marisa, è medico. È sposata e ha un figlio di sette anni. Anche suo marito è avvocato, come me. Noi andiamo molto d'accordo. Fra° tutti i miei parenti, lui è il più simpatico. Giovanna, la mia seconda sorella, è divorziata. È ingegnere e lavora sempre tanto. Io somiglio molto a lei. Abbiamo lo stesso carattere e spesso litighiamo. Mio fratello Carlo è più piccolo di me. È un tipo disinvolto°, energico e allegro. Studia lingue e letterature straniere all'Università di Napoli. Studia anche l'inglese, ma non lo sa parlare molto bene. Non ci vediamo spesso perché abitiamo lontano, ma siamo una famiglia molto unita. Ci telefoniamo spesso e ci aiutiamo a vicenda°.

still / already

Among

easy-going

we help each other

5.5 La famiglia di Alberto. Ricostruite l'albero genealogico della famiglia di Alberto Sorrentino.

5.6 Cosa sappiamo di…? Compila la seguente scheda (*grid*) e indica cosa sai di Alberto e dei suoi familiari. Paragona (*Compare*) i tuoi risultati con quelli di un compagno/una compagna.

Nome	Marisa	Alberto	Giovanna	Carlo
professione				
stato civile				
figli				
carattere				

Occhio alla lingua!

1. What two ways of expressing possession do you notice in the family tree of Lorenzo de' Medici? Give examples of each.
2. Now, in the family tree of Lorenzo de' Medici, focus on the words in red. What word in each instance indicates possession? What word precedes this possessive adjective in some instances?
3. What do you notice about the endings of the possessive adjectives?

GRAMMATICA

Gli aggettivi possessivi

Possessive adjectives, **aggettivi possessivi,** are used to indicate possession. They are equivalent to the English *my, your, his/her, its, our,* and *their.* They usually precede the noun. Like all Italian adjectives, possessive adjectives agree in number and gender with the noun they modify. They do not agree with the possessor. Unlike the English possessive adjectives, they are usually preceded by the definite article, which also agrees in number and gender with the noun possessed.

Gli aggettivi possessivi		
Maschile		
	Singolare	**Plurale**
my	il mio amico	i miei amici
your (*informal, sing.*)	il tuo amico	i tuoi amici
your (*formal, sing.*)	il Suo amico	i Suoi amici
his/her, its	il suo amico	i suoi amici
our	il nostro amico	i nostri amici
your (*informal, pl.*)	il vostro amico	i vostri amici
your (*formal, pl.*)	il Loro amico	i Loro amici
their	il loro amico	i loro amici
Femminile		
	Singolare	**Plurale**
my	la mia amica	le mie amiche
your (*informal, sing.*)	la tua amica	le tue amiche
your (*formal, sing.*)	la Sua amica	le Sue amiche
his/her, its	la sua amica	le sue amiche
our	la nostra amica	le nostre amiche
your (*informal, pl.*)	la vostra amica	le vostre amiche
your (*formal, pl.*)	la Loro amica	le Loro amiche
their	la loro amica	le loro amiche

La mia casa è qui vicino.   *My house is nearby.*
Giovanna, dove sono **i tuoi fratelli**?   *Giovanna, where are your brothers?*
I suoi genitori abitano in Italia.   *Her parents live in Italy.*

The following rules will help you use possessive adjectives:

1. In Italian, *his* and *her* are both expressed by **il suo, i suoi, la sua, le sue. Il suo** is also used for the formal form of *your.* In this instance it may be capitalized as, for example, in a formal letter.

Giulio è l'amico **di Carlo.**	*Giulio is Carlo's friend.*
È **il suo** amico.	*He is his friend.*
Giulio è l'amico **di Anna.**	*Giulio is Anna's friend.*
È **il suo** amico.	*He is her friend.*
Rispondo **alla Sua** lettera.	*I am responding to your letter.*

2. When possessive adjectives are used with a singular, unmodified family member, the article is usually omitted.

Sua sorella ha venti anni.	*His/Her sister is twenty years old.*
Nostro zio è socievole.	*Our uncle is sociable.*

3. **Loro** never changes form and is always used with the definite article, even with a singular, unmodified family member. The article always agrees in number and gender with the noun possessed.

La loro casa è grande.	*Their house is large.*
I loro cugini sono in Italia.	*Their cousins are in Italy.*
La loro nonna è italiana.	*Their grandmother is Italian.*

4. The article is always used with the word **famiglia.**

Di dov'è **la tua** famiglia?	*Where is your family from?*

5. The article is also used if the noun referring to a relative is plural or if it is modified by an adjective.

Le mie sorelle non vanno a scuola.	*My sisters don't go to school.*
La mia sorella **più piccola** frequenta l'università.	*My youngest sister goes to college.*

6. Idiomatic expressions such as **a casa mia** (*my home*) are never used with an article.

Andiamo **a casa mia** o **a casa tua?**	*Shall we go to my house or your house?*

5.7 La casa di Riccardo. Riscrivi il seguente paragrafo e descrivi la casa di Riccardo. Fa' tutti i cambiamenti necessari.

ESEMPIO: Io non sono una persona molto ordinata (*neat*), è vero...
            Riccardo non è una persona molto ordinata, è vero...

Io non sono una persona molto ordinata, è vero. Il mio cappotto è sulla sedia. La mia maglietta è sempre sul tavolo. I miei libri sono sotto il letto (*bed*). Le mie scarpe sono dietro alla porta. Non ricordo dove sono i miei CD di Tiziano Ferro e non trovo la mia agenda da tre giorni. Chissà dove sono i miei pantaloni neri.

5.8 Dove sono? Domanda dove sono le tue cose e quelle dei tuoi amici. Usa gli aggettivi possessivi.

ESEMPIO:　　　Paolo / libri
　　　　　　　Dove sono i suoi libri?

1. Carlo / cravatta
2. Luisa / zaino
3. Luisa e Carlo / scarpe da tennis
4. Tu / giacca
5. Io / quaderni
6. Io e Carlo / pantaloni
7. Tu e Luisa / penne
8. Giovanna / felpe

5.9 Una domenica in famiglia. Completa le frasi con gli aggettivi possessivi. Usa l'articolo determinativo quando è necessario.

1. Tu vai a trovare _____ genitori.
2. Io parlo con _____ cugina Marta.
3. Noi pranziamo con _____ nonni.
4. Luisa gioca a tennis con _____ fratello.
5. Carlo e Giulia cenano con _____ zii.
6. Tu e Marco nuotate in piscina con _____ cugini.

5.10 I parenti. Spiega chi sono le seguenti persone. Usa gli aggettivi possessivi.

1. Il figlio di tua sorella è _____.
2. Il fratello di vostro padre è _____.
3. I figli di sua zia sono _____.
4. Il padre e la madre dei miei genitori sono _____.
5. Le figlie dei miei genitori sono _____.
6. Le figlie dei nostri zii sono _____.
7. La madre della loro madre è _____.
8. La moglie di nostro zio è _____.

5.11 Brevi dialoghi. Completa i dialoghi con la forma corretta degli aggettivi possessivi.

1. GIANNA: Renata, come si chiama _____ figlia più grande?

   RENATA: _____ figlia più grande si chiama Marisa.

2. LUIGI: Paolo e Mario, dove vive _____ famiglia?

   PAOLO: _____ genitori vivono a Roma. _____ sorelle, invece, vivono a Pescara.

3. RENZO: Signora, dov'è _____ marito?

   SIGNORA: Oggi _____ marito è a casa con _____ figlie.

I pronomi possessivi

Possessive pronouns, **i pronomi possessivi**, express ownership. They are used in place of things and people just mentioned. Possessive pronouns correspond to the English *mine, yours, his, hers, its, ours,* and *theirs.* In Italian, possessive pronouns are identical in form to possessive adjectives. They agree in gender and number with the nouns they replace.

Le mie cugine sono molto simpatiche.	*My cousins are very nice.*
Come sono **le tue**?	*What are yours like?*
Il calcio è il mio sport preferito.	*Soccer is my favorite sport.*
E il tuo qual è?	*And what is yours?*

Possessive pronouns are usually used with the definite article, even when they refer to relatives.

Vado d'accordo con mia madre.	*I get along with my mother.*
Tu vai d'accordo con **la tua**?	*Do you get along with yours?*

5.12 Io e i miei parenti. Spiega che cosa tu e i tuoi amici fate con i vostri parenti. Completa le frasi con i pronomi possessivi.

ESEMPIO: Io ceno con mia sorella. Luisa cena con _____.
             Io ceno con mia sorella. Luisa cena con **la sua**.

1. Io studio con mio cugino. Tu studi con _____.
2. Io ceno con i miei genitori. Voi cenate con _____.
3. Io gioco a tennis con mio zio. Paolo gioca con _____.
4. Io cucino con mia madre. Maria e Paolo cucinano con _____.
5. Io faccio colazione con i miei nonni. Anna fa colazione con

   _____.
6. Io pranzo spesso con le mie zie. Anna pranza raramente con _____.

5.13 La famiglia. Discutete della vostra famiglia. Poi scrivete una breve composizione e paragonate le vostre famiglie.

ESEMPIO: S1:   Come si chiama tuo padre?
             S2:   Mio padre si chiama Richard. E il tuo?
             S1:   Anche il mio si chiama Richard. Com'è tua madre?
             S2:   Mia madre è bionda, alta e simpatica. Com'è la tua?

Il presente di *conoscere e sapere*

In Italian, *to know* can be expressed by both **conoscere** and **sapere**.

sapere	conoscere
so	conosco
sai	conosci
sa	conosce
sappiamo	conosciamo
sapete	conoscete
sanno	conoscono

The following rules will help you use **conoscere** and **sapere**.

1. **Conoscere** is a regular verb and corresponds to the English *to be familiar* or *acquainted with*. It is used with people, places, and things.

Conosco molto bene tutta la famiglia di Carlo.	*I know Carlo's entire family very well.*
Conoscete Roma bene?	*Do you know Rome well?*
Conosciamo le opere di Dante.	*We are familiar with Dante's works.*

2. **Sapere** is an irregular verb and corresponds to the English *to know a fact or some information,* or *to know how to do something.*

—**Sai** il suo nome?	*—Do you know his/her name?*
—Sì, e **so** anche dove abita.	*—Yes, and I also know where he/she lives.*
Non **so** cucinare!	*I don't know how to cook!*

5.14 Una famiglia eccezionale! Giulia spiega che cosa lei e i familiari sanno fare. Completa le frasi con la forma corretta di **sapere**.

1. Io _____ cantare e ballare.
2. Mia sorella _____ suonare il pianoforte.
3. I miei fratelli _____ giocare a tennis.
4. Io e mia madre _____ parlare bene l'inglese.
5. E tu? Che cosa _____ fare?

5.15 Fra nonno e nipote. Completa la seguente conversazione fra nonno e nipote con la forma corretta di **sapere** o **conoscere**.

NIPOTE: Nonno, è vero che tu (1) _____ parlare cinque lingue?

NONNO: No, (2) _____ parlare soltanto l'italiano, l'inglese e il francese.

NIPOTE: Nonno, è vero che tuo fratello (3) _____ il Presidente della Repubblica?

NONNO: Sì, lui (4) _____ molte persone importanti.

NIPOTE: È vero che la zia (5) _____ suonare la chitarra?

NONNO: Sì, e (6) _____ molti musicisti famosi.

NIPOTE: È vero che i miei genitori (7) _____ giocare a tennis e (8) _____ molti tennisti famosi?

NONNO: Tua madre (9) _____ giocare bene, ma tuo padre non gioca più.

Scambi

5.16 I parenti. Gianluca parla della sua famiglia. Ascolta due volte la descrizione e indica quali delle seguenti affermazioni sono vere e quali false.

1. _____ Gianluca ha una sorella.
2. _____ Vede spesso i genitori di sua madre.
3. _____ I suoi genitori sono morti.
4. _____ Sua zia non abita in Italia.
5. _____ Non ha molti cugini e zii.

5.17 La tua famiglia. A turno, descrivete la vostra famiglia e ricostruite l'albero genealogico. Poi insieme controllate se le informazioni sono corrette.

5.18 I particolari. Prepara otto domande per scoprire i particolari sulla famiglia di un compagno/una compagna. Poi usa le domande per intervistare una persona in classe. Quindi scrivi una mail e riferisci le informazioni al tuo professore/alla tua professoressa.

5.19 Conoscenze e abilità. Trova un compagno/una compagna che conosce le seguenti persone e/o sa fare le seguenti cose. Scopri anche i particolari.

1. una persona famosa
2. cantare
3. un'opera d'arte di Leonardo da Vinci
4. fare un dolce italiano
5. il titolo di un'opera di Rossini
6. il nome di un buon ristorante italiano
7. suonare uno strumento
8. fare vela
9. l'autore della *Divina Commedia*
10. una famiglia italiana

5.20 Li conoscete? Andate su Internet e cercate informazioni sulle persone delle foto. Poi completate la scheda e indicate che cosa sapete adesso.

Roberto Benigni   Gianna Nannini   Andrea Bocelli

	Roberto Benigni	**Gianna Nannini**	**Andrea Bocelli**
1. l'età			
2. la professione			
3. di dov'è			
4. dove abita			
5. com'è			
6. informazioni sulla famiglia			

Lo sai che? | La famiglia italiana

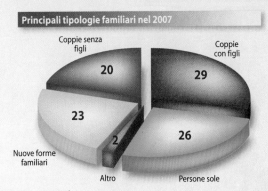

Principali tipologie familiari nel 2007

Coppie senza figli 20
Coppie con figli 29
Nuove forme familiari 23
Altro 2
Persone sole 26

Composizione percentuale

Oggi le famiglie italiane numerose (*large*) sono molto rare. Infatti in Italia la crescita demografica è quasi zero. Molte coppie oggi decidono di non avere figli o di avere un figlio unico, per ragioni economiche e di lavoro, anche perché le donne italiane lavorano sempre più spesso fuori (*outside*) casa. Ancora, però, come in passato, i figli sposati spesso vivono vicino ai genitori e i nonni passano molto tempo con i nipoti, particolarmente quando i genitori lavorano. I figli adulti assistono i genitori quando sono vecchi o non stanno bene. Spesso i genitori anziani vanno a vivere con i figli.

Oggi molte cose stanno cambiando (*are changing*) anche nella struttura familiare italiana: da molti anni c'è il divorzio e nuovi nuclei familiari si formano più facilmente che in passato. La famiglia però occupa sempre un posto importante nella società italiana.

 5.21 La famiglia italiana. Indicate tre cose che adesso sapete della famiglia italiana.

 5.22 Simile o diversa? Le famiglie del vostro Paese sono simili o diverse dalle famiglie italiane? Come?

Percorso II
Le feste in famiglia

🔊 Che cosa festeggiate?

gli invitati

Auguri!

Buon compleanno!

i regali

la torta con le candeline

Oggi è il compleanno di Ernesto.

Buon anniversario!

Oggi è il cinquantesimo anniversario di matrimonio dei nonni. Parenti e amici **li** festeggiano e fanno tante foto.

Auguri!

Congratulazioni

UNIVERSITÀ DEGLI STUDI DI PISA

lo spumante

Daniela oggi si laurea in Medicina.

Per discutere di occasioni importanti

diplomarsi	*to graduate from high school*
laurearsi	*to graduate from college*
la laurea	*(university) degree*
il matrimonio	*wedding*
sposarsi	*to get married*

Per parlare delle feste

il bicchiere	*glass*
dare / fare una festa	*to give / have a party*
fare gli auguri	*to say best wishes*
invitare	*to invite*
un invito	*an invitation*
mandare un biglietto di auguri	*to send a card*
i palloncini	*balloons*
regalare	*to give a present*
il ricevimento	*reception*
spedire (-isc-)	*to mail, to send*

5.23 Che cos'è? Completa le frasi con la forma corretta della parola o espressione giusta.

1. Quando festeggiamo un compleanno, spesso mangiamo _____.
2. Quando diamo una festa, _____ i nostri amici e parenti.
3. Prima di una festa, mandiamo _____.
4. Quando i nostri amici o parenti si sposano, andiamo al loro _____.
5. Per il compleanno, mettiamo _____ sopra la torta.
6. Le persone che invitiamo a una festa sono _____.
7. Quando i nostri amici e parenti festeggiano un compleanno o anniversario, mandiamo loro _____.
8. Libri, CD e vestiti sono _____ che spesso facciamo per un compleanno.
9. A un matrimonio, gli invitati bevono _____.
10. Le persone _____ quando finiscono gli studi all'università.

5.24 Facciamo gli auguri. Indica cosa diciamo per fare gli auguri quando...

1. è il compleanno del nonno.
2. due amici hanno un bambino.
3. un nostro cugino si diploma.
4. un nostro amico ha un nuovo lavoro molto interessante.

5.25 Le feste. Indicate almeno quattro attività e oggetti che associate con le seguenti occasioni.

1. un matrimonio
2. un compleanno
3. un anniversario
4. una laurea

In contesto   Una festa a sorpresa

Luca e Anna pensano di dare una festa a sorpresa per festeggiare il compleanno di Gabriella, che oggi compie diciotto anni.

ANNA: Allora, chi compra la torta?

LUCA: **La** compro io. E i CD?

ANNA: **Li** portano Carlo e Giuseppe. Ma le candeline per la torta, dove sono?

LUCA: **Eccole!** Va bene? Poi stasera scrivo gli inviti e domani **li** spedisco, d'accordo?

ANNA: Ma allora, invitiamo anche Giovanna e sua sorella?

LUCA: Certo che **le** invitiamo! Chissà° che bel regalo fanno a Gabriella.   *Who knows*

ANNA: Sì! Al massimo° portano una bottiglia di spumante scadente°! Sono ricche, ma sono anche molto avare!   *At the most / cheap*

LUCA: Ma che dici! Regalano sempre belle cose!

ANNA: Sarà!° Intanto°, lo spumante buono **lo** porto io!   *That may be! / In the meantime*

5.26 Una festa a sorpresa. Indica quali delle seguenti affermazioni sono vere.

1. Oggi è il compleanno di Gabriella.
2. Luca compra le candeline.
3. Gabriella, Anna e Luca sono cari amici.
4. Giovanna è una ragazza povera, ma generosa.
5. Nessuno compra lo spumante.

Occhio alla lingua!

Look at the *In contesto* conversation and answer the following questions.

1. What do you think Luca is going to buy for the party? How do you know?
2. What do you think Carlo and Giuseppe are going to bring? How do you know?
3. What do you think each of the words in boldface type in the conversation refers to? How is each of these words used?

GRAMMATICA

Il presente di *dare* e *dire*

The verbs **dare** (*to give*) and **dire** (*to say*) are irregular.

Cosa **danno** alla madre?   *What are they going to give to their mother?*
Cosa **dice**?   *What is he/she saying?*

dare	dire
do	dico
dai	dici
dà	dice
diamo	diciamo
date	dite
danno	dicono

5.27 Cosa fanno? Indica che cosa fanno le seguenti persone. Abbina (*Match*) le persone con le attività.

1. Gli studenti   a. dà un regalo a mia madre per il suo compleanno.
2. Mio padre   b. danno una festa sabato.
3. Io   c. diamo gli inviti agli amici.
3. Io e i miei genitori   d. date lo spumante agli invitati.
5. Tu e Maurizio   e. dai un biglietto d'auguri a tuo fratello.
6. Tu   f. do un ricevimento per l'anniversario dei miei nonni.

5.28 Le feste. Che cosa dicono le persone seguenti nelle occasioni indicate? Completa le frasi con la forma corretta del verbo **dire**.

1. Per il suo compleanno, io _____: «Buon compleanno!» a mio cugino.
2. Mio cugino _____: «Grazie del regalo.»
3. Per il loro anniversario di matrimonio, tu e tuo fratello _____: «Buon anniversario!» ai vostri nonni?
4. Quando c'è una festa in famiglia, i nostri nonni _____: «Siamo molto felici con i nostri figli».
5. Che cosa _____ tu per la laurea di tua sorella?
6. Tutti noi _____: «Congratulazioni!»

5.29 Dire o dare? Un amico che sta studiando l'italiano ti chiede aiuto per usare alcuni verbi correttamente. Completa le frasi con la forma corretta dei verbi **dire** o **dare**.

1. Per il compleanno di sua madre, Giorgio _____: «Buon compleanno!»
2. Quando incontro una persona la mattina, io _____: «Buongiorno!»
3. Noi _____ un regalo agli zii per il loro anniversario.
4. I miei cugini _____ sempre: «No!»
5. Tu e tua sorella _____ una bella festa di compleanno.
6. Tu _____ spesso: «Congratulazioni!»

I pronomi diretti: *lo, la, li, le*

A direct object is a person or a thing that receives the action directly from the verb. It answers the question: *whom?* or *what?*

Anna brings **the cake**. What does Anna bring? "The cake" is the direct object.

She sees **her uncle**. Whom does she see? "Her uncle" is the direct object.

In Italian, there is never a preposition before the direct object.

Carlo invita **gli amici**.   *Carlo invites his friends.*

Direct-object pronouns, **pronomi di oggetto diretto**, are used to replace direct-object nouns.

I pronomi di oggetto diretto			
Singolare		**Plurale**	
lo	*him/it*	**li**	*them (m.)*
la	*her/it*	**le**	*them (f.)*

Conosciamo **Carlo**. → **Lo** conosciamo.   *We know Carlo. → We know him.*
Spedisco **gli inviti**. → **Li** spedisco.   *I mail the invitations. → I mail them.*

1. Direct-object pronouns agree in number and gender with the nouns they replace.

   —Non vedo **il bambino**.   —*I don't see the child.*
   —Io **lo** vedo.   —*I see him.*

   —Chi fa **la torta**?   —*Who is making the cake?*
   —**La** facciamo noi.   —*We're going to make it.*

   —Invito **le ragazze**.   —*I'm going to invite the girls.*
   —Perché **le** inviti?   —*Why are you inviting them?*

2. A direct-object pronoun always precedes a conjugated verb. If a sentence is negative, **non** is placed before the direct-object pronoun.

   Il regalo? **Lo compra** Paola.   *The gift? Paola is buying it.*
   Non lo compro io.   *I am not buying it.*

3. **Lo** and **la** frequently become **l'** before verbs that begin with a vowel or forms of **avere** that begin with an **h**. **Lo** and **la** are always contracted when the verb that follows begins with the same vowel as the pronoun ending. The plural forms **li** and **le**, however, are *never* contracted.

   —Chi invita **la zia**?   —*Who's going to invite our aunt?*
   —**La** invito io. (**L'**invito io.)   —*I'll invite her.*
   —Chi ordina **lo spumante**?   —*Who is going to order the sparkling wine?*

   —**L'**ordino io.   —*I'm going to order it.*
   —Inviti **i ragazzi**?   —*Are you going to invite the boys?*
   —No, non **li** invito.   —*No, I'm not going to invite them.*

4. Direct-object pronouns are attached to **ecco**.

   —Dov'è **la torta**?   —*Where is the cake?*
   —**Eccola**!   —*Here it is!*
   —Dove sono **gli invitati**?   —*Where are the guests?*
   —**Eccoli**!   —*Here they are!*

Lo sai che? | Le feste in famiglia

Parenti e amici si riuniscono in molte occasioni diverse, come compleanni, lauree e matrimoni. Poiché (*Since*) per la maggior parte gli italiani sono cattolici, molte feste in famiglia sono legate alla religione cattolica, come i battesimi e le comunioni. Il matrimonio si celebra generalmente in chiesa, anche se molte coppie si sposano in comune (*city hall*). In genere, alla cerimonia civile o religiosa segue un gran ricevimento. Un pranzo ricco e sontuoso (*sumptuous*) segue spesso anche alla cerimonia della prima comunione. Questa festa religiosa cattolica è un'altra occasione speciale per tante famiglie italiane. I bambini ricevono regali importanti e costosi, anche oggetti d'oro (*gold*) o d'argento (*silver*), e gli invitati ricevono sempre bomboniere (*party favors*) e confetti. I genitori spendono molto per questi festeggiamenti. Molto spesso si festeggia anche l'onomastico di una persona, cioè (*that is*) il giorno del calendario cattolico dedicato al santo o alla santa dallo stesso nome.

5.30 Le feste italiane. Indicate tre occasioni che sono importanti per le famiglie italiane. Come le festeggiano?

5.31 E nel vostro Paese? Quali sono le feste importanti per le famiglie del vostro Paese? Sono simili o diverse da quelle italiane?

 5.32 Che cosa? Ascolta due volte i frammenti di conversazioni che seguono e indica la cosa di cui parlano.

Conversazione A: il vino, la torta, i dolci, le candeline
Conversazione B: i regali, gli inviti, lo spumante, le candeline
Conversazione C: le cartoline, le lettere, gli inviti, il libro
Conversazione D: lo spumante, la torta, le candeline, gli inviti

5.33 Dove sono? Stasera dai una festa. Tua madre ti domanda dove sono le seguenti cose e persone. Immagina le sue domande e le tue risposte.

ESEMPIO: l'acqua
             —Dov'è l'acqua?
             —Eccola!

1. le sedie
2. il vino
3. la torta
4. tuo padre
5. le tue sorelle

6. i tuoi fratelli
7. la frutta
8. i dolci
9. gli invitati
10. lo spumante

5.34 Una festa. Stasera fai una festa. Un'amica ti fa delle domande sui preparativi. Rispondi e usa un pronome oggetto diretto.

ESEMPIO: —Compri i dolci?
             —Sì, li compro. *o* No, non li compro.

1. Servi il vino?
2. Offri la birra?
3. Compri la torta?
4. Servi lo spumante?

5. Prepari gli antipasti?
6. Servi le pizze?
7. Metti la frutta sul tavolo?
8. Servi gli asparagi?

5.35 Un anniversario di matrimonio. Rossella e Paola organizzano una festa per l'anniversario dei nonni. Completa il dialogo con un pronome oggetto diretto.

ROSSELLA: Allora, quando facciamo la festa?

PAOLA: Perché non (1) _____ facciamo la sera del 20?

ROSSELLA: Quando compri i palloncini?

PAOLA: (2) _____ compro domani, va bene?

ROSSELLA: Chi prepara gli inviti? (3) _____ preparo io?

PAOLA: Benissimo. Così io faccio le telefonate per sapere chi viene. (4) _____ faccio tutte domani.

ROSSELLA: E lo spumante? Chi (5) _____ porta?

PAOLA: Forse (6) _____ porta Marco.

 5.36 Cosa facciamo con… ? Indicate cosa facciamo con le seguenti cose. Usate un pronome oggetto diretto.

ESEMPIO: lo spumante

S1:   Cosa facciamo con lo spumante?
S2:   Lo beviamo alle feste.

1. la torta
2. gli inviti
3. gli invitati
4. le foto
5. un regalo
6. le candeline
7. i palloncini
8. il biglietto di auguri

Lo sai che? | I diciotto anni

Per moltissimi giovani italiani compiere diciotto anni è molto importante per diverse ragioni. A questa età una persona può votare, prendere la patente e guidare l'automobile. Molti fanno grandi feste per questo compleanno e spendono anche tanto. Ci sono delle agenzie specializzate proprio per organizzare questi eventi.

Spesso i ragazzi prima cenano in famiglia con i parenti e poi continuano la festa con gli amici e ballano quasi tutta la notte in un locale (*place*) affittato (*rented*) per l'occcasione.

 5.37 Il diciottesimo compleanno. Insieme discutete perché compiere diciotto anni è importante per i giovani italiani. Come si festeggia?

5.38 E nel vosto Paese? Quale compleanno è importante nel vostro Paese? Perché? Come si festeggia?

Scambi

 5.39 Le feste. Intervista un compagno/una compagna e scopri (*discover*) quali sono le feste importanti nella sua famiglia. Scopri anche come festeggiano le diverse occasioni.

 5.40 Una festa! Divisi in piccoli gruppi, organizzate una festa di compleanno a sorpresa per il vostro professore. Decidete dove e quando la date e cosa fate. Poi decidete chi si occupa delle seguenti cose.

ESEMPIO: gli inviti

   S1: Chi scrive gli inviti?
   S2: Li scrive lui.

1. lo spumante
2. la torta
3. il regalo
4. le candeline
5. gli invitati

6. la cena
7. gli antipasti
8. le foto
9. le bevande
10. i biglietti di auguri

5.41 Gli inviti. Osservate l'invito che segue e indicate quattro cose che adesso sapete delle persone e dell'avvenimento (*event*) di cui si parla.

*Cesare Brandini Marcolini e
Lucia Brandini Marcolini Corsi
partecipano il matrimonio
della figlia Serena
con*

Ugo Franceschetti

*Antonio Franceschetti e
Lucia Franceschetti Gargani
partecipano il matrimonio
del figlio Ugo
con*

Serena Brandini Marcolini

*Basilica di San Miniato
al Monte Firenze
Sabato 20 Giugno
2009 alle ore 9*

*Via della Fonderia, 71
Firenze*

*Via Pietro Chovar, 12
Firenze*

*Via del Pian dei Giullari, 22
Firenze*

*Ugo e Serena
dopo la celebrazione vi
raggiungeranno in giardino*

*Via del Pian de' Giullari, 24
Firenze*

*R. S. V. P.
055 2286436 – 055 2286375
ugoeserena@gmail.com*

Percorso III
Le faccende di casa

 **Che cosa devi fare in casa?**

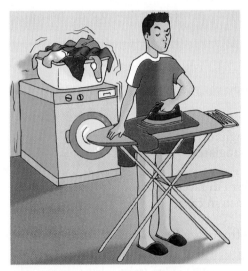

Luigi non **può** uscire adesso perché prima **deve** fare il bucato e stirare. Più tardi **vuole** andare al cinema con Mariella.

Roberto non **può** guardare la partita alla televisione perché **deve** spazzare, portare fuori la spazzatura e poi **deve** fare la spesa. Questa sera viene a cena la sua ragazza.

Fabrizio e Anna **vogliono** andare a giocare a tennis ma non possono uscire subito. Prima devono pulire la casa. Fabrizio **deve** passare l'aspirapolvere e Anna **deve** rifare il letto e mettere in ordine la camera.

Per parlare delle faccende di casa

annaffiare le piante	*to water the plants*
apparecchiare la tavola	*to set the table*
dare da mangiare al cane / al gatto	*to feed the dog / cat*
fare giardinaggio	*to work in the garden*
fare la spesa	*to buy groceries*
lavare i piatti	*to wash the dishes*
sparecchiare la tavola	*to clear the table*
spolverare	*to dust*

La frequenza

Ogni quanto? *How often?*

una volta / due volte al giorno /alla settimana / al mese / all'anno *once / twice a day / a week / a month / a year*

5.42 Che cos'è? Indica di quale attività si tratta.

1. Lo facciamo in cucina con l'acqua dopo che mangiamo.
2. Lo facciamo la mattina dopo che ci svegliamo e ci alziamo.
3. La facciamo al supermercato.
4. Lo facciamo dopo che finiamo di mangiare.
5. Lo facciamo prima di cominciare a mangiare.

5.43 Una festa in casa. Prepara una lista di faccende che fai prima di una festa e una di faccende che fai dopo una festa in casa.

5.44 Quando lo fai ? Indica con quale frequenza fai le seguenti attività.

	Ogni giorno	Spesso	Una volta alla settimana	Raramente
passare l'aspirapolvere				
lavare i piatti				
fare il bucato				
spolverare				
mettere in ordine				
cucinare				
fare la spesa				
portare fuori la spazzatura				
annaffiare le piante				
stirare				

In contesto Prima di uscire

Paolo e la madre discutono perché Paolo vuole uscire.

PAOLO: Mamma, posso uscire con i miei amici stasera? È tanto che non li vedo!

MAMMA: Dove volete andare?

PAOLO: Vogliamo andare in centro a mangiare una pizza.

MAMMA: Va bene, ma prima di uscire devi mettere in ordine la tua camera, passare l'aspirapolvere e portare la spazzatura fuori.

PAOLO: Ma mamma! La devo portare fuori proprio ora? Lo posso fare
           domani? È tardi e devo ancora lavarmi e vestirmi. Tutti gli altri sono
           già in pizzeria! Non la può portare fuori Carlo?
MAMMA: No! Carlo deve studiare.
PAOLO: Ma devo fare sempre tutto io in questa casa!

5.45 I doveri di Paolo. Indica cosa Paolo deve fare, cosa vuole fare e che
cosa può fare.

Occhio alla lingua!

1. What conjugated forms of the verbs **dovere**, **potere**, and **volere** can you
identify in the captions on page 151?
2. Looking at the conjugated forms of **dovere**, **potere**, and **volere**, can you
detect a pattern?
3. What do you notice about the verbs that follow the conjugated forms
of **dovere**, **potere**, and **volere**?
4. Looking at the *In contesto* conversation, what do you notice about the
position of direct-object pronouns with **dovere**, **potere**, and **volere**?

GRAMMATICA

Il presente di *dovere, potere e volere*

Dovere (*to have to*), **potere** (*to be able*), and **volere** (*to want*) are irregular in
the present tense.

dovere	potere	volere
devo	posso	voglio
devi	puoi	vuoi
deve	può	vuole
dobbiamo	possiamo	vogliamo
dovete	potete	volete
devono	possono	vogliono

1. Dovere and **potere** are usually followed by an infinitive. **Volere** can be used
with a noun or an infinitive.

Devo spolverare i mobili.   *I have to dust the furniture.*
Cosa **possiamo fare**?   *What can we do?*
Voglio uno stereo nuovo.   *I want a new stereo.*

2. When **dovere**, **potere**, and **volere** are used with an infinitive, reflexive and
direct-object pronouns can precede the conjugated form of the verb or they
can be attached to the infinitive after dropping the final -e.

—Ti devi vestire. (Devi vestir**ti**.)   —*You have to get dressed.*
—Vuoi lavare i piatti?   —*Do you want to wash the dishes?*
—No, non **li** voglio lavare.   —*No, I don't want to wash them.*
   (No, non voglio lavar**li**.)
—Puoi fare la spesa oggi?   —*Can you go grocery shopping
                                            today?*
—Sì, **la** posso fare. (Sì, posso far**la**.)   —*Yes, I can do it.*

5.46 Le faccende di casa. Abbina le persone con le attività per indicare chi deve fare queste faccende a casa tua.

1. Io
2. Mia madre
3. Le mie sorelle
4. Io e mio fratello
5. Voi

a. deve passare l'aspirapolvere.
b. dobbiamo cucinare.
c. devo apparecchiare la tavola.
d. dovete fare il bucato.
e. devono spolverare.

5.47 *Volere e potere.* Indica che cosa questi ragazzi vogliono fare e che cosa i loro genitori dicono che non possono fare. Completa le frasi con i verbi **volere** e **potere**.

1. —Mamma, io e Carlo _____ andare a giocare a tennis.
   —No! Oggi non _____.
2. —Mamma, io _____ andare al cinema.
   —No! Non _____.
3. —Papà, Luisa _____ uscire dopo cena.
   —No! Stasera non _____.
4. —Papà, Carlo e Luisa _____ andare a ballare.
   —No! Il giovedì non _____.

5.48 Il compleanno. Alcuni ragazzi organizzano una festa di compleanno per un loro amico. Completa il dialogo con **dovere, potere** e **volere**.

—Allora, chi (1) _____ cercare un regalo?
—Io non (2) _____. (3) _____ fare la torta stasera.
—Io e Carla (4) _____ comprare il regalo.
—Attenzione, però non (5) _____ spendere troppo.
  (6) _____ comprare un libro.
—Luisa, (7) _____ preparare la cena?
—Sì, (8) _____ preparare gli spaghetti per primo e il vitello per secondo.
—Bene, allora io (9) _____ preparare gli antipasti.
—No, gli antipasti li (10) _____ preparare Rosanna e Giulio.

5.49 *Dovere, potere e volere.* Indica:

1. due cose che i professori devono fare ogni sera.
2. due cose che tuo padre non può mai fare.
3. tre cose che tu e gli altri studenti non volete fare la sera.
4. una cosa che tu vuoi fare il weekend.
5. una cosa che tu e i tuoi compagni di classe non potete fare ogni mattina.

Scambi

5.50 In famiglia, chi lo fa? Cristina parla delle faccende di casa. Ascolta due volte i suoi commenti e indica chi nella sua famiglia fa le seguenti attività.

Attività	Chi?
1. portare fuori il cane	
2. fare giardinaggio	
3. cucinare	
4. sparecchiare la tavola	

5.51 Che disordine! Indicate che cosa dovete e/o potete fare per mettere in ordine la camera da letto (*bedroom*) del disegno.

 5.52 Aiuto (Help)! I tuoi genitori vengono a casa tua questo weekend. In casa c'è un grande disordine e non c'è niente da bere e da mangiare. Hai bisogno dell'aiuto degli amici per mettere in ordine la casa. Prima preparate insieme una lista di dieci cose che dovete fare e poi decidete chi deve / vuole / può fare che cosa.

 5.53 Una cena italiana. Immaginate di organizzare una cena italiana a casa vostra. Decidete cosa dovete, volete e potete fare prima della cena, durante la cena e dopo la cena. Decidete anche chi può, deve o vuole fare che cosa.

 5.54 Una buona scusa (excuse). Non vuoi partecipare alle situazioni indicate. Con un compagno/una compagna, ricostruisci un dialogo per ogni circostanza.

ESEMPIO: un invito a cena

S1:   Ciao, Paolo. Vuoi venire a cena domani?

S2:   Mi dispiace. Non posso venire perché devo andare a casa degli zii.

1. il compleanno della figlia di una cugina
2. una settimana a casa dei nonni
3. il matrimonio di due amici

In pratica

 PARLIAMO

In famiglia. Per conoscere meglio i tuoi compagni, chiedi informazioni sulla loro vita in famiglia. A tua volta (*In turn*), rispondi alle loro domande.

Prima di parlare

5.55 Per cercare compagni/compagne che corrispondono alle descrizioni seguenti, prepara delle domande per ottenere le informazioni desiderate.

ESEMPIO: è figlio unica/figlia unica
             Sei figlio unico?/Sei figlia unica? *o* Hai fratelli e sorelle?

1. ... è figlio unica/figlia unica
2. ... può vedere i nonni spesso
3. ... deve lavare i piatti tutti i giorni
4. ... non vuole mai fare la spesa
5. ... deve telefonare ai genitori tutte le sere
6. ... fa sempre una festa per il suo compleanno
7. ... non scrive mai biglietti d'auguri
8. ... ha un/una parente che parla italiano
9. ... va a molte feste in famiglia
10. ... va a casa dei genitori ogni settimana

Mentre parli

 5.56 Adesso fate ai compagni/alle compagne le domande che avete preparato. Parlate con quante persone possibili.

ESEMPI: S1: Sei figlia unica?
            S2: No, ho due fratelli.
            S1: Hai un parente che parla italiano?
            S2: Sì, mio zio lo parla bene!

Dopo aver parlato

 5.57 A turno, raccontate che cosa sapete adesso della vita in famiglia dei vostri compagni. Chi di voi ha più informazioni?

LEGGIAMO

Strategie per leggere Understanding interviews

Magazines and newspapers often feature interviews with a variety of people, famous or not. Interviews of course consist of a series of questions and answers. Before you read an interview as a whole, take time to look at the questions the journalist asks. This will help you to understand the focus and progression of the interview and give you a useful framework within which to read and understand its content.

Prima di leggere

5.58 Una giornalista intervista due bambini, Leonardo e Lavinia, sulle loro famiglie. Leggi le domande ai due bambini. Quali sono gli argomenti (*topics*) principali delle interviste?

Mentre leggi

5.59 Mentre leggi, prendi nota di (*note*):

1. una cosa che piace ai bambini dei loro genitori
2. quando i bambini vedono i nonni e una cosa che fanno insieme
3. una cosa che i bambini fanno per festeggiare il compleanno

Leonardo Manzini

Cosa ti piace della mamma?
Che è buona. Che mi fa dei regali. Che cucina per me tutte le sere. Mi piace quando mangiamo insieme, anche con il papà.

E cosa, invece, non ti piace?
Ha un brutto carattere! Quando mi sgrida[1]. Non mi piace che a scuola ha sempre riunioni[2] e ha poco tempo per me.

Cosa ti piace del papà?
Mi fa giocare al computer. Mi porta dei regali e mi porta sul Lago di Garda e al mare. Mi piace quando stiamo insieme e parliamo.

Che cosa non ti piace?
È troppo severo[3]! Mi sgrida. E non mi piace quando arriva a casa tardi la sera.

I tuoi nonni, li vedi? Cosa fate insieme?
Se è sabato e domenica ci vediamo a casa loro, dove lavoriamo in giardino. Qualche volta giocano con me. Con la nonna faccio anche le torte e i biscotti.

Come festeggi il tuo compleanno?
La mamma dice che posso invitare tre amici, la casa è grande ma lei non vuole troppo baccano[4]. Compriamo una torta. Qualche volta vengono anche i nonni e la sera ceniamo tutti insieme sul tavolo grande.

---

1. scolds   2. meetings   3. strict   4. noise

Lavinia Pontiggia

Cosa ti piace della mamma?

Mi piace l'aspetto, e poi perché è bella, alta, magra e non mi sgrida quasi mai. Mi piace anche la sua bontà e mi piacciono i vestiti che indossa e i suoi gioielli[1]!

E cosa, invece, non ti piace?

Non mi piacciono i suoi capelli corti, ma proprio corti. Non mi piace se mi urla[2] nelle orecchie, quando litiga con papà. E non mi piace quando si arrabbia[3] perché le viene una faccia brutta!

Cosa ti piace del papà?

Che è bello e forte e che si occupa bene della famiglia. Mi piace quando mi porta al parco e mi fa divertire.

Che cosa non ti piace?

Quando mi dice sempre no e non mi fa andare in cortile[4]. Quando urla anche lui e si arrabbia.

I tuoi nonni, li vedi? Cosa fate insieme?

Li vedo di solito il sabato e la domenica. Insieme guardiamo i DVD. La nonna mi fa vedere come si cuce[5]. Il nonno non sta molto bene e io lo aiuto. Lo aiuto ad aggiustare i mobili[6] e a curare le piante.

Come festeggi il tuo compleanno?

Di solito faccio una festa a casa con tanti amichetti, con le torte e i dolci, le pizzette e la pasta. Con i palloncini.

1. jewelry   2. screams   3. gets mad   4. courtyard   5. how to sew   6. to fix furniture

Dopo la lettura

5.60 Completa le attività che seguono.

1. Indica quali affermazioni corrispondono alle opinioni espresse dai due bambini:

   a. In genere ai bambini non piace quando i genitori sono infelici.
   b. I bambini giustificano i genitori quando si arrabbiano.
   c. Ai bambini piace un'atmosfera familiare calma e serena.
   d. I bambini vedono i nonni il weekend.
   e. Le nonne fanno attività tradizionali.
   f. Ai bambini piacciono i nonni moderni.
   g. Di solito i bambini festeggiano il compleanno a casa.
   h. Tutti e due i bambini fanno grandi feste per il loro compleanno.

 2. Paragonate le esperienze di Leonardo e Lavinia a quelle dei bambini nel vostro Paese.

   a. I commenti dei bambini sui genitori sono simili?
   b. Il rapporto (*relationship*) dei bambini con i nonni è simile nel vostro Paese? I bambini vedono i nonni più o meno spesso? Fanno cose simili?
   c. Le feste di compleanno sono simili o diverse?

SCRIVIAMO

Strategie per scrivere   Writing notes for special occasions

Writing a note or a card for a special occasion, to thank someone for a gift, or to respond to an invitation, requires the use of formulaic expressions. In order to communicate appropriately in Italian on such occasions, familiarize yourself with some of these expressions and try to incorporate them into your own notes and cards.

Cara Ilaria,
ho ricevuto l'invito al tuo
matrimonio! Sono molto felice
e sono sicura di venire!
Intanto ti faccio già tanti auguri!
Ti abbraccio con tanto affetto!
                                    Carla

Caro Marco,
congratulazioni per la laurea!
Bravo! La chimica è così difficile.
Oggi vado a comprarti un bel regalo.
Per ora ti abbraccio con amicizia,
                                    Roberta

Cara nonna,
la gonna è perfetta, moderna ed elegante.
Il colore poi è bellissimo. Tu sai che il rosso
mi piace tanto! Questa sera vado
in discoteca e mi metto la gonna nuova.
Ti ringrazio moltissimo e ti abbraccio,
                                    Serena

Le occasioni speciali. Scrivi un biglietto per una delle seguenti occasioni:

- **Un matrimonio.** Un/Una conoscente (*acquaintance*) italiano ti invita al suo matrimonio. Lo/La ringrazi (*thank*) per l'invito e scrivi perché non puoi andare.
- **Un regalo di compleanno.** È il tuo compleanno e una zia ti ha mandato un bel regalo. Scrivi alla zia e la ringrazi.
- **Auguri per la laurea!** Scrivi un biglietto affettuoso ad una cara amica che si laurea a luglio.

Prima di scrivere

5.61 Prima di cominciare a scrivere, leggi i suggerimenti che seguono.

1. Decidi quali espressioni vuoi usare.

Biglietti di auguri

a. Testo (*Text*): Tanti auguri di una vita lunga e felice insieme (*together*).
Chiusa del biglietto (*Closing*): Con tanto affetto.
b. Testo: Congratulazioni per una laurea ben meritata!
Chiusa del biglietto: Con amicizia.
c. Testo: Auguri per la nascita (*birth*) della piccola Isabella.
Chiusa del biglietto: Ti abbraccio con tutto il mio affetto.

Biglietti di ringraziamento

a. Testo: Grazie per il bel regalo per il mio compleanno!
Chiusa del biglietto: Voglio vedervi presto.
b. Testo: Grazie dell'invito, ma proprio non posso venire. Mi dispiace molto e vi mando tanti auguri.
Chiusa del biglietto: Spero (*I hope*) di ricevere una cartolina dal viaggio di nozze (*honeymoon*)!

2. Decidi se il biglietto deve essere formale e se vuoi usare il **tu** o il **Lei**.
3. Prepara una scaletta (*outline*) con le seguenti informazioni.
   a. Indica l'occasione.
   b. Descrivi i tuoi sentimenti.
   c. A seconda (*Depending on*) dell'occasione, puoi ringraziare la persona. Per un invito, puoi anche spiegare perché pensi di andare oppure no.

La scrittura

5.62 Usa la scaletta che hai preparato per scrivere la prima stesura (*draft*) del biglietto. Usa le espressioni più appropriate per l'occasione.

La versione finale

5.63 Leggi la prima stesura dopo un po' di tempo.

1. Il messaggio è chiaro (*clear*)?
2. Hai usato le espressioni adatte per iniziare e per concludere?
3. Hai usato il **tu** o il **Lei** in maniera consistente?
4. Correggi il testo attentamente. Controlla le parole, la forma dei verbi e l'accordo degli aggettivi e dei nomi. Hai usato correttamente i verbi **dovere**, **potere** e **volere**?

GUARDIAMO

Strategie per guardare Reviewing relevant vocabulary

Before you view an especially rich or complex video segment, you may find it useful to review related vocabulary that you have learned. This will help you not only to understand the speakers' comments but also to discuss them after you have seen the video.

Prima di guardare

5.64 Questo videoclip inizia con una scena del matrimonio di Fabrizio e Felicita. Quindi (*Then*) Felicita e Fabrizio parlano delle loro famiglie e poi Ilaria parla della sua vita a casa con le sorelle. Prima di cominciare a guardare:

1. Fa' una lista delle parole ed espressioni che si possono usare per un matrimonio.
2. Riguarda le parole che si riferiscono (*refer*) alla famiglia, a parenti vicini e lontani.
3. Fa' una lista delle parole ed espressioni che usiamo per le faccende di casa.

Mentre guardi

5.65 Mentre guardi il videoclip, osserva attentamente i posti (*settings*) e le persone. Ascolta anche che cosa dicono Felicita, Fabrizio e Ilaria sulla loro famiglia e completa le frasi seguenti.

1. Felicita ha...
   a. quattro fratelli.
   b. sette fratelli.
2. La famiglia di Fabrizio è...
   a. di Roma.
   b. di Firenze.

3. Ilaria parla...
   a. di sua sorella.
   b. delle sue sorelle.
4. Ilaria...
   a. cucina.
   b. apparecchia la tavola.

Dopo aver guardato

 5.66 Completate le attività seguenti.

1. Descrivete insieme il matrimonio di Felicita e Fabrizio.
   a. Come sono i due sposi?
   b. Com'è la chiesa?
   c. Come sono e chi sono le altre persone?
2. Come immaginate la giornata (*day*) di Ilaria e delle sue sorelle? Che cosa fanno ogni giorno? E tu, devi fare faccende di casa come loro?
3. Immaginate di voler conoscere meglio le persone del video e le loro famiglie. Preparate delle domande da fare a Felicita, Fabrizio e Ilaria.

ESEMPI: Felicita, quanti fratelli hai?
           Fabrizio, sei figlio unico?
           Ilaria, quando dai da mangiare al cane?

■ ATTRAVERSO LA TOSCANA

La Toscana è famosa per la sua storia e la sua cultura. In questa regione sono nati Dante Alighieri (1265–1321), Francesco Petrarca (1304–1374) e Giovanni Boccaccio (1313–1375), tre grandi scrittori del Trecento che, con i loro capolavori (*masterpieces*): la *Divina Commedia*, il *Canzoniere* e il *Decamerone*, affermano l'importanza del volgare toscano come lingua letteraria.

Più tardi Firenze, il capoluogo della regione, diventa (*becomes*) uno dei maggiori centri del Rinascimento italiano. Dal 1434 al 1537, infatti, grazie alla ricca e potente famiglia de' Medici, Firenze gode (*enjoys*) di una grande prosperità economica e di un'importanza politica mai avuta prima. Lorenzo de' Medici (1449–1492), detto «il Magnifico», generoso mecenate (*patron*), poeta e amante delle arti, riunisce alla sua corte artisti, poeti, scienziati e filosofi. Questi contribuiscono allo sviluppo dell'Umanesimo, un movimento culturale e intellettuale che si basa su un attento studio dell'antichità classica. Fanno parte della corte di Lorenzo il Magnifico tanti artisti e studiosi come Marsilio Ficino, Angelo Poliziano, Sandro Botticelli e Michelangelo.

La Toscana è conosciuta oggi anche per le sue colline (*hills*) ricche di alberi di olivo e vigneti (*vinyeards*) dove si producono vini famosi in tutto il mondo come il Chianti, il Brunello e il Montepulciano.

Il centro religioso e artistico di Firenze. Il centro religioso e artistico di Firenze è rappresentato dal Battistero, dal Duomo di Santa Maria del Fiore con la bellissima cupola di Filippo Brunelleschi (1423–1497), uno dei maggiori architetti del Quattrocento, e il

Le Tombe Medicee: La tomba di Giuliano di Nemours, nipote del Magnifico. **(Firenze, Sacrestia Nuova, Basilica di S. Lorenzo).** Le tre statue sono di Michelangelo Buonarroti (1475–1564), uno dei più grandi artisti del Rinascimento. Al centro c'è la statua di Giuliano di Nemours, a sinistra la *Notte* e a destra il *Giorno*, simboli del tempo che distrugge

VERIFICHIAMO

Prima leggi l'introduzione della regione, poi guarda le foto e leggi le rispettive didascalie.

5.67 Cosa sai adesso? Indica almeno due cose che adesso sai:

1. di Lorenzo de' Medici
2. di Dante, Boccaccio e Petrarca
3. di Michelangelo
4. delle statue il *Giorno* e la *Notte*
5. di Siena
6. di San Gimignano
7. di Giotto e Brunelleschi

 5.68 Che altro sapete? Discutete cosa sapete del Rinascimento. Quali altri artisti e scrittori rinascimentali conoscete?

Il centro storico di Siena, una tipica città medievale, con la Torre del Mangia e la bellissima Piazza del Campo. In questa piazza il 2 luglio e il 16 agosto si tiene la famosa manifestazione del Palio, una corsa di cavalli (*horse race*). La piazza ha la forma di una conchiglia (*seashell*). Santa Caterina, patrona (*patron saint*) d'Italia, è nata a Siena. Siena è anche la patria del panforte, un dolce tipico che si mangia spesso a Natale (*Christmas*).

San Gimignano, la città delle torri, fra le sue antiche mura (*walls*). Oggi a San Gimignano sono rimaste solo 13 torri, ma nel Trecento (1300) ce n'erano (*there were*) 72. Nel Medioevo la torre era simbolo di potenza (*power*). Le famiglie ricche della città infatti costruivano queste costose e alte abitazioni per dimostrare il loro potere economico. Nel 1354 però la città si deve sottomettere a Firenze. Oggi questo pittoresco paese è un importante centro turistico famoso per il suo vino bianco, la Vernaccia di San Gimignano

🔊 VOCABOLARIO

I parenti e la famiglia

il bambino/la bambina	child
il bisnonno/la bisnonna	great-grandfather / great-grandmother
il cugino/la cugina	cousin
la famiglia	family
il figlio unico/la figlia unica	only child
il fratello	brother
i gemelli/le gemelle	twins
i genitori	parents
la madre	mother
il marito/la moglie	husband / wife
il nipote/la nipote	grandson / granddaughter; nephew / niece
il nonno/la nonna	grandfather / grandmother
i nonni materni/paterni	maternal / paternal grandparents
il padre	father
il papà/la mamma	dad/mom
i parenti	relatives
la sorella	sister
lo zio/la zia	uncle/aunt

Espressioni per parlare della famiglia

andare d'accordo con	to get along with
Che lavoro fa?	What does he/she do?
È avvocato / casalinga / ingegnere / medico.	He/She is a lawyer / a housewife / an engineer / a doctor.
conoscere	to know; to be acquainted with; to meet
divorziato/a	divorced
In quanti siete?	How many are there in your family?
Siamo in otto.	There are eight of us.
il fratello/la sorella più grande / più piccolo/a	older / younger brother/sister
litigare	to argue
morto/a	dead
sapere	to know a fact, to know how to do something
somigliare a	to look like, to be like
vivere	to live
vivo/a	alive

Le feste in famiglia

l'anniversario	*anniversary*
Auguri!	*Best wishes!*
il bicchiere	*glass*
il biglietto d'auguri	*card*
Buon compleanno!	*Happy birthday!*
la candelina	*candle*
il compleanno	*birthday*
Congratulazioni!	*Congratulations!*
dare una festa / fare una festa	*to give / have a party*
diplomarsi	*to graduate from high school*
dire	*to say / tell*
fare gli auguri	*to say best wishes*
fare una foto	*to take a picture*
festeggiare	*to celebrate*
invitare	*to invite*
gli invitati	*invited guests*
la laurea	*college degree*
laurearsi	*to graduate from college*
mandare un invito	*to send an invitation*
il matrimonio	*marriage / wedding*
regalare	*to give a present*
il regalo	*present*
il ricevimento	*reception*
spedire (-isc-)	*to mail, send*
sposarsi	*to get married*
lo spumante	*champagne, sparkling wine*
la torta	*cake*

Le faccende di casa

annaffiare le piante	*to water the plants*
apparecchiare la tavola	*to set the table*
dare da mangiare al cane / al gatto	*to feed the dog / cat*
dovere	*to have to*
fare il bucato	*to do laundry*
fare giardinaggio	*to work in the garden*
fare la spesa	*to buy groceries*
lavare (i piatti)	*to wash (the dishes)*
mettere in ordine	*to put in order*
passare l'aspirapolvere	*to vacuum*
portare fuori la spazzatura	*to take out the trash*
potere	*to be able to*
rifare il letto	*to make the bed*
sparecchiare la tavola	*to clear the table*
spazzare	*to sweep the floor*
spolverare	*to dust*
stirare	*to iron*
volere	*to want*

La frequenza

Ogni quanto?	*How often?*
una volta / due volte al giorno	*once / twice a day*
due volte alla settimana	*twice a week*
tre volte al mese	*three times a month*
una volta l'anno	*once a year*

Appendix A Verb Charts

AVERE e ESSERE					
Verbi semplici					
INFINITO (INFINITIVE)	avere			essere	
PRESENTE (PRESENT INDICATIVE)	ho hai ha	abbiamo avete hanno	PRESENTE (PRESENT INDICATIVE)	sono sei è	siamo siete sono
IMPERFETTO (IMPERFECT INDICATIVE)	avevo avevi aveva	avevamo avevate avevano	IMPERFETTO (IMPERFECT INDICATIVE)	ero eri era	eravamo eravate erano
PASSATO REMOTO (PAST ABSOLUTE)	ebbi avesti ebbe	avemmo aveste ebbero	PASSATO REMOTO (PAST ABSOLUTE)	fui fosti fu	fummo foste furono
FUTURO (FUTURE)	avrò avrai avrà	avremo avrete avranno	FUTURO (FUTURE)	sarò sarai sarà	saremo sarete saranno
CONDIZIONALE PRESENTE (CONDITIONAL)	avrei avresti avrebbe	avremmo avreste avrebbero	CONDIZIONALE PRESENTE (CONDITIONAL)	sarei saresti sarebbe	saremmo sareste sarebbero
IMPERATIVO (IMPERATIVE)	___ abbi (non avere) abbia	abbiamo abbiate abbiano	IMPERATIVO (IMPERATIVE)	___ sii (non essere) sia	siamo siate siano
CONGIUNTIVO PRESENTE (PRESENT SUBJUNCTIVE)	abbia abbia abbia	abbiamo abbiate abbiano	CONGIUNTIVO PRESENTE (PRESENT SUBJUNCTIVE)	sia sia sia	siamo siate siano
CONGIUNTIVO IMPERFETTO (IMPERFECT SUBJUNCTIVE)	avessi avessi avesse	avessimo aveste avessero	CONGIUNTIVO IMPERFETTO (IMPERFECT SUBJUNCTIVE)	fossi fossi fosse	fossimo foste fossero
GERUNDIO (GERUND)	avendo		GERUNDIO (GERUND)	essendo	
Verbi composti					
PARTICIPIO PASSATO (PAST PARTICIPLE)	avuto	stato / a / i / e	CONDIZIONALE PASSATO (CONDITIONAL PERFECT)	avrei avuto avresti avuto avrebbe avuto avremmo avuto avreste avuto avrebbero avuto	sarei stato / a saresti stato / a sarebbe stato / a saremmo stati / e sareste stati / e sarebbero stati / e
INFINITO PASSATO (PAST INFINITIVE)	avere avuto	essere stato / a / i / e			
PASSATO PROSSIMO (PRESENT PERFECT INDICATIVE)	ho avuto hai avuto ha avuto abbiamo avuto avete avuto hanno avuto	sono stato / a sei stato / a è stato / a siamo stati / e siete stati / e sono stati / e	CONGIUNTIVO PASSATO (PRESENT PERFECT SUBJUNCTIVE)	abbia avuto abbia avuto abbia avuto abbiamo avuto abbiate avuto abbiano avuto	sia stato / a sia stato / a sia stato / a siamo stati / e siate stati / e siano stati / e
TRAPASSATO PROSSIMO (PAST PERFECT INDICATIVE)	avevo avuto avevi avuto aveva avuto avevamo avuto avevate avuto avevano avuto	ero stato / a eri stato / a era stato / a eravamo stati / e eravate stati / e erano stati / e	CONGIUNTIVO TRAPASSATO (PAST PERFECT SUBJUNCTIVE)	avessi avuto avessi avuto avesse avuto avessimo avuto aveste avuto avessero avuto	fossi stato / a fossi stato / a fosse stato / a fossimo stati / e foste stati / e fossero stati / e
FUTURO ANTERIORE (FUTURE PERFECT)	avrò avuto avrai avuto avrà avuto avremo avuto avrete avuto avranno avuto	sarò stato / a sarai stato / a sarà stato / a saremo stati / e sarete stati / e saranno stati / e	GERUNDIO PASSATO (PAST GERUND)	avendo avuto	essendo stato / a / i / e

VERBI REGOLARI

Verbi semplici

	VERBI IN -are parlare	VERBI IN -ere vendere	VERBI IN -ire partire	VERBI IN -ire (-isc-) finire
INFINITO (INFINITIVE)				
PRESENTE (PRESENT INDICATIVE)	parl o parl i parl a parl iamo parl ate parl ano	vend o vend i vend e vend iamo vend ete vend ono	part o part i part e part iamo part ite part ono	fin isc o fin isc i fin isc e fin iamo fin ite fin isc ono
IMPERFETTO (IMPERFECT INDICATIVE)	parla vo parla vi parla va parla vamo parla vate parla vano	vende vo vende vi vende va vende vamo vende vate vende vano	parti vo parti vi parti va parti vamo parti vate parti vano	fini vo fini vi fini va fini vamo fini vate fini vano
PASSATO REMOTO (PAST ABSOLUTE)	parl ai parl asti parl ò parl ammo parl aste parl arono	vend ei vend esti vend è vend emmo vend este vend erono	part ii part isti part ì part immo part iste part irono	fin ii fin isti fin ì fin immo fin iste fin irono
FUTURO (FUTURE)	parler ò parler ai parler à parler emo parler ete parler anno	vender ò vender ai vender à vender emo vender ete vender anno	partir ò partir ai partir à partir emo partir ete partir anno	finir ò finir ai finir à finir emo finir ete finir anno
CONDIZIONALE PRESENTE (PRESENT CONDITIONAL)	parler ei parler esti parler ebbe parler emmo parler este parler ebbero	vender ei vender esti vender ebbe vender emmo vender este vender ebbero	partir ei partir esti partir ebbe partir emmo partir este partir ebbero	finir ei finir esti finir ebbe finir emmo finir este finir ebbero
IMPERATIVO (IMPERATIVE)	parl a (non parlare) parl i parl iamo parl ate parl ino	vend i (non vendere) vend a vend iamo vend ete vend ano	part i (non partire) part a part iamo part ite part ano	fin isc i (non finire) fin isc a fin iamo fin ite fin isc ano
CONGIUNTIVO PRESENTE (PRESENT SUBJUNCTIVE)	parl i parl i parl i parl iamo parl iate parl ino	vend a vend a vend a vend iamo vend iate vend ano	part a part a part a part iamo part iate part ano	fin isc a fin isc a fin isc a fin iamo fin iate fin isc ano
CONGIUNTIVO IMPERFETTO (IMPERFECT SUBJUNCTIVE)	parl assi parl assi parl asse parl assimo parl aste parl assero	vend essi vend essi vend esse vend essimo vend este vend essero	part issi part issi part isse part issimo part iste part issero	fin issi fin issi fin isse fin issimo fin iste fin issero
GERUNDIO (GERUND)	parl ando	vend endo	part endo	fin endo

Verbi composti

PARTICIPIO PASSATO (PAST PARTICIPLE)	parl ato	vend uto	part ito	fin ito
INFINITO PASSATO (PAST INFINITIVE)	avere parlato	avere venduto	essere partito / a / i / e	avere finito
PASSATO PROSSIMO (PRESENT PERFECT INDICATIVE)	ho parlato hai parlato ha parlato abbiamo parlato avete parlato hanno parlato	ho venduto hai venduto ha venduto abbiamo venduto avete venduto hanno venduto	sono partito / a sei partito / a è partito / a siamo partiti / e siete partiti / e sono partiti / e	ho finito hai finito ha finito abbiamo finito avete finito hanno finito

Verbi composti				
TRAPASSATO PROSSIMO (PAST PERFECT INDICATIVE)	avevo parlato avevi parlato aveva parlato avevamo parlato avevate parlato avevano parlato	avevo venduto avevi venduto aveva venduto avevamo venduto avevate venduto avevano venduto	ero partito / a eri partito / a era partito / a eravamo partiti / e eravate partiti / e erano partiti / e	avevo finito avevi finito aveva finito avevamo finito avevate finito avevano finito
FUTURO ANTERIORE (FUTURE PERFECT)	avrò parlato avrai parlato avrà parlato avremo parlato avrete parlato avranno parlato	avrò venduto avrai venduto avrà venduto avremo venduto avrete venduto avranno venduto	sarò partito / a sarai partito / a sarà partito / a saremo partiti / e sarete partiti / e saranno partiti / e	avrò finito avrai finito avrà finito avremo finito avrete finito avranno finito
CONDIZIONALE PASSATO (CONDITIONAL PERFECT)	avrei parlato avresti parlato avrebbe parlato avremmo parlato avreste parlato avrebbero parlato	avrei venduto avresti venduto avrebbe venduto avremmo venduto avreste venduto avrebbero venduto	sarei partito / a saresti partito / a sarebbe partito / a saremmo partiti / e sareste partiti / e sarebbero partiti / e	avrei finito avresti finito avrebbe finito avremmo finito avreste finito avrebbero finito
CONGIUNTIVO PASSATO (PRESENT PERFECT SUBJUNCTIVE)	abbia parlato abbia parlato abbia parlato abbiamo parlato abbiate parlato abbiano parlato	abbia venduto abbia venduto abbia venduto abbiamo venduto abbiate venduto abbiano venduto	sia partito / a sia partito / a sia partito / a siamo partiti / e siate partiti / e siano partiti / e	abbia finito abbia finito abbia finito abbiamo finito abbiate finito abbiano finito
CONGIUNTIVO TRAPASSATO (PAST PERFECT SUBJUNCTIVE)	avessi parlato avessi parlato avesse parlato avessimo parlato aveste parlato avessero parlato	avessi venduto avessi venduto avesse venduto avessimo venduto aveste venduto avessero venduto	fossi partito / a fossi partito / a fosse partito / a fossimo partiti / e foste partiti / e fossero partiti / e	avessi finito avessi finito avesse finito avessimo finito aveste finito avessero finito
GERUNDIO PASSATO (PAST GERUND)	avendo parlato	avendo venduto	essendo partito / a / i / e	avendo finito

VERBI IRREGOLARI

The following verbs are irregular only in the tense and moods here noted. The other forms are regular.

accendere to turn on, to light
Passato remoto: accesi, accendesti, accese, accendemmo, accendeste, accesero
Participio passato: acceso

andare to go
Indicativo presente: vado, vai, va, andiamo, andate, vanno
Futuro: andrò, andrai, andrà, andremo, andrete, andranno
Condizionale: andrei, andresti, andrebbe, andremmo, andreste, andrebbero
Congiuntivo presente: vada, vada, vada, andiamo, andiate, vadano
Imperativo: va'!, andiamo!, andate!, vada!, vadano!

bere to drink
Indicativo presente: bevo, bevi, beve, beviamo, bevete, bevono
Imperfetto: bevevo, bevevi, beveva, bevevamo, bevevate, bevevano
Passato remoto: bevvi, bevesti, bevve, bevemmo, beveste, bevvero
Futuro: berrò, berrai, berrà, berremo, berrete, berranno
Condizionale: berrei, berresti, berrebbe, berremmo, berreste, berrebbero
Congiuntivo presente: beva, beva, beva, beviamo, beviate, bevano
Congiuntivo imperfetto: bevessi, bevessi, bevesse, bevessimo, beveste, bevessero

Imperativo: bevi!, beviamo!, bevete!, beva!, bevano!
Participio passato: bevuto
Gerundio: bevendo

cadere to fall
Passato remoto: caddi, cadesti, cadde, cademmo, cadeste, caddero
Futuro: cadrò, cadrai, cadrà, cadremo, cadrete, cadranno
Condizionale: cadrei, cadresti, cadrebbe, cadremmo, cadreste, cadrebbero

chiedere to ask
Passato remoto: chiesi, chiedesti, chiese, chiedemmo, chiedeste, chiesero
Participio passato: chiesto

chiudere to close
Passato remoto: chiusi, chiudesti, chiuse, chiudemmo, chiudeste, chiusero
Participio passato: chiuso

comprendere to understand, to comprehend (see prendere)

condividere to share (see dividere)

conoscere to know, to be acquainted
Passato remoto: conobbi, conoscesti, conobbe, conoscemmo, conosceste, conobbero
Participio passato: conosciuto

correre to run
Passato remoto: corsi, corresti, corse, corremmo, correste, corsero
Participio passato: corso

crescere to grow
Passato remoto: crebbi, crescesti, crebbe, crescemmo, cresceste, crebbero
Participio passato: cresciuto

cuocere to cook
Passato remoto: cossi, cocesti, cosse, cocemmo, coceste, cossero
Participio passato: cotto

dare to give
Indicativo presente: do, dai, dà, diamo, date, danno
Passato remoto: diedi (detti), desti, diede (dette), demmo, deste, diedero (dettero)
Futuro: darò, darai, darà, daremo, darete, daranno
Condizionale: darei, daresti, darebbe, daremmo, dareste, darebbero
Congiuntivo presente: dia, dia, dia, diamo, diate, diano
Congiuntivo imperfetto: dessi, dessi, desse, dessimo, deste, dessero
Imperativo: da'!, diamo!, date!, dia!, diano!

decidere to decide
Passato remoto: decisi, decidesti, decise, decidemmo, decideste, decisero
Participio passato: deciso

dire to say, to tell
Indicativo presente: dico, dici, dice, diciamo, dite, dicono
Indicativo imperfetto: dicevo, dicevi, diceva, dicevamo, dicevate, dicevano
Passato remoto: dissi, dicesti, disse, dicemmo, diceste, dissero
Congiuntivo presente: dica, dica, dica, diciamo, diciate, dicano
Congiuntivo imperfetto: dicessi, dicessi, dicesse, dicessimo, diceste, dicessero
Imperativo: di'!, diciamo!, dite!, dica!, dicano!
Participio passato: detto
Gerundio: dicendo

discutere to discuss
Passato remoto: discussi, discutesti, discusse, discutemmo, discuteste, discussero
Participio passato: discusso

dividere to divide
Passato remoto: divisi, dividesti, divise, dividemmo, divideste, divisero
Participio passato: diviso

dovere to have to, must
Indicativo presente: devo (debbo), devi, deve, dobbiamo, dovete, devono (debbono)
Futuro: dovrò, dovrai, dovrà, dovremo, dovrete, dovranno
Condizionale: dovrei, dovresti, dovrebbe, dovremmo, dovreste, dovrebbero
Congiuntivo presente: deva (debba), deva (debba), deva (debba), dobbiamo, dobbiate, debbano

fare to make, to do
Indicativo presente: faccio, fai, fa, facciamo, fate, fanno
Imperfetto: facevo, facevi, faceva, facevamo, facevate, facevano
Futuro: farò, farai, farà, faremo, farete, faranno
Condizionale: farei, faresti, farebbe, faremmo, fareste, farebbero
Congiuntivo presente: faccia, faccia, faccia, facciamo, facciate, facciano
Congiuntivo imperfetto: facessi, facessi, facesse, facessimo, faceste, facessero

Imperativo: fa'!, facciamo!, fate!, faccia!, facciano!
Participio passato: fatto
Gerundio: facendo

leggere to read
Passato remoto: lessi, leggesti, lesse, leggemmo, leggeste, lessero
Participio passato: letto

mettere to place, to put
Passato remoto: misi, mettesti, mise, mettemmo, metteste, misero
Participio passato: messo

morire to die
Indicativo presente: muoio, muori, muore, moriamo, morite, muoiono
Congiuntivo presente: muoia, muoia, muoia, moriamo, moriate, muoiano
Imperativo: muori!, moriamo!, morite!, muoia, muoiano
Participio passato: morto

nascere to be born
Passato remoto: nacqui, nascesti, nacque, nascemmo, nasceste, nacquero
Participio passato: nato

perdere to lose
Passato remoto: persi, perdesti, perse, perdemmo, perdeste, persero
Participio passato: perso (perduto)

piacere to like
Indicativo presente: piaccio, piaci, piace, piacciamo, piacete, piacciono
Passato remoto: piacqui, piacesti, piacque, piacemmo, piaceste, piacquero
Congiuntivo presente: piaccia, piaccia, piaccia, piacciamo, piacciate, piacciano
Participio passato: piaciuto

piangere to cry
Passato remoto: piansi, piangesti, pianse, piangemmo, piangeste, piansero
Participio passato: pianto

porre to put, to place
Indicativo presente: pongo, poni, pone, poniamo, ponete, pongono
Imperfetto: ponevo, ponevi, poneva, ponevamo, ponevate, ponevano
Passato remoto: posi, ponesti, pose, ponemmo, poneste, posero
Futuro: porrò, porrai, porrà, porremo, porrete, porranno
Condizionale: porrei, porresti, porrebbe, porremmo, porreste, porrebbero
Congiuntivo presente: ponga, ponga, ponga, poniamo, poniate, pongano
Congiuntivo imperfetto: ponessi, ponessi, ponesse, ponessimo, poneste, ponessero
Imperativo: poni!, poniamo!, ponete!, ponga!, pongano!
Participio passato: posto

potere to be able
Indicativo presente: posso, puoi, può, possiamo, potete, possono
Futuro: potrò, potrai, potrà, potremo, potrete, potranno
Condizionale: potrei, potresti, potrebbe, potremmo, potreste, potrebbero
Congiuntivo presente: possa, possa, possa, possiamo, possiate, possano

prendere	to take
Passato remoto:	presi, prendesti, prese, prendemmo, prendeste, presero
Participio passato:	preso
ridere	to laugh
Participio passato:	risi, ridesti, rise, ridemmo, rideste, risero
Participio passato:	riso
rimanere	to remain
Indicativo presente:	rimango, rimani, rimane, rimaniamo, rimanete, rimangono
Passato remoto:	rimasi, rimanesti, rimase, rimanemmo, rimaneste, rimasero
Futuro:	rimarrò, rimarrai, rimarrà, rimarremo, rimarrete, rimarranno
Condizionale:	rimarrei, rimarresti, rimarrebbe, rimarremmo, rimarreste, rimarrebbero
Congiuntivo presente:	rimanga, rimanga, rimanga, rimaniamo, rimaniate, rimangano
Imperativo:	rimani!, rimaniamo!, rimanete!, rimanga!, rimangano!
Participio passato:	rimasto
rispondere	to answer
Passato remoto:	risposi, rispondesti, rispose, rispondemmo, rispondeste, risposero
Participio passato:	risposto
salire	to get on, to go up, to come up
Indicativo presente:	salgo, sali, sale, saliamo, salite, salgono
Congiuntivo presente:	salga, salga, salga, saliamo, saliate, salgano
Imperativo:	sali!, saliamo!, salga!, salgano!
sapere	to know
Indicativo presente:	so, sai, sa, sappiamo, sapete, sanno
Passato remoto:	seppi, sapesti, seppe, sapemmo, sapeste, seppero
Futuro:	saprò, saprai, saprà, sapremo, saprete, sapranno
Condizionale:	saprei, sapresti, saprebbe, sapremmo, sapreste, saprebbero
Congiuntivo presente:	sappia, sappia, sappia, sappiamo, sappiate, sappiano
Imperativo:	sappi!, sappiamo!, sappiate!, sappia!, sappiano!
scegliere	to choose
Indicativo presente:	scelgo, scegli, sceglie, scegliamo, scegliete, scelgono
Passato remoto:	scelsi, scegliesti, scelse, scegliemmo, sceglieste, scelsero
Congiuntivo presente:	scelga, scelga, scelga, scegliamo, scegliate, scelgano
Participio passato:	scelto
scendere	to go down, to come down, to descend, to get off
Passato remoto:	scesi, scendesti, scese, scendemmo, scendeste, scesero
Participio passato:	sceso
scrivere	to write
Passato remoto:	scrissi, scrivesti, scrisse, scrivemmo, scriveste, scrissero
Participio passato:	scritto
sedere	to sit
Indicativo presente:	siedo, siedi, siede, sediamo, sedete, siedono
Congiuntivo presente:	sieda, sieda, sieda, sediamo, sediate, siedano
Imperativo:	siedi!, sediamo!, sedete!, sieda!, siedano!

spendere	to spend
Passato remoto:	spesi, spendesti, spese, spendemmo, spendeste, spesero
Participio passato:	speso
stare	to stay, to remain, to be
Indicativo presente:	sto, stai, sta, stiamo, state, stanno
Indicativo imperfetto:	stavo, stavi, stava, stavamo, stavate, stavano
Futuro:	starò, starai, starà, staremo, starete, staranno
Condizionale:	starei, staresti, starebbe, staremmo, stareste, starebbero
Congiuntivo presente:	stia, stia, stia, stiamo, stiate, stiano
Congiuntivo imperfetto:	stessi, stessi, stesse, stessimo, steste, stessero
Imperativo:	sta'!, stiamo!, state!, stia!, stiano!
Participio passato:	stato
tenere	to keep, to hold,
Indicativo presente:	tengo, tieni, tiene, teniamo, tenete, tengono
Passato remoto:	tenni, tenesti, tenne, tenemmo, teneste, tennero
Futuro:	terrò, terrai, terrà, terremo, terrete, terranno
Condizionale:	terrei, terresti, terrebbe, terremmo, terreste, terrebbero
Imperativo:	tieni!, teniamo!, tenete!, tenga!, tengano!
uscire	to go out
Indicativo presente:	esco, esci, esce, usciamo, uscite, escono
Congiuntivo presente:	esca, esca, esca, usciamo, usciate, escano
Imperativo:	esci!, usciamo!, uscite!, esca!, escano!
vedere	to see
Passato remoto:	vidi, vedesti, vide, vedemmo, vedeste, videro
Futuro:	vedrò, vedrai, vedrà, vedremo, vedrete, vedranno
Condizionale:	vedrei, vedresti, vedrebbe, vedremmo, vedreste, vedrebbero
Participio passato:	visto (veduto)
venire	to come
Indicativo presente:	vengo, vieni, viene, veniamo, venite, vengono
Passato remoto:	venni, venisti, venne, venimmo, veniste, vennero
Futuro:	verrò, verrai, verrà, verremo, verrete, verranno
Condizionale:	verrei, verresti, verrebbe, verremmo, verreste, verrebbero
Congiuntivo presente:	venga, venga, venga, veniamo, veniate, vengano
Imperativo:	vieni!, veniamo!, venite!, venga!, vengano!
Participio passato:	venuto
vivere	to live
Passato remoto:	vissi, vivesti, visse, vivemmo, viveste, vissero
Participio passato:	vissuto
volere	to want
Indicativo presente:	voglio, vuoi, vuole, vogliamo, volete, vogliono
Passato remoto:	volli, volesti, volle, volemmo, voleste, vollero
Futuro:	vorrò, vorrai, vorrà, vorremo, vorrete, vorranno
Condizionale:	vorrei, vorresti, vorrebbe, vorremmo, vorreste, vorrebbero
Congiuntivo presente:	voglia, voglia, voglia, vogliamo, vogliate, vogliano

VERBI CONIUGATI CON *ESSERE*

The following verbs are conjugated with essere. In addition, all reflexive verbs are conjugated with essere (for example, **divertirsi**, to have a good time): **mi sono divertito / a, ti sei divertito/a, si è divertito / a, ci siamo divertiti / e, vi siete divertiti / e, si sono divertiti / e.**

accadere	to happen	mancare	to lack, to be lacking
andare	to go	morire	to die
arrivare	to arrive	nascere	to be born
avvenire	to happen	parere	to seem, to appear
bastare	to be enough, to suffice	partire	to leave, to depart
cadere	to fall	*passare	to pass time, to pass by
*cambiare	to change	piacere	to like
*cominciare	to begin, to start	restare	to remain, to stay
costare	to cost	rimanere	to remain
*correre	to run	*risalire	to climb up again, to go up again
crescere	to grow	ritornare	to return
dimagrire	to lose weight	riuscire	to manage, to succeed
dispiacere	to be sorry	*salire	to get on, to go up
divenire	to become	*saltare	to jump, to skip
diventare	to become	scappare	to run away
durare	to last	*scendere	to descend, to go down, to get off
entrare	to enter	sembrare	to seem
esistere	to exist	stare	to stay
esplodere	to explode	succedere	to happen
essere	to be	tornare	to return
*finire	to finish	uscire	to go out
fuggire	to run, to flee	venire	to come
guarire	to recover, to heal		
ingrassare	to gain weight, to get fat		

*Conjugated with **avere** when used with a direct object.

VERBI CON IL PARTICIPIO PASSATO IRREGOLARE

INFINITO	PARTICIPIO PASSATO	INFINITO	PARTICIPIO PASSATO
accendere *to tun on, to light*	acceso	offrire *to offer*	offerto
aggiungere *to add*	aggiunto	parere *to seem*	parso
apparire *to appear*	apparso	perdere *to lose*	perso (perduto)
apprendere *to learn*	appreso	permettere *to permit*	permesso
aprire *to open*	aperto	piangere *to weep, to cry*	pianto
assumere *to hire*	assunto	prendere *to take*	preso
bere *to drink*	bevuto	produrre *to produce*	prodotto
chiedere *to ask*	chiesto	promettere *to promise*	promesso
chiudere *to close*	chiuso	promuovere *to promote*	promosso
comprendere *to understand*	compreso	proteggere *to protect*	protetto
concludere *to conclude*	concluso	raggiungere *to reach*	raggiunto
conoscere *to know*	conosciuto	rendere *to return, to render*	reso
convincere *to convince*	convinto	richiedere *to require, to ask for*	richiesto
coprire *to cover*	coperto	ridere *to laugh*	riso
correre *to run*	corso	rimanere *to remain*	rimasto
correggere *to correct*	corretto	risolvere *to solve*	risolto
cuocere *to cook*	cotto	rispondere *to answer*	risposto
decidere *to decide*	deciso	rompere *to break*	rotto
dipendere *to depend*	dipeso	scegliere *to choose*	scelto
dipingere *to paint*	dipinto	scendere *to get off, to get down*	sceso
dire *to say*	detto	scommettere *to bet*	scommesso
discutere *to discuss*	discusso	scoprire *to discover*	scoperto
dividere *to divide*	diviso	scrivere *to write*	scritto
eleggere *to elect*	eletto	soffrire *to suffer*	sofferto
esprimere *to express*	espresso	sorridere *to smile*	sorriso
essere *to be*	stato	spegnere *to turn off, to extinguish*	spento
fare *to do, to make*	fatto	spendere *to spend*	speso
interrompere *to interrupt*	interrotto	succedere *to happen*	successo
leggere *to read*	letto	togliere *to remove, to take off*	tolto
mettere *to put*	messo	vedere *to see*	visto (veduto)
morire *to die*	morto	venire *to come*	venuto
muovere *to move*	mosso	vincere *to win*	vinto
nascere *to be born*	nato	vivere *to live*	vissuto
offendere *to offend*	offeso		

Appendix B Vocabolario italiano-inglese

The Italian–English vocabulary includes most words and expressions used in this book. The meanings are based on the contexts in which they appear within the chapters. Each entry includes the number of the chapter in which a word or expression first appears. The gender of nouns is indicated by the definite article or the abbreviation *m.* or *f.* The masculine form of adjectives is given.

A

a at, to, 2
abbandonare to abandon, 10
abbassare to lower, to hang up, 11
abbastanza enough (**abbastanza bene** very well), 1
abbigliamento l' (*m.*), clothing, 3
abbinare to link, to match, 6
abbondante plentiful, 9
abbozzo l' (*m.*), sketch, 14
abbracciare to hug, 5
abbronzarsi to get a tan, 13
abilità l' (*f.*), skill, 2
abitante l' (*m./f.*), resident, 6
abitare to live, P
abitazione l' (*f.*), dwelling, 6
abito l' (*m.*), suit, dress, 13
abitualmente usually, 15
abituare to accustom, 12
abitudine l' (*f.*), habit, 4
accademia l' (*f.*), academy, 3
accanto a next to, 10
accendere to light, to turn on, 11
accennare to point, 16
accertamento l' (*m.*), assessment, 15
acceso bright, 12
accessibile accessible, 11
accessibilità l' (*f.*), accessibility, 14
accesso l' (*m.*), access, 11
accessorio l' (*m.*), accessory, 6
accettabile acceptable, 15
accettare to accept, 7
accogliente cozy, 6
accoglienza l' (*f.*), reception, 16
accomodarsi to get comfortable, 14
accompagnare to go with, 4
accordo l' (*m.*), agreement, 5
accorgersi to notice, 15
accurato precise, 13
accusare to accuse, 10
aceto l' (*m.*), vinegar, 9
acqua l' (*f.*), water, 4
acquario l' (*m.*), Aquarius, 10
acquisire to acquire, 12
acquistare to purchase, 6
acquisto l' (*m.*), purchase, 3
acuto sharp, P
adattarsi to adapt, 16
adatto suitable, 5
addirittura actually, 11
addobbare to decorate, 9
addormentarsi to fall asleep, 4
adeguarsi to adjust, 15
aderente adherent, 6
adesso now, P
adolescente l' (*m.*), adolescent, 4

adolescenza l' (*f.*), adolescence, 4
adornato decorated, 3
adottare to adopt, 10
adottivo adopted, 9
adulto l' (*m.*), adult, 5
aereo l' (*m.*), plane, 8
aerobica l' (*f.*), aerobics, 7
aeroplano l' (*m.*), airplane, 10
aeroporto l' (*m.*), airport, 1
affari gli (*m. pl.*), business, 8
affascinante charming, 3
affascinato fascinated, 16
affermarsi to establish oneself, 9
affermazione l' (*f.*), assertion, 5
affettati gli (*m. pl.*), cold cuts, 14
affetto l' (*m.*), affection, 5
affettuoso loving, 5
affezionato fond, 10
affidabile reliable, 12
affittare to rent, 6
affitto l' (*m.*), rent, 6
affollato crowded, 8
affrescare to fresco, 4
affresco l' (*m.*), fresco, 3
affrontare to face, 12
agenda l' (*f.*), appointment book, 2
agente l' (*m.*), agent, 6
agenzia l' (*f.*), agency, 6
aggettivo l' (*m.*), adjective, 3
aggirare to be about, 14
aggiungere to add, 9
aggiustare to repair, 5
aglio l' (*m.*), garlic, 9
agnello l' (*m.*), lamb, 9
agosto August, P
agricolo agricultural, 1
agricoltura l' (*f.*), agriculture, 1
agriturismo l', (*m.*), farm holiday, 13
aiutare to help, 6
aiuto l' (*m.*), help, 4
ala l' (*f.*), wing, 14
alba l' (*f.*), dawn, 7
albanese Albanian, 16
alberghiero hotel, 8
albergo l' (*m.*), hotel, 10
albero l' (*m.*), tree, 2
alcolico alcoholic, 7
alcuni some, 6
alfabetico alphabetic, 1
alienazione l' (*f.*), alienation, 15
alimentare food (**prodotti alimentari** food items, groceries), 14
alimentazione l' (*f.*), nourishment, 15
aliscafo l' (*m.*), hydrofoil, 13
allargato extended, 5
allegare to enclose, 12
allegorico allegoric, 9

allegro cheerful, happy, 3
allenarsi to train, 7
allestire to organize, to set up, 7
allora then, 5
almeno at least, 6
alpinismo l' (*m.*), mountain climbing, 7
alpino alpine, 7
al sangue rare, 9
altalena l' (*f.*), swing, 8
alternativo alternate, 7
alto high, tall, 2
altoparlante l' (*m.*), speaker, 11
altro other, 1
altruista unselfish, 12
alzarsi to get up, 4
amare to love, 3
ambientalista l' (*m./f.*), environmentalist, 12
ambiente l' (*m.*), environment, 4
ambito l' (*m.*), circle, 12
ambizione l' (*f.*), ambition, 12
ambizioso ambitious, 377
americano American, 1
amichevole friendly, 15
amicizia l' (*f.*), friendship, 5
amico/amica l' (*m./f.*), friend, P
ammalarsi to get sick, 10
ammalato sick, 15
ammettere to admit, 10
amministrativo administrative, 6
amministrazione l' (*f.*), management, 11
ammirare to admire, 9
amore l' (*m.*), love, 7
ampio wide, 13
anagrafico registry, 1
analisi l' (*f.*), analysis, 12
anche also, 1
ancora still, also, 5
andare to go, 1
andare a piedi to walk, 8
andare d'accordo to get along, to agree, 5
anello l' (*m.*), ring, 14
anfiteatro l' (*m.*), amphitheater, 8
angolo l' (*m.*), corner, 8
angoscia l' (*f.*), distress, 9
anima l' (*f.*), soul, 3
animale l' (*m.*), animal, 7
animatore l' (*m.*), organizer, 13
animazione l' (*f.*), animation, 7
animosità l' (*f.*), animosity, 9
annaffiare to water, 5
anniversario l' (*m.*), anniversary, 5
annoiarsi to get bored, 7
annotare to note, 5
annuale yearly, 7
annualmente yearly, 16
annunciare to announce, 5

annuncio l' (*m.*), announcement, ad, 3
ansante breathless, 16
ansia l' (*f.*), anxiety, 4
ansimare to pant, 8
ansioso anxious, 15
antibiotico l' (*m.*), antibiotic, 15
antico ancient, 2
antipasto l' (*m.*), appetizer, 5
antipatico unpleasant, 3
antiquariato l' (*m.*), antique trading, 14
anzi on the contrary, 9
anziano l' (*m.*), elderly, 3
aperitivo l' (*m.*), aperitif, 12
aperto open, 7
apice l' (*m.*), top, 7
appagare to satisfy, 15
apparecchiare to prepare, 5
apparenza l' (*f.*), appearance, 13
apparire to appear, 5
appartamento l' (*m.*), apartment, 2
appartenere to belong, 6
appassionato fond, 3
appena as soon as, 9
appendere to hang, 9
applicare to apply, 15
appoggiarsi to lean, 8
appoggio l' (*m.*), support, 16
apporto l' (*m.*), contribution, 14
apposta deliberately, 16
apprezzare to appreciate, 16
approfittare to take advantage, 13
approfondire to study in depth, 10
appropriato suitable, 6
appuntamento l' (*m.*), appointment, 2
appunti gli (*m. pl.*), notes, 6
appunto precisely, 12
aprile April, 1
aprire to open, P
aragosta l' (*f.*), lobster, 4
arancia l' (*f.*), orange, 4
arancione orange color, 3
archeologico archaeological, 13
architetto l' (*m./f*), architect, 1
architettura l' (*f.*), architecture, 2
argentino Argentinean, 1
argento l' (*m.*), silver, 9
argomento l' (*m.*) topic, 4
arguto witty, 11
aria l' (*f.*), air, 6
armadio l' (*m.*), closet, 3
armeggiare to fumble, 12
arrabbiarsi to get angry, 5
arrampicarsi to climb, 8
arredamento l' (*m.*), furnishing, 6

arredare to furnish, 6
arredatore/arredatrice l' (m./f.), interior decorator, 1
arricchimento l' (m.), enrichment, 16
arricchire to enrich, 8
arrivare to arrive, 2
arrivederci / arrivederLa so long, good-bye, 1
arrivo l' (m.), arrival, 6
arrosto l' (m.), roast, 4
arte l' (f.), art, 2
articolato combined with an article, 6
articolo l' (m.), article, 2
artigianato l' (m.), handicraft, 15
artista l' (m.), artist, 1
artistico artistic, 5
ascensore l' (m.), elevator, 6
asciugacapelli l' (m.), hair dryer, 7
asciugamano l' (m.), towel, 13
asciugatrice l' (f.), dryer, 6
ascoltare to listen, P
asilo l' (m.), preschool, 8
asparagi, gli asparagus, 4
aspettare to wait, 2
aspettarsi to expect, 6
aspetto l' (m.), appearance, aspect, 5
aspirapolvere l' (m.), vacuum, 5
aspirazione l' (f.), ambition, aspiration, 12
aspirina l' (f.), aspirin, 14
assaggiare to taste, 9
assaggio l' (m.), taste, 9
assegno l' (m.), check, 14
assente absent, 8
assieme together, 7
assistente sociale l' (m./f) social worker, 12
assistenza sanitaria l' (f.), health care, 15
assistere to assist, to be present, 5
associazione l' (f.), association, 1
associare to associate, 5
assolutamente absolutely, 13
assoluto absolute, 13
assorbire to absorb, 16
assumere to hire, 16
Assunzione l' (f.), Assumption, 9
assurdo absurd, 15
astrofisico l' (m.), astrophysicist, 12
astrologo l' (m.), astrologer, 9
astronave l' (f.), spaceship, 11
astronomia l' (f.), astronomy, 11
atleta l' (m./f.), athlete, 7
atletica leggera l' (f.), track and field, 7
atletico athletic, 3
atmosfera l' (f.), atmosphere, 5
atmosferico atmospheric, 15
attaccapanni l' (m.), coat rack, 16
attaccare to tie, 15

atteggiamento l' (m.), attitude, 9
attentamente carefully, 5
attenzione l' (f.), attention, P
attico l' (m.), penthouse, 6
attirare to attract, 7
attività l' (f.), activity, 2
attivo active, 4
atto l' (m.), act, 7
attore/attrice l' (m./f.), actor, P
attorno around, 16
attrarre to attract, 10
attraversare to cross, 8
attraverso through, P
attrezzatura l' (f.), equipment, 13
attuale current, 6
audio l' (m.), sound, 10
augurio l' (m.), greeting, best wishes, P
aula l' (f.), classroom, 2
aumento l' (m.), increase, 6
auspicio l' (m.), omen, 14
australiano Australian, 1
austriaco Austrian, 6
autobiografia l' (f.), autobiography, 8
automatico automatic, 13
automobile / auto l' (f.), automobile, car, P
automobilistico car, 1
autonomia l' (f.), autonomy, 6
autore l' (m.), author, 5
autostrada l' (f.), expressway, 8
autunno l' (m.), autumn, fall, 4
avanguardia l' (f.), forefront, 15
avanti ahead, 1
avanzare to proceed, 14
avaro stingy, 3
avere to have, 1
avere bisogno di to need, 4
avere caldo to be hot, 4
avere fame to be hungry, 4
avere freddo to be cold, 4
avere fretta to be in a hurry, 4
avere sete to be thirsty, 4
avere sonno to be sleepy, 4
avere la tosse to have a cough, 15
avere voglia to feel like, 4
avvenimento l' (m.), event, 5
avvenire to happen, 10
avvenire l' (m.), future, 16
avventura l' (f.), adventure, 6
avverbio l' (m.), adverb, 8
avvicinare to approach, 14
avvocato l' (m.), lawyer, 1
azienda l' (f.), business, company, 1
azione l' (f.), action, 5
azzurro light blue, 3

B

babbo il, dad, 9
Babbo Natale Santa Claus, 9
baccano il, noise, 5
baciare to kiss, 10

bacio il, kiss, 10
badante la, caretaker, 16
badia la, abbey, 14
bagaglio il, luggage, 10
bagno il, bath, 4
baffi i, moustache, 3
baia la, bay, 11
balbettare to stutter, 15
balcone il, balcony, 6
ballare to dance, 3
ballerina la, dancer, 8
ballo il, dance, 7
balzare to jump, 15
bambino il, child, boy, 4
bambina la, girl, 12
bambola la, doll, 8
banana la, banana, 4
banca la, bank, 2
bancarella la, stall, 14
banco il, student desk, 2
bancomat il, ATM, 14
bancone il, counter, 14
banconota la, bill, 6
bandiera la, flag, 9
bar il, coffee shop, bar, 2
barattolo il, jar, 14
barba la, beard, 3
barbiere il, barber, 4
barca la, boat, 11
barocco il, Baroque, 8
basarsi to be based on, 9
base la, basis, 4
basilica la, basilica, 8
basso short, 2
bastare to be sufficient, 7
battere (le mani) to clap (hands), 14
batteria la, drums, 7
battesimo il, baptism, 5
battuta la, line, 1
beige beige, 3
bellezza la, beauty, 3
bello beautiful, 3
ben cotta well done, 9
bene well, fine, 1
beneficenza la, charity, 12
benessere il, comfort, 10
benestante well off, 6
benzina la, gasoline, 13
benzina verde la, unleaded gas, 15
bere to drink, 4
berretto il, cap, 8
bevanda la, beverage, 9
biancheria la, linen, 6
bianco white, 1
bibita la, soft drink, soda, 10
biblioteca la, library, 2
bicchiere il, glass, 5
bicicletta / bici la, bicycle, 2
bifamiliare il, duplex, 16
biglietteria la, ticket office, 7, 13
biglietto il, ticket, 7
biliardo il, pool, 7
binario il, platform, train track, 11
biologia la, biology, 2
biologico biological, 15
biotecnologia la, biotechnology, 15

birra la, beer, 4
birreria la, pub, 13
biscotto il, cookie, 4
bisnonni i, great-grandparents, 5
bisogno il, need, 12
bistecca la, steak, 4
bizantino Byzantine, 2
bocca la, mouth, 8
bollente boiling, 9
bollicina la, small bubble, 15
bomboniera la, party favor, 5
bontà la, goodness, kindness, 5
borsa la, handbag, 2
borsa di studio la, scholarship, 10
bosco il, woods, 7
bottiglia la, bottle, 5
bottone il, button, 15
bracciale il, bracelet, 14
braccio il, arm, 4
brano il, selection, 8
brasiliano Brazilian, 1
bravo good, clever, 3
breve short, 5
brevemente concisely, 12
brindare to toast, 9
britannico British, 8
brodo il, broth, 15
bronzo bronze, 10
bruciare to burn, 13
brulicare to swarm, 14
bruno brown, dark, 3
brutto ugly, 2
bucato il, laundry, 5
buffo funny, 3
bugia la, lie, 8
buonanotte good night, 1
buonasera good evening / good night, 1
buongiorno good morning, 1
buono good, P
burro il, butter, 9
bus il, bus, 2
busta la, envelope, bag, 14
buttarsi to plunge, 16

C

cabina la, booth, 11
caccia la, hunting, 14
cadavere il, cadaver, 15
cadere to fall, 7
caduta la, fall, 16
caffè il, coffee, P
calcare limestone, 6
calcio il, soccer, 1
calcolare to calculate, 9
calcolatrice la, calculator, 2
caldo il, warmth, heat, 4
calendario il, calendar, P
calmarsi to calm down, 16
calmo calm, 3
calore il, warmth, 9
calorico caloric, 10
calvo bald, 3
calza la, stocking, 8
cambiamento il, change, 7
cambiare to change (cambiare casa to move), 5
cambio il, exchange, change, 6

camera la, room, 3
Camera dei deputati la, Chamber of deputies, 16
camera da letto la, bedroom, 6
cameriera la, waitress, 8
cameriere il, waiter, 9
camerino il, dressing room, 14
camicia la, shirt, 3
caminetto il, fireplace, 12
camino il, chimney, P
camminare to walk, 8
cammino il, walk, P
campagna la, countryside, 4
campanile il, bell tower, 5
campeggio il, camping, 13
campionato il, championship, 7
campo il, field, 2
canadese Canadian, 1
canale il, channel, 7
cancellino il, eraser, 2
cancro il, cancer, 11
candela la, candle, 5
cane il, dog, 5
cannella la, cinnamon, 14
canottiera la, undershirt, 13
cantante il/la, singer, 2
cantare to sing, 2
cantautore, il / cantautrice la, singer-songwriter, 7
cantina la, cellar, 6
canto il, singing, 10
capace able, 304
capacità la, ability, 9
capelli i, hair, 3
capellone il, long-haired person, 13
capire to understand, P
capitale la, capital city, 2
capitolo il, chapter, 1
capo il, head, item, 8
capodanno il, New Year's Day, 9
capolavoro il, masterpiece, 8
capoluogo il, capital city, P
cappello il, hat, 8
cappotto il, coat, 5
cappuccino il, cappuccino, 4
capriccioso naughty, 8
capricorno il, Capricorn, 10
capsula la, capsule, 16
carattere il, personality, trait, 5
caratteristica la, trait, feature, 3
caratteristico distinctive, 7
carboidrato il, carbohydrate, 15
carbone il, coal, 9
carcere il, jail, 16
carica la, office, charge, 16
carino cute, 6
carne la, meat, 4
carnevale il, carnival, 9
carota la, carrot, 4
carriera la, career, 10
carrozza la, wagon, 13
carta la, paper, card, 2
carta geografica la, map, 2
cartoleria la, stationery, 14
cartolina la, postcard, 9
cartoni animati i, cartoons, 8
casa la, house, home, P
casalinga la, homemaker, 5

casalingo homemade, 9
cascata la, waterfall, 7
cascina la, farmhouse, 6
caso il, case, 7
cassa la, cash register, 14
cassetta delle lettere la, mailbox, 14
cassettone il, chest of drawers, 6
castano brown, 3
castello il, castle, 7
categoria la, category, 7
categorico categorical, 15
catena la, range, 7
cattedra la, teacher's desk, 2
cattivo bad, 3
cattolico Catholic, 5
catturare to capture, 12
cavallo il, horse, 5
caviglia la, ankle, 10
cavolfiore il, cauliflower, 4
celebrare to celebrate, 9
celebre famous, 9
cemento il, cement, 10
cena la, supper, P
cenare to eat dinner, 3
cenere la, ash, 16
cenone il, Christmas Eve / New Year's Eve dinner, 9
cento one hundred (**per cento** percent), 1
centralino il, switchboard, 11
centro il, center, 1
ceramica la, ceramic, 6
cerca la, search, 14
cercare to look for, 2
cerchio il, circle, 5
cerimonia la, ceremony, 5
cero il, candle, 9
certezza la, certainty, 2
certo definitely, 4
cervello il, brain, 16
cespuglio il, bush, 13
cestino il, wastebasket, 2
che what, that, P
che cosa what, P
cherubino il, cherub, P
chi who, P
chiacchierare to chat, 7
chiacchierata la, chat, 7
chiamare to call, P
chiarezza la, clarity, 13
chiaro clear, 3
chiaroscuro il, chiaroscuro, 12
chiassoso noisy, 14
chiave la, key, 5
chiedere to ask, 8
chiesa la, church, 2
chilo il, kilo (100 grams; 2.2 lb.), 14
chilometro il, kilometer, 6
chimica la, chemistry, 2
chirurgo il, surgeon, 12
chissà who knows, 5
chitarra la, guitar, 3
chiudere to close, P
chiuso closed, 16
chiusura la, closing, 5
ciao hello, hi, good-bye, P
cibo il, food, 4
ciclismo il, cycle racing, 7
ciglio il, eyelash, P

ciliegia la, cherry, 9
cima la, top, 8
cinema il, cinema, 1
cinese Chinese, P
cinquanta fifty, 1
cinquantesimo fiftieth, 5
cinque five, 1
cintura la, belt, 14
cioccolata la, chocolate, 4
cioè that is, 12
cipolla la, onion, 9
circolare circular, 10
circolazione la, circulation, 4
circondare to surround, to move, 6
circostanza la, circumstance, 16
città la, city, P
cittadina la, small city, town, 4
cittadino il, citizen, 16
civico public, 11
civile secular, 9
civiltà la, civilization, 7
clandestino il, clandestine, 16
classe la, classroom, class, 2
classico classic, 3
cliente il, client, 6
clinica la, clinic, 15
clima il, climate, 13
coalizione la, coalition, 16
cogliere to seize, 16
cognata la/il cognato sister-in-law/brother-in-law, 5
cognome il, last name, P
coincidenza la, connection, 13
coincidere to coincide, 14
coinquilino il, housemate, 6
colazione la, breakfast, 4
colesterolemia la, colesterolemia (high cholesterol), 15
colesterolo il, cholesterol, 15
collaborare to cooperate, 11
collana la, necklace, 14
colle il, hill, 9
collega il/la, colleague, 9
collegare to link, 5
collezione la, collection, 7
collina la, hill, 1
collo il, neck, 15
collocazione la, position, 14
colloquio il, interview, 12
colonia la, colony, 10
colonna la, column, 6
colorare to color, 8
colorato colored, 9
colore il, color, 3
Colosseo il, Colosseum, 8
colpa la, fault, 8
colpire to hit, 15
colpo il, strike, 10
coltello il, knife, 9
coltivare to farm, 1
coltivazione la, farming, 15
colto well-read, 7
combattere to fight, 12
combinazione la, combination, 12
come how, as, P
comfort il, amenity, 13

comico il, comedian, funny, 4
cominciare to begin, 2
comizio il, political rally, 1
commedia la, comedy, play, 7
commentare to comment, 12
commento il, comment, 5
commerciale business (**centro commerciale** mall), 6
commercialista il/la, professional accountant (CPA), 12
commerciare to do business, 8
commercio il, trade, 11
commissario il, officer, 4
commesso il, salesperson, 12
commissionare to order, 15
commissioni le, errands, 7
comodino il, bedside table, 6
comodità la, comfort, 11
comodo comfortable, 6
compagine la, structure, 15
compagnia la, company, 7
compagno il, companion, classmate, 2
comparativo il, comparative, 13
comparire to appear, 11
compatriota il/la, of the same country, 16
compera la, purchase, 11
competizione la, competition, 10
compiere to turn, 5
compilare to compile, 5
compito il, homework, chore, 2
compleanno il, birthday, 1
complesso complex, 1
completamente completely, 6
completare to complete, 5
completo il, suit, 4
complicato complicated, 16
complimento il, compliment, 15
comporre to compose, 7
comportamento il, behavior, 15
comportarsi to behave, 12
compositore il, composer, 2
composizione la, composition, 5
comprare to buy, 2
comprendere to include, 6
comprensivo comprehensive, understanding, 3
compressa la, tablet, 15
comune il, city hall, common, 3
comunicare to communicate, 15
comunicativo communicative, 12
comunione la, communion, 5
comunità la, community, 6
comunitario community, 15
comunque anyhow, 4
concerto il, concert, 2
conchiglia la, seashell, 5
concludere to conclude, 5
conclusione la, conclusion, 7
concorso il, competition, 10
concreto concrete, 11

condire to season, 9
condizionale il, conditional, 12
condizionamento il, conditioning, 12
condizionare to condition, 15
condizionato conditioned, 6
condizione la, condition, 2
condominio il, condominium, 15
conferenza la, conference, 1
conferire to confer, 14
conferma la, confirmation, 5
confermare to confirm, 7
confessare to confess, 16
confetti i, sugar candy, 5
confezionare to package, 15
confinare to border, 16
confine il, border, 16
confrontare to compare, 6
confusione la, confusion, 1
confuso confused, 13
congiuntivo il, subjunctive, 15
congratulazione congratulation, 5
congresso il, conference, 9
coniugare to conjugate, 7
connazionale il, from the same country, 15
connessione la, connection, 10 (connessione Internet la, Internet connection), 13
connettere to connect, 12
cono il, cone, 6
conoscente il/la, acquaintance, 11
conoscenza la, knowledge, 10
conoscere to know, to meet, P
conquistare to conquer, 7
consegnare to hand, 13
consentire to allow, 14
conservante il, preservative, 15
conservare to keep, to save, 6
considerare to consider, 1
considerazione la, consideration, 6
consigliabile advisable, 14
consigliare to advise, 9
consiglio il, advice, 5
Consiglio il, Council, 16
consistente consistent, 5
consistere to consist, 8
consolidare to consolidate, 15
consonante la, consonant, P
consultare to consult, 6
consumare to consume, 15
contadino il, peasant, 13
contante il, cash, 14
contare to count, 11
contattare to contact, 6
contatto il, contact, 12
contemporaneo contemporary, 7
contenere to contain, 4
contenitore il, container, 14
contento happy, 8
contessa la, countess, 5
contesto il, context, 2
continente il, continent, 8
continuamente continuously, 7
continuare to continue, 12

conto il, bill, calculation, 6
contorno il, side dish, 4
contrada la, district, 9
contraddire to contradict, 7
contrario il, opposite, 3
contribuire to contribute, 10
contro against, 6
controllare to check, 5
controllore il, ticket collector, 13
convalidare to validate, 13
conveniente convenient, advantageous, 6
convenienza la, convenience, 14
convento il, convent, 3
conversare to talk, 13
conversazione la, conversation, P
convincente convincing, 12
convincere to convince, 6
convivere to live together, 4
convocare to summon, 12
coperto il, table setting, 9
coppia la, pair, couple, 5
coprire to cover, 13
coraggio il, courage, 16
corda la, rope, 8
coreano Korean, 1
coriandoli i, confetti, 9
cornetto il, croissant, 4
corpo il, body, 15
correggere to correct, 5
correre to run, 3
correttamente correctly, 5
corretto correct, 5
corridoio il, corridor, 8
corriera la, bus, 13
corrispondente il, correspondent, 7
corrispondere to correspond, 3
corsa la, race, 5
corsivo il, italics, 8
corso il, course, current, 11
corso (nel) during, 10
corte la, court, 3
cortigiano il, courtesan, 4
cortile il, courtyard, 5
corto short, 3
cosa la, thing, 4
coscienza la, conscience, 15
così so, like this, 1
cosmetici i, makeup, 14
cosmo il, cosmos, 11
costa la, coast, 10
costare to cost, 3
costituire to make up, 10
costituzione la, constitution, 16
costo il, cost, 6
costoso expensive, 5
costruire to build, 3
costruzione la, construction, 6
costume il, custom, 4; costume, 9
costume da bagno il, swimming suit, 7
cotone il, cotton, 14
cotto cooked, 9
cravatta la, tie, 3
creare to create, 1
creatività la, creativity, 12

creativo creative, 12
creazione la, creation, 6
credito il, credit, 11
crema la, lotion, 13
crescita la, growth, 5
crimine il, crime, 11
cristallo il, crystal, 6
cristianesimo il, Christianity, 9
cristiano Christian, 14
crociera la, cruise, 13
cronologico chronological, 10
cronico chronic, 15
crostata la, jam tart, pie, 9
cubo il, cube, 6
cuccetta la, berth, 13
cucchiaio il, spoon, 9
cucina la, cuisine, kitchen, 4
cucinare to cook, 4
cucire to sew, 5
cugino, il / cugina la cousin, 5
culto il, worship, 4
cultura la, culture, 2
culturale cultural, 6
cuocere to cook, 9
cuoco il, chef, 9
cuore il, heart, 3
cupola la, dome, 5
cura la, treatment, 15
curare to cure, to take care, 5
curioso curious, 6
curvatura la, curvature, 14

D

danneggiare to damage, 15
danza la, dance, 7
dappertutto everywhere, 8
dare to give, 1
data la, date, P
dati i, data, 1
davanti front, ahead, 2
davvero really, 6
debito il, due, debt, 14
debutto il, beginning, 10
decidere to decide, 5
decisione la, decision, 7
decorativo decorative, 14
dedicare to dedicate, 5
dedurre to infer, 14
definitivamente definitely, 6
definizione la, definition, 7
degnarsi to deign, 15
degustazione la, tasting, 10
delizia la, delicacy, 8
delusione la, disappointment, 16
democratico democratic, 16
democrazia la, democracy, 16
demografico demographic, 5
denominato called, 10
denso dense, 11
dente il, tooth, 4
dentifricio il, toothpaste, 14
dentista il/la, dentist, 1
dépliant il, brochure, 10
depositare to deposit, 14
depresso depressed, 15
deputato il, deputy, 12
descrivere to describe, 4
descrizione la, description, 3
deserto il, deserted, 9

desiderare to wish, 2
desiderio il, wish, 12
designare to designate, 2
desinare to dine, 11
desolato neglected, 13
desolazione la, neglect, 10
destra la, right, 2
determinante crucial, 8
determinativo definite, 2
determinato particular, 9
detto il, saying, 13
devoto devout, 14
diagnostico diagnostic, 15
dialetto il, dialect, 6
dialogo il, dialogue, 5
diario il, diary, 7
dicembre December, 1
diciannove nineteen, 1
diciassette seventeen, 1
diciotto eighteen, 1
dieci ten, 1
dieta la, diet, 15
dietro behind, 2
difesa la, defense, 12
differenza la, difference, 6
differenziazione la, differentiation, 12
difficile difficult, 2
difficilmente unlikely, 8
diffidare to mistrust, 14
diffondere to spread, 11
digitale digital, 13
dilemma il, dilemma, 14
diligente diligent, 8
dimagrire to lose weight, 15
dimenticare to forget, 5
diminuire to lower, 12
dimostrare to display, 4
dimostrativo demonstrative, 8
dinamico dynamic, 1
dintorni i, neighborhood, 14
dipartimento il, department, 2
dipendere to depend, 3
dipingere to paint, to depict, 3
dipinto il, painting, 8
diploma il, high school degree, 5
diplomarsi to graduate, 5
dire to say, to tell, P
direttamente directly, 7
diretto direct, 5
direttore il, director, 2
dirigente il/la, manager, 12
diritto right, straight, 12
disastro il, disaster, 16
disattento absent-minded, 8
disciplina la, discipline, 7
discorrere to talk, 14
discoteca la, disco, 4
discreto moderate, 13
discrezione la, discretion, 13
discriminante discriminating, 12
discriminare to discriminate, 16
discriminazione la, discrimination, 16
discutere to discuss, 3
disegnare to draw, to design, 2
disegno il, drawing, 5
disinvolto casual, 5
disoccupato unemployed, 12

disoccupazione la, unemployment, 12
disordinato messy, 6
disordine il, mess, 5
disperare to despair, 16
disperato desperate, 10
disperso scattered, 9
dispiacere to be sorry, 8
disponibile available, 4
disporre to have, 13
disposizione la, disposal, 12
dissenso il, disapproval, 10
distante distant, 10
distanza la, distance, 14
distinto distinguished, 6
distinzione la, distinction, 12
distratto absent-minded, 12
distributore di benzina il, gas station, 13
distruggere to destroy, 8
distruzione la, destruction, 15
disturbo il, ailment, 15
dito il, finger, 10
ditta la, company, 11
dittatoriale dictatorial, 16
divano il, sofa, 6
divenire to become, 14
diventare to become, 4
diversità la, diversity, 6
diverso different, diverse, several, 2
divertente funny, 2
divertimento il, good time, 9
divertirsi to have a good time, 4
dividere to divide, to share, 5
divisione la, partition, 16
divorziare to divorce, 10
divorziato divorced, 5
divorzio il, divorce, 5
dizionario il, dictionary, P
doccia la, shower, 4
documento il, document, 6
documenti i, legal papers, 16
dodici twelve, 1
dolce sweet, dessert, 4
dollaro il, dollar, 6
dolore il, pain, 15
domanda la, question, application, 5
domandare to ask, 2
domani tomorrow, 1
domenica la, Sunday, 1
domenicano Dominican, 3
domestico household, 6
domicilio il, residence, 11
dominare to rule, 14
dominazione la, rule, 14
donare to give, 14
donna la, woman, 2
dopo after, 1
dopotutto above all, 16
dopodomani il, day after tomorrow, 1
doppio double, 6
dorato browned, golden, 9
dorico Dorian, 16
dormire to sleep, 2
dotare to supply, 13
dottorato di ricerca il, research doctorate, 2

dottore il / dottoressa la, doctor, P
dove where, P
dovere il, duty, 5
dovere should, to have to, 5
drammatico dramatic, 7
droga la, drug, 16
dubbio il, doubt, 4
dubitare to doubt, 11
due two, 1
duna la, dune, 13
duomo il, cathedral, 14
durante during, 1
durare to last, 9
duro hard, tough, 6

E

e and, 1
eccellenza l' (f.), excellence, 14
eccessivo excessive, 6
eccezionale exceptional, 5
ecco here it is, 2
eco l' (f.), echo, 15
ecologia l' (f.), ecology, 12
ecologico ecological, 12
economia l' (f.), economy, 2
economico economic, 5
ecosistema l' (m.), ecosystem, 15
edicola l' (f.), newspaper stand, 11
edificatore l' (m.), builder, 14
edificio l' (m.), building, 2
educativo educational, 10
educazione l' (f.), upbringing, 8
effervescente sparkling, 15
effetto l' (m.), effect, 11
effettuare to carry out, 14
efficace effective, 11
efficiente efficient, 12
egoismo l' (m.), selfishness, 16
egoista selfish, 3
egregio dear, 6
elegante elegant, 2
eleggere to elect, 16
elementare elementary, 5
elemento l' (m.), component, 7
elencare to list, 6
elenco l' (m.) list, 11
elettricista l' (m./f.) electrician, 12
elettrizzare to electrify, 14
elettrodomestici gli, appliances, 6
elettronico electronic, **indirizzo elettronico l'** (m.) e-mail, 1
elevato high, 15
elezione l' (f.) election, 16
eliminare to exclude, to eliminate, 5
emergente rising, developing, 14
emergere to surface, 15
emigrante l' (m./f.), emigrant, 16
emigrare to emigrate, 16
emigrazione l' (f.) emigration, 7
emozionato excited, 8
energico lively, 5
energia l' (f.), energy, 10

enorme huge, 10
ente l' (m.), organization, 10
entrambi/e both, 5
entrare to enter, to go in, 2
entusiasmo l' (m.), enthusiasm, 7
Epifania l', (f.), Epiphany, 9
episodio l' (m.), episode, 3
epoca l' (f.), times, 12
equilibrio l' (m.), balance, 15
equitazione l' (f.), horseback riding, 7
equivalente corresponding, 12
erba l', (f.), grass, 6
erbe aromatiche le, herbs, 15
errore l' (m.), error, 2
eruzione l' (f.), eruption, 13
esagerare to exaggerate, 15
esame l' (m.), exam, 6
esaminare to examine, 11
esattamente exactly, 10
esaurito sold out, 13
esausto exhausted, 8
escludere to exclude, 16
esclusivamente exclusively, 2
esecutivo l' (m.), executive, 16
esempio l' (m.), example, 2
esercitare to exercise, 4
esercitazione l' (f.), training, 8
esigenza l' (f.), need, 6
esilio l' (m.), exile, 16
esistere to exist, 6
esortazione l' (f.), exhortation, 7
esotico exotic, 13
esotismo l' (m.), exoticism, 14
espansivo outgoing, friendly, 3
esperienza l' (f.), experience, 7
esperto expert, 3
esplodere to blow up, 9
esplorare to explore, 12
esporre to exhibit, 9
esposizione l' (f.), exposition, 1
espressione l' (f.), expression, P
espresso l' (m.), espresso, 4
esprimere to express, 3
essere to be, 1
essere impegnato to be busy, 4
essere in ritardo to be late, 4
estate l' (f.), summer, 2
estendere to extend, 7
estero foreign, 8
estetica l' (f.), beauty, 12
estivo summer, 6
estraniato estranged, 15
estroverso extroverted, 3
età l' (f.), age, 1
eterno eternal, 8
etnico ethnic, 16
etrusco Etruscan, 9
etto l' (m.), 100 grams, 14
euro l' (m.), Euro, 6
europeo European, 2
evangelico evangelic, 3
evento l' (m.), occurrence, 9
evidente evident, 4
evitare to avoid, 4
extracomunitario from outside the UE, 16
extraterrestre extraterrestrial, 15

F

fabbrica la, factory, 6
faccende le, housework, 5
faccia la, face, 5
facciata la, facade, 9
facile easy, 2
facilità la, easiness, 13
facilmente easily, 5
facoltà la, department, school (e.g., School of Medicine = **Facoltà di Medicina**), 2
facoltativo elective, 8
fagioli i, beans, 4
fagiolini i, string beans, 4
falso false, 1
fame la, hunger, 4
famiglia la, family, P
familiare familiar, family member, 5
famoso famous, 1
fantascienza la, science fiction, 7
fantasia la, imagination, 7
fantastico fantastic, 10
fare to do, to make, 1
farmacia la, pharmacy, 1
farmacista il, pharmacist, 14
farmaco il, medicine, 15
farsi la barba to shave, 4
fascismo il, fascism, 16
fascista il, fascist, 16
fase la, phase, 15
fastidio il, nuisance, 15
fastoso sumptuous, 14
faticoso tiring, 13
fattore il, factor, 11
fattoria la, farm, 6
fauna la, fauna, 15
favola la, story, tale, 8
favoloso fabulous, 10
favore il, favor, **per favore** please, P
favorevole favorable, 16
favorire to favor, 10
fazzoletto il, handkerchief, 14
febbraio February, 1
febbre la, fever, 7
federale federal, 16
federazione la, federation, 10
felice happy, 3
felicità la, happiness, 9
felpa la, sweatshirt, 3
femmina la, female, **femminile** feminine, 2
fenicio Phoenician, 14
fenomeno il, phenomenon, 11
ferie le, vacation, 13
fermare to stop, 11
fermata la, stop, 11
fermento il, ferment, 14
ferragosto il, August 15, 9
ferreo rigid, 8
ferro il, iron, 4
fertile fertile, 6
festa la/festeggiamento il, party, festivity, 5
festeggiare to celebrate, 5
festività la, holiday, 9
festone il, festoon, 14
fetta la, slice, 9
fettina la, minute steak, 9

fianco il, side, 14
fidanzarsi to get engaged, 10
fidanzato il, fiancé, 10
fiducia la, confidence, 10
figli i, children, 5
figlia la, daughter, 5
figlio il, son, 5
figura la, figure, 8
filastrocca la, nursery rhyme, 11
filo il, wire, strand, 11
filosofia la, philosophy, 1
filosofico philosophical, 10
filosofo il, philosopher, 10
finale final, 1
finalmente lastly, 8
finanziamento il, funding, 15
finché until, 8
fine la, end, 7
finestra la, window, 2
finire to finish, 3
fino a until, 4
fiore il, flower, 2
fiorente thriving, 15
fiorire to blossom, 9
firmare to sign, 14
fisica la, physics, 2
fisicità la, physicalness, 7
fisico physical, 3
fisima la, fixation, 15
fisso fixed, 9
fissare to set, 4
fiume il, river, 8
flora la, flora, 15
fluido flowing, 10
focaccia la, flat bread, 9
foglio il, sheet of paper, P
folklore il, folklore, 15
folla la, crowd, 14
fondare to found, 8
fondo il, bottom, 14
fondi i, resources, 16
fontana la, fountain, 2
fonte la, source, 14
footing il, jogging, 7
forchetta la, fork, 9
foresta la, forest, 15
forma la, form, shape, 3
formaggio il, cheese, 4
formale formal, 1
formare to form, 5
formazione forming, 13
formidabile formidable, 15
formulare to formulate, 7
fornello il, burner, 6
forno il, oven, bakery, 6
foro il, forum, 6
forse maybe, 5
forte strong, 5
fortuna la, fortune, luck, 8
fortunato fortunate, 13
foto la, photo, picture, 1
fotografia la, photo, picture, photography, 1
fotografo il, photographer, 12
fragola la, strawberry, 9
frammento il, fragment, 5
francese French, 1
francobollo il, stamp, 14
frase la, sentence, 5
fratellastro il, stepbrother, 5

fratello il, brother, 5
freddo cold, 4
frenesia la, frenzy, 7
frenetico frenzied, 9
frequentare to attend, 2
frequentarsi to go out together, 10
frequenza la, frequency, 3
fresco cool, fresh, 4
fretta la, haste, 8
frigorifero il, refrigerator, 4
friulano of Friuli, 6
fronte la, forehead, 14
fronte (di) on the opposite side, 12
frontiera la, border, 16
frullatore il, blender, 6
frutta la, fruit, 4
fruttivendolo il, greengrocer, 14
fulmine il, lightning, 10
fumare to smoke, 13
fumatore, il/fumatrice la, smoker, 15
fumetti i, comics, 7
fumo il, smoke, 15
funghi i, mushroom, 9
funzione la, function, 8
fuori out, outside, 4
futurismo il, futurism, 1
futurista il, futurist, 1

G

galleria la, gallery, 3
gamba la, leg, 10
gamberetti i, shrimp, 4
gara la, competition, 7
garage il, garage, 6
garantire to warrant, 15
gas il, gas, 15
gassato fizzy, 15
gastronomico gastronomic, 10
gatto il, cat, P
gelateria la, ice cream parlor, 8
gelato il, ice cream, P
geloso jealous, 8
gemello il, twin, 5
genealogico genealogical, 5
generale general, common, 4
generalmente generally, 5
generazione la, generation, 5
genere il, gender, in genere, generally, 2
generoso generous, 3
geneticamente genetically, 15
genitori i, parents, 2
gennaio January, P
gente la, people, folks, 3
gentile gentle, dear, 3
gentilezza la, kindness, 15
genuinità la, genuineness, 15
genuino genuine, 13
geografia la, geography, P
geografico geographical, 14
Germania la, Germany, 9
gerundio il, gerund, 11
gesso il, chalk, 2
gesto il, gesture, 10
ghetto il, ghetto, P
ghiacciaio il, glacier, 7
ghiaccio il, ice, 7
ghirlanda la, wreath, P

già already, P
giacca la, jacket, 3
giallo yellow, 3
giapponese Japanese, 1
giardinaggio il, gardening, 5
giardino il, garden, 3
ginnasio il, high school, 12
ginnastica la, exercise, 10
ginocchio il, knee, 15
giocare to play, 2
giocatore il, player, 7
giocattolo il, toy, 8
gioco il, game, 1
gioielleria la, jewelry store, 14
gioielli i, jewelry, 5
gioiello il, jewel, 10
gioioso joyful, 14
giornale il, newspaper, 2
giornaliero daily, 4
giornalismo il, journalism, 2
giornalista il/la, journalist, 6
giornalmente daily, 6
giornata la, day, 2
giorno il, day, P
giostra la, tournament, 9
giovane il, young, 2
Giove Jupiter, 11
giovedì il, Thursday, 1
girare to turn, to go around, 8
giro, in around, 8
gita la, excursion, 7
giubbotto il, bomber jacket, 14
giugno June, 1
giurisprudenza la, law, 2
giustificare to justify, 5
giusto correct, just, 5
glicemia la, glycemia, 15
glorioso glorious, 4
godere to enjoy, 7
gola la, throat, 15
golfo il, gulf, 11
golosità la, gluttony, 10
gomma la, eraser, 5
gondola la, gondola, 12
gonna la, skirt, 3
gotico Gothic, 2
governante la, housekeeper, 8
governo il, government, 16
gradire to appreciate, 5
grammatica la, grammar, 1
grande great, large, più grande older, 1
grandi magazzini i, department store, 10
grasso fat, 2
gratis free, 7
grattare to scratch, 12
grattacielo il, skyscraper, 10
grattugiare to grate, 9
gratuito free, 15
grave serious, 10
grazie thanks, P
grazioso pretty, 6
greco Greek, 1
grigio gray, 3
grigliato grilled, 9
grosso large, big, 11
grotta la, cave, 16
gru la, crane, 11
gruppo il, group, 3
gruppo musicale il, band, 7

guadagnare to earn, 11
guancia la, cheek, 10
guanti i, gloves, 14
guardare to look, to watch, 1
guarire to recover, 15
guerra la, war, 8
guida la, guide, P
guidare to drive, 8
guidato guided, 10
gusto il, taste, 3

I

idea l' (f.), idea, 11
ideale ideal, 9
idealista idealistic, 12
identico identical, 6
identificare to identify, 7
identità l' (f.), identity, 13
ideologia l' (f.), ideology, 16
idiota idiotic, 15
idraulico l' (m.), plumber, 12
ieri yesterday, 6
ignoto l' (m.), unknown, 16
illegale illegal, 16
illegittimo illegitimate, 5
illudere to delude, 16
illuminato lighted, 14
illusione l' (f.), illusion, 16
illustrare to expound, 12
imbarazzo l' (m.), embarrassment, 14
imbucare to mail, 14
immaginare to imagine, 5
immaginario imaginary, 7
immagine l' (f.), image, 8
immediato immediate, 11
immergere to immerse, 6
immersione l' (f.), dive, immersion, 13
immigrato/a l' (m./f.), immigrant, 16
immigrazione l' (f.), immigration, 16
immobiliare l' (m.), real estate, 6
immortalare to immortalize, 3
impacciato awkward, 10
imparare to learn, 2
impatto l' (m.), impact, 15
impazzire to go insane, 13
impegnato busy, 8
impegno l' (m.), engagement, 10
imperativo l' (m.), imperative, 9
imperatore l' (m.), emperor, 2
imperfetto l' (m.), imperfect, 8
impermeabile l' (m.), raincoat, 3
impero l' (m.), empire, 2
impersonale impersonal, 7
impianto l' (m.), plant, 15
impiegare to use, 15
impiegato l' (m.), clerk, 11
importanza l' (f.), importance, 9
importante important, 1
importare to matter, to import, 7
possibilità l' (f.), possibility, 16
impossibilità l' (f.), impossibility, 16
improbabile unlikely, 16
improvvisamente unexpectedly, 10

improvvisazione l' (f.), improvisation, 9
ingessare to put in plaster, 10
ingessato in plaster, 10
incantevole charming, 10
incertezza l' (f.), uncertainty, 2
incerto uncertain, 13
inchiesta l' (f.), survey, 16
incidente l' (m.), accident, 10
includere to include, 10
incominciare to begin, 10
incontaminato uncontaminated, 11
incontrare to meet, 2
incontro l' (m.), meeting, 7
inconveniente l' (m.), mishap, 10
incoraggiare to encourage, 10
incorporare to include, 9
incredibile incredible, 10
incubo l' (m.), nightmare, 10
incurabile incurable, 15
indeciso undecided, 13
indefinito indefinite, 13
indeterminativo indefinite, 2
indicare to show, to point to, 5
indicativo l' (m.), indicative, 16
indicato shown, 9
indicazione l' (f.), direction, 14
indietro behind, 10
indimenticabile unforgettable, 9
indipendente independent, 8
indiretto indirect, 9
indirizzare to address, 6
indirizzo l' (m.), address, 1
indispensabile indispensable, 15
individuo l' (m.), person, 15
indossare to wear, 3
indovinare to guess, 1
indovino l' (m.), fortune teller, 11
industria l' (f.), industry, 1
industriale industrial, 1
industrializzato industrialized, 11
ineguaglianza inequality, 13
inesistente nonexistent, 16
infanzia l' (f.), childhood, 8
infatti therefore, in fact, 2
infatuazione infatuation, 15
infelice unhappy, 8
inferiore lower, 14
infermiere, l' (m.)/ infermiera l' (f.), nurse, 12
infernale hellish, 11
infezione l' (f.), infection, 15
infido treacherous, 15
infine finally, 7
infinitamente boundlessly, 6
infinito l' (m.), infinite, 3
inflessibile rigid, 4
influente influential, 8
influenza l' (f.), influence, flu, 4
influenzare to affect, 6
influire to influence, 15
infondere to infuse, 9
informale informal, 1
informare to inform, 7
informatica l' (f.), computer science, 2
informazione information, 1

ingegnere l' (m.), engineer, P, 5
ingegneria l' (f.), engineering, 2
ingiusto unfair, 16
inglese English, 1
ingrandimento l' (m.), enlargement, 11
ingrassare to gain weight, 15
ingresso l' (m.), entrance hall, 6
iniziale initial, 9
iniziare to begin, 5
iniziativa l' (f.), enterprise, 12
inizio l' (m.), beginning, 6
innamorarsi to fall in love, 10
innamorato/a l' (m./f.) lover, in love, 9
inquinamento l' (m.), pollution, 8
inquinare to pollute, 8
insalata l' (f.), salad, 4
insediamento l' (m.), settlement, 14
insegna l' (f.), sign, 16
insegnante l' (m./f.), teacher, 8
insegnare to teach, 1
inserimento l' (m.), integration, 16
inserire to insert, 11
inserirsi to integrate, 16
insipido bland, 9
insieme together, 2
insistere to insist, 8
insoddisfazione l' (f.), dissatisfaction, 12
insoddisfatto unsatisfied, 12
insolito unusual, 9
insomma in short, 6
insonne sleepless, 4
insonnia l' (f.), insomnia, 15
insopportabile unbearable, 10
intanto meanwhile, 5
integrale whole-grain, 14
integrarsi to integrate, 15
integrazione l' (f.), integration, 6
intellettuale intellectual, 7
intelligente intelligent, 3
intenso intensive, heavy, 8
intenzione l' (f.), intention, 6
interamente entirely, 3
interdetto dumbfounded, 15
interessante interesting, 2
interessare to interest, 7
interminabile endless, 8
internazionale international, 7
interno internal, interior, 8
intero entire, 10
interplanetario interplanetary, 11
interrogare to test orally, 8
interrogativo interrogative, 7
interrogatorio l' (m.), questioning, 15
interrogazione l' (f.), interrogation, 8
interscambiabile interchangeable, 12
interurbano long distance, 11
intervista l' (f.), interview, 4
intervistare to interview, 5
intervistato l' (m.), interviewee, 15

intorno around, 9
intransigente intransigent, 4
intrattenersi to linger, 13
intravedere to catch a glimpse, 16
introdurre to introduce, 9
introduzione l' (f.) introduction, 6
intruso l' (m./f.) intruder, 1
inutile unnecessary, 4
invalido disabled, 15
invece instead, 1
inventare to invent, to make up, 7
invernale winter, 1
inverno l' (m.), winter, 4
investire to invest, to collide, 6
inviare to send, 6
invidiare to envy, 12
invitare to invite, 5
invitato l' (m./f.) guest, 5
invito l' (m.), invitation, 5
iodato iodate, 15
ipotesi l' (f.), hypothesis, 4
iraniano Iranian, 1
ironico ironic, 11
irregolare irregular, 6
irresistibile irresistible, 4
ipermercato l' (m.), hypermarket, 14
ipocondriaco hypochondriac, 15
irriconoscibile unrecognizable, 13
iscriversi to register, to enroll, 1
isola l' (f.), island, 4
isolato isolated, 15
ispirare to inspire, 12
istituto l' (m.), institute, 2
Italia l' (f.), Italy, P
italiano Italian, P

J

jeans i, denim, jeans, 3

K

kiwi il, kiwi, 9

L

labbra le, lips, 13
laboratorio il, laboratory, 2
ladino Ladin (Romance language dialect), 6
lago il, lake, 3
lamentarsi to complain, 8
lampada la, lamp, 6
lampadario il, chandelier, 6
lampadina la, light bulb, 14
lana la, wool, 8
largo wide, 9
lasagne le, lasagna, P
lasciare to leave, 2
lasciarsi to break up, 10
latte il, milk, 4
lattina la, can, 13
laurea la, university degree, 5
laurearsi to graduate, 5
lava la, lava, 14
lavagna la, blackboard, P
lavanderia la, cleaners, 11

lavandino il, sink, 6
lavastoviglie la, dishwasher, 6
lavatrice la, washer, 6
lavare to wash, 4
lavorare to work, 2
lavoratore il, worker, 8
lavoro il, job, work, position, 5
legale legal, 11
legame il, link, 5
legare to tie, to link, 4
legge la, law, 16
leggere to read, P
leggero light, 9
legno il, wood, 6
lentamente slowly, 8
lento slow, 13
lettera la, letter, 2
letteralmente literally, 10
letteratura la, literature, 2
lettere le, humanities, 2
letto il, bed, letto matrimoniale il, full-size bed, 4
lettore/lettrice il/la, reader, 10
lettura la, reading, 1
lezione la, lesson, class, 2
lì there, 10
libanese Lebanese, 1
liberamente freely, 16
liberazione la, liberation, 9
libero free, 3
libertà la, freedom, 16
libreria la, bookcase, book store, 6
libro il, book, P
liceo il, high school, 1
lieto happy, 1
limitare to restrict, 4
limitato limited, 16
limite il, limit, 4
limone il, lemon, 9
linea la, style, 6
linea aerea la, airline, 10
lingua la, language, P
lingue straniere le, foreign languages, 2
linguistico language, linguistic, 2
lino il, linen, 14
liquido fluid, 2
lirico lyric, 3
liscio smooth, plain, 3
lista la, list, 5
litigare to argue, 5
litro il, liter, 15
livello il, level, 2
locale il, premise, 7
località la, place, 6
località turistiche le, resorts, 3
locandina la, playbill, 7
logico logical, 9
logoro worn out, 10
lontano far, 2
lotteria la, lottery, 7
lotto il, lottery, 12
luce la, light, 2
luglio July, P
luminoso bright, 12
lunedì il, Monday, P
lungo long, along, 3

lupo il, wolf, 15
luogo il, place, P
lusso luxury, 6
lussuoso luxurious, 3

M

ma but, 1
macchina la, car, 3
macchina da caffè la, coffee maker, 6
macchina ibrida la, hybrid car, 15
macchinina la, toy car, 8
macedonia la, fruit salad, 4
macelleria la, butcher shop, 14
madre la, mother, 2
madrelingua la, native language, 12
maestà la, majesty, 8
maestoso majestic, 8
maestro il, teacher, 7
magari perhaps, 7
magazzino il, storage (**grande magazzino il,** department store), 14
maggio May, P
maggioranza la, majority, 6
maggiore major, further, 5
magistrale masterly school, 10
maglia la, sweater, 3
maglietta la, T-shirt, 7
magro thin, 3
mai ever (**non... mai** never), 4
maionese la, mayonnaise, 9
malanno il, illness, 10
malato sick, 8
malattia la, illness, 15
male bad, (**non c'è male** not too bad), P
mamma la, mom, 5
magnifico magnificent, 10
malvagio bad, 13
mancare to miss, 1
mancanza la, lack, 16
mancia la, tip, 9
mandare to send, 5
mandorla la, almond, 15
mangiare to eat, 2
maniera la, manner, way, 5
manifestare to display, 16
manifestazione la, display, event, 5
mano la, hand, 9
mantello il, coat, 8
mantenere to support, 16
manzo il, beef, 9
mappa la, map, 14
marca la, brand, 9
mare il, sea, P
marinare to cut school, 8
marinara sailor style, 8
marino marine, 7
marito il, husband, 5
marmellata la, jam, 4
marmo il, marble, 3
marrone brown, 3
marzo March, 1
martello il, hammer, 12
martedì il, Tuesday, 1
maschera la, mask, 9

maschile masculine, 2
maschio il, male, 11
massimo highest, 4
matematica la, mathematics, P
materia la, subject, 2
materia prima la, raw material, 11
materno maternal, 5
materialista materialistic, 3
matita la, pencil, 2
matrigna la, stepmother, 5
matrimonio il, wedding, 5
mattina la, morning, 2
matto crazy, 9
maturità la, high-school diploma, 8
maturo mature, ripe, 4
mazza la, bat, club, 7
meccanico il, mechanic, 7
meccanico/a mechanical, 7
medaglia la, medal, 1
mediare to mediate, 16
mediazione la, mediation, 4
medicina la, medicine, 5
medicinale il, medicine, 15
medico il (*m./f.*), doctor, 5
medio middle, 8
medioevale medieval, 2
Medioevo il, Middle Ages, 5
mediterraneo il, Mediterranean, 14
meglio better, 1
mela la, apple, 4
melone il, melon, 9
membro il, member, 6
memoria la, memory, 15
meno minus, less, 1
mensa la, cafeteria, 2
mentalità la, mentality, 16
mente la, mind, 8
mentre while, 1
menzionare to mention, 6
menù il, menu, 7
meravigliato surprised, 16
meraviglioso marvelous, 3
mercato il, market, 9
merce la, merchandise, 12
mercoledì il, Wednesday, 1
mescolare to stir, 9
mese il, month, P
messa la, mass, 9
messaggio il, message, 4
messicano Mexican, 1
mestiere il, trade, 4
meta la, destination, 9
metà la, half, middle, 8
metallico metallic, 11
metro il, meter, 1
metropolitana la, subway, 8
mettere to put, 2
mettersi a to start, to begin, 4
mezzanotte la, midnight, 4
mezzo il, middle, means, 7
mezzogiorno il, noon, 4
microonde il, microwave, 6
microrganismo il, micro-organism, 7
migliore better, best, 3
migrazione la, migration, 16

milanese Milanese, 3
miliardo il, billion, 6
milione il, million, 6
mille one thousand, 6
mimosa la, mimosa, 9
minacciare to threaten, 15
minerale mineral, 4
minestra la, soup, 4
minimo lowest, least, 4
ministro il, minister, cabinet member, 8
minoranza la, minority, 6
mio my, mine, 5
mirino il, sight, 15
misticismo il, mysticism, 9
mistico mystic, 10
misura la, measure, size, 7
misurare to measure, 14
mito il, myth, 11
mobili i, furniture, 5
mobilificio il, furniture factory, 13
moda la, fashion, 3
modalità la, manner, 15
modello il, pattern, model, 10
moderatamente moderately, 15
modernità la, modernity, 13
moderno modern, 2
modesto modest, 8
modificare to modify, 15
modo il, way, 8
modulo il, form, 14
moglie la, wife, 5
molto much, very, a lot, 3
momento il, moment, 7
monaca la, nun, 4
monarchia la, monarchy, 16
mondiale world, 5
mondo il, world, 3
moneta la, currency, coin, 6
monetario monetary, 6
monofamilare il, single family, 6
monolocale il, studio apartment, 6
montagna la, mountain, P
montagnoso mountainous, 7
montare to climb, 10
monte il, mountain, 1
monumenti i, monuments, 6
motivare to justify, 8
morbido soft, 4
morsicare to bite, 10
morto dead, 5
mosaico il, mosaic, 2
mostra la, show, 14
mostrare to show, 6
motivo il, reason, 6
motocicletta la, motorcycle, 8
motorino il, moped, 8
motoscafo il, motorboat, 13
movimentato lively, 12
movimento il, movement, 8
mozzarella la, mozzarella, 16
multa la, fine, 13
multietnico multi-ethnic, 6
multifunzionale versatile, 1
muovere to move, 9
muro il, wall, 3
muscoloso muscular, 10
museo il, museum, 2

musica la, music, P
musicista il/la, musician, P
mutuo il, mortgage, 6

N

nano il, dwarf, 8
napoletano Neapolitan, 9
narciso il, narcissus, 9
narrare to tell, to narrate, 3
narratore il / narratrice la, narrator, 8
nascere to be born, 1
nascita la, birth, 5
nascondere to hide, 16
nascondino il, hiding place, 8
nascosto hidden, 10
naso il, nose, 15
nastro il, ribbon, 8
Natale il, Christmas, 5
natalizio Christmas, 7
natura la, nature, 7
naturale natural, 2
naturalismo il, naturalism, 9
naturalmente naturally, 7
nave la, ship, 8
navigare to navigate, to sail, 6
nazionale national, 4
nazionalità la, nationality, P
nazione la, nation, P
neanche not even, 8
nebbia la, fog, 4
nebbioso foggy, 15
nebulosa la, nebula, 11
necessario necessary, needed, 2
necessità la, need, 6
negativo negative, 8
negoziante il/la, merchant, 14
negoziare to negotiate, 4
negoziatore il, negotiator, 4
negozio il, store, 1
nemmeno neither, not even, 4
neolatino Neo-Latin, 7
neppure not even, 15
nero black, 3
nervoso tense, nervous, 3
nessuno no one, 5
Nettuno Neptune, 11
nevicare to snow, 4
nevrotico neurotic, 15
niente nothing, 2
nipote il/la, nephew, niece, grandchild, 5
nocivo harmful, 15
nodulo il, nodule, 10
noioso boring, 2
noleggiare to rent, 13
nome il, noun, P
nominare to appoint, 16
nonno il, grandfather, 5
nonna la, grandmother, 5
nonostante in spite of, 12
nord il, north, 4
normanno il, Norman, 14
nostalgia la, nostalgia, homesickness, 8
nostro our / ours, 5
notare to note, 4
noto known, 1
notevole considerable, 6
notte la, night, P
notturno night, 13

novanta ninety, 1
nove nine, P
novembre November, 1
novità la, novelty, 10
nozze le, marriage,
   (viaggio di nozze il,
   honeymoon), 5
nucleare nuclear, 11
nucleo il, nucleus, unit, 5
nudo bare, nude, 14
numero il, number, P
numeroso numerous, 5
nuocere to harm, 10
nuotare to swim, 2
nuovo new, 2
nutrizione la, nutrition, 15
nutrizionista il/la,
   nutritionist, 15
nuvoloso cloudy, 4

O

o or, 3
obbediente obedient, 8
obbligatorio required, 8
obesità l' (f.), obesity, 15
occasione l' (f.), occasion, 5
occhiali gli, eyeglasses, 3
occhiali da sole gli,
   sunglasses, 13
occhiata l' (f.), glance, 14
occhio l' (m.), eye, P
occorrere to need, 7
occupare to occupy, 5
occuparsi to take care of, to
   get involved, 5
oceano l' (m.), ocean, 13
odiare to hate, 8
offerta l' (f.), offer, 10
officina l' (f.), workshop, 12
offrire to offer, 4
oggettivo objective, 16
oggetto l' (m.), object, 5
oggi today, P
ogni every, 2
ognuno each, 7
olimpico olympic, 1
olio l' (m.), oil, 9
oliva l' (f.), olive, 6
oltre besides, 7
ombra l' (f.), shadow, 16
ombrellone l' (m.), beach
   umbrella, 13
omogeneità l' (f.),
   homogeneity, 16
omogeneizzare to
   homogenize, 15
onesto honest, 3
onomastico l' (m.), saint's
   day, 5
onore l' (m.), honor, 9
opaco dull, 10
opera l' (f.), work of art,
   opera, 1
operaio l' (m.), worker, 12
operistico operatic, 4
opinione l' (f.), opinion, 4
opportuno suitable, 13
opposto opposite, 1
oppure or, 3
ora l' (f.), hour, now, 3
orale oral, 8

orario l' (m.), schedule, 2
orchestra l' (f.), orchestra, 2
ordinare to order, 4
ordinato neat, 5
ordine l' (m.), order, 1
orecchino l' (m.), earring, 14
orecchio l' (m.), ear, 5
organismo l' (m.), organism, 15
organizzare to organize, 5
organizzato organized, 3
organizzazione l' (f.),
   organization, 10
orgoglioso proud, 6
orientale eastern, 7
oriente l' (m.), east, 2
originale original, 3
origine l' (f.), origin, 1
ormai by now, 7
ornare to decorate, 9
oro l' (m.), gold, 5
orologio l' (m.), clock, watch, 2
oroscopo l' (m.), horoscope, 11
orrendo dreadful, 15
orribile horrible, 10
orsacchiotto l' (m.), teddy
   bear, 6
orso l' (m.), bear, 15
ospedale l' (m.), hospital, 1
ospedaliero hospital, 15
ospite l' (m./f.), guest, 4
osservare to observe, 5
osservatorio l', (m.),
   observatory, 11
ossessione l' (f.), obsession, 15
ossigeno l' (m.), oxygen, 15
osso l' (m.), bone, 15
ostello l' (m.), hostel, 13
osteria l' (f.), tavern, 9
ottanta eighty, 1
ottenere to attain, 10
ottimo best, 7
ottimista optimistic, 3
otto eight, 1
ottobre October, 1
ovviamente obviously, 9
ozono l' (m.), ozone, 15

P

pacchetto il, small package, 10
pacco il, package, 14
pace la, peace, 12
pacifico peaceful, 16
padre il, father, 1
paesaggio il, landscape, 4
paese il, country, village, 2
pagamento il, payment, 13
pagano il, pagan, 9
pagare to pay, 6
pagella la, report card, 8
pagina la, page, 7
paio il, pair, 9
palazzo il, building, 2
palcoscenico il, stage, 4
paleoantropologico
   paleoanthropological, 16
paleolitico Paleolithic, 16
palestra la, gym, 7
pallacanestro la, basketball, 7
pallavolo la, volleyball, 7
pallido pale, 15
palloncino il, balloon, 5

pallone il, ball, 7
pancetta la, bacon, 8
pane il, bread, 4
panetteria la, bakery, 13
panettone il, panettone, 9
panino il, sandwich, 4
panna la, cream, 9
panorama il, panorama, 1
panoramico panoramic, 2
pantaloncini i, shorts, 7
pantaloni i, pants, 3
papa il, pope, 4
papà il, dad, 5
paradiso il, heaven, 9
paragrafo il, paragraph, 8
paragonare to compare, 3
paragone il, comparison, 3
parcheggio il, parking, 6
parco il, park, 3
parecchio a lot, 13
parentela la, kinship, 5
parenti i, relatives, 5
parete la, wall, 6
parlamentare parliamentary, 16
parlamento il, Parliament, 16
parlare to speak, P
parmigiano parmesan, 9
parola la, word, P
parte la, part, 6
partecipare to take part, 2
partecipante il/la, participant,
   14
partecipazione la,
   participation, 16
partenza la, departure, 6
participio il, participle, 6
particolare il, particular,
   detail, 2
particolarmente particularly, 2
partire to leave, 10
partita la, game, 2
partitivo il, partitive, 9
partito il, party, 16
passaggio il, ride, 10
passaporto il, passport, 10
passare to pass, to spend, 5
passatempo il, pastime, 13
passato il, past, 5
passeggero il, passenger, 13
passeggiare to take a walk, 7
passeggiata la, walk, 4
passione la, enthusiasm, 7
passivo passive, 7
passo il, step, 7
Pasqua la, Easter, 9
pasta la, pasta, pastry, 2
pastasciutta la, pasta, 6
pasticceria la, pastry shop, 8
pasto il, meal, 4
patata la, potato, 4
patatine le, french fries, 4
patente la, driver license, 10
paterno paternal, 5
patria la, homeland, 5
patrimonio il, heritage, 10
pattinaggio il, skating, 7
pattinare to skate, 4
pattini i, skates, 7
patrigno il, stepfather, 5
patronale patron, 16
patrono il, patron, 5

paura la, fear, 8
pavimento il, floor, 6
paziente patient, 3
pazzo crazy, 8
peccato il, sin, pity, 3
pedagogico pedagogical, 8
peggio worse, 10
peggiorare to worsen, 10
pelle la, skin, leather, 13
pellegrino il, pilgrim, 9
pena la, punishment, P
penisola la, peninsula, P
penna la, pen, feather, P
pensare to think, 2
pensione la, pension
   (essere in pensione to be
   retired), room and board, 5;
   bed and breakfast, 13
pepe il, pepper, 9
percentuale la, percentage, 5
percepire to perceive, 12
perché because, why, 4
percorso il, journey, 10
perdere to lose, to miss, 6
perdere tempo to waste time, 6
perfetto perfect, 2
perfezionamento il,
   specialization, 11
perfezionare to improve, 7
perfezione la, perfection, 4
pericoloso dangerous, 13
periferia la, outskirt,
   suburbs, 6
periodo il, period, 2
perla la, pearl, 7
permanenza la, stay, 16
permanente permanent, 16
permesso il, permission,
   permit, 4
permettere to allow, 8
permissivo lenient, 5
però but, 3
perseveranza la perseverance, 16
persona la, person,
   (persone people), 3
personaggio il, character, 3
personale personal, 1
personalità la, personality, 3
pesante heavy, 7
pesca la, peach, fishing, 9
pesce il, fish, 4
pessimista pessimist, 3
pesticidi i, pesticides, 15
petardi i, fireworks, 9
pettinare to comb, 4
petto il, chest, 15
pezzo il, piece, 9
piacere il, pleasure, to please, P
piacevole pleasant, 7
pianeta il, planet, 11
piangere to cry, 8
piano il, floor, plan, 6
pianoforte il, piano, 7
pianta la, plant, 5
pianterreno il, ground floor, 6
piantina la, layout, 6
pianura la, plain, flat land, 1
piatto il, dish, 4
piazza la, square, 3
piccante spicy, 9
piccolo small, 1

piede il, foot, 1
pieno full, 13
pietanza la, dish, 9
pietra la, stone, 6
pigiama il, pajamas, 14
pigro lazy, 3
piovere to rain, 4
piselli i, peas, 4
piscina la, swimming pool, 2
pista la, track, 1
pittore il, painter, 4
pittoresco picturesque, 3
pittura la, painting, 9
più more, più tardi, later, 1
piuttosto rather, 6
pizza la, pizza, 2
pizzeria la, pizzeria, pizza restaurant, 4
plastica la, plastic, 12
plurale plural, 1
Plutone il, Pluto, 12
poco, un po' little, 3
poesia la, poem, 3
poeta il, poet, P
poi after, 3
poiché since, 5
policromo polychromatic, 9
politica la, politics, 3
politicamente politically, 6
politico il, politician, political, P
poliziotto il, police officer, 11
pollo il, chicken, 4
polmone il, lung, 15
polso il, wrist, 10
polvere la, dust, 13
poltrona la, armchair, 6
pomeriggio il, afternoon, 2
pomodoro il, tomato, 4
ponte il, bridge, 12
popolare popular, 7
popolazione la, population, 6
porcellana la, porcelain, 9
porgere to hand, 16
porta la, door, 2
portafoglio il, wallet, 13
portare to bring, to wear, 3
porticato il, arcade, 6
portinaio il, doorman, 11
porto il, port, 6
portoghese Portuguese, 14
posate le, silverware, 9
positivo positive, 10
posizione la, location, 13
possedere to own, 1
possessivo possessive, 5
possibile possible, 4
possibiltà la, possibility, 2
posta la, mail, 4
postale (ufficio) post office, 14
poster il, poster, 6
posto il, place, position, 4
potenza la, power, 5
potere to be able to, can, 5
povero poor, 5
povertà la, poverty, 16
pranzare to eat lunch, 4
praticamente virtually, 13
praticare to practice, 7
pratico practical, 13
precedente previous, 7
preciso precise, 11

prediligere to like better, 15
predizione la, prediction, 11
preferenza la, preference, 9
preferibilmente preferably, 12
preferire to prefer, 3
preferito favorite, 3
prefisso il, area code, 11
pregiato refined, 1
pregiudizio il, prejudice, 16
prego you are welcome, 1
preistorico prehistorical, 10
prelevare to withdraw, 14
prelibato excellent, 9
premio il, award, 10
prendere to take, to have, P
prendere in giro to make fun of, 15
prenotare to book, 6
prenotazione la, reservation, 6
preoccuparsi to worry, 4
preoccupato worried, 10
preparare to prepare, 5
prepararsi to get ready, 4
preparativo il, preparation, 5
preposizione la, preposition, 6
prepotente bullying, 8
presentare to introduce, to present, 1
presentazione la, introduction, 1
presente present, 1
preservare to preserve, 16
preside il/la, principal, 10
presidente il president, 7
pressione la, pressure, 15
presso near, 14
prestare to lend, 10
prestigioso prestigious, 3
presto soon, early, 1
pretesto il, excuse, 9
previsioni le, forecast, 4
previsto expected, 4
prezzo il, price, 6
prima before, premiere, 1
prima la, opening night, 7
primato il, leadership, 15
primavera la, spring, 4
primo first, 1
principale main, 5
principe il, prince, 8
principio il, principle, 9
privato private, 7
probabile probable, 15
probabilmente probably, 3
problema il, problem, 7
processione la, procession, 14
processo il, process, 6
profumo il, perfume, 13
prodotto il, product, 1
produrre to produce, 1
produttore, il / produttrice la, producer, 11
produzione la, production, 15
professionale professional, 8
professione la, profession, 2
professionista il/la, professional (person), 7
professore, il / professoressa la, professor, P
profumato scented, 9
profumo il, scent, 10
progettare to design, 11

progetto il, project, 9
programma il, program, 2
programmatore, il / programmatrice la, programmer, 12
progredire to progress, 8
progressivo progressive, 11
progresso il, progress, 8
proibito forbidden, 9
promozione la, promotion, 10
promuovere to promote, 16
pronome il, pronoun, 1
pronto ready, 9
pronunciare to pronounce, P
proporre to propose, 8
proporzione la, proportion, 14
proposta la, proposal, 16
proprietà la, property, 6
proprietario il, owner, 1
proprio really, own, right, proper, 3
prosciutto il, ham, 2
proseguire to continue, 14
prosperare to thrive, 6
prospettiva la, perspective, 3
prossimo next, 5
protagonista il/la, protagonist, main character, 7
proteggere to protect, 12
protesta la, protest, 7
protestare to protest, 11
protettore il, guardian, 12
prova la, test, 1
provare to try, to feel, 14
provenienza la, origin, 13
provenire to originate, 14
provincia la, province, 1
provino il, audition, 8
provvedere to provide, 14
provvisorio provisional, 7
privato private, 7
privilegio il, privilege, 10
psicologia la, psychology, 2
psicologico psychological, 3
psicologo lo / psicologa, psychologist, 4
psicoterapeuta lo/la, psychotherapist, 4
pubblicare to publish, 11
pubblicità la, advertisement, 2
pubblico il, public, 11
pugilato il, boxing, 7
pulire to clean, 3
pulito clean, 8
pullman il, bus, 13
punire to punish, 8
punteggio il, score, 10
punto il, point, 3
puntualità la, punctuality, 11
pupo il, puppet, 9
purtroppo unfortunately, 8

Q

quaderno il, notebook, 2
quadrato square, 7
quadro il, picture, 6
qualche some (qualche volta sometimes), 3
quale / qual which, what, 1
qualcosa something, 4
qualcuno someone, 4

qualità la, quality, 9
qualunque any, 11
quando when, 2
quantità la, quantity, 4, amount, 10
quanto how much, 3
quaranta forty, 1
Quaresima la, Lent, 9
quartiere il, neighborhood, 6
quasi almost, 4
quattordici fourteen, 1
quattrini i, money, 11
quattro four, 1
quello that, 2
questionario il, questionnaire, 11
questione la, issue, 12
questo this, 2
quindi therefore, 4
quindici fifteen, 1
quindicinale il, biweekly, 14
quinto fifth, 6
quota la, price, 10
quotidiano il, daily, 16

R

racchetta la racket, 7
raccomandazione la, advice, 16
raccontare to tell, 7
racconto il, short story, 11
radersi to shave, 13
radicalmente totally, 16
radicare to root, 9
radice la, root, 16
radio la, radio, 3
radiografia la, x-ray, 15
radiotelefono il, radiophone, 13
radunare to gather, 8
raffreddore il, cold, 14
ragazza la, girl, 1
ragazzo il, boy, 1
raggiungere to reach, 14
ragione la, reason, 5
ragù il, meat sauce, 9
raffinato refined, 3
rame il, copper, 15
ramo il, branch, 9
rapporto il, relationship, 5
rappresentante il/la, representative, 15
rappresentare to represent, 5
rappresentazione la, representation, 8
raramente rarely, 3
raro rare, 5
rasoio il, razor, 14
rata la, installment, 3, P
razzismo il, racism, 16
re il, king, 14
reagire to react, 8
realismo il, realism, 3
realista realistic, 3
realistico realistic, 8
realizzare to accomplish, 12
realizzazione la, realization, 9
realtà la, reality, 6
recapitare to deliver, 11
recente recent (di recente recently), 7
recentemente recently, 6
reciproco reciprocal, 5

reclutamento il, recruiting, 10
record il, record, 5
reddito il, income, 15
referendum il, referendum, 16
refettorio il, refectory, 3
regalare to give (as a present), 5
regalo il, present, 5
regia la, direction, 7
regime il, government, 16
regionale regional, 7
regione la, region, P
regista il/la, director, P
registrazione la, recording, 10
regno il, kingdom, 14
regola la, rule, 7
regolare regular, 14
regolare to regulate, 15
relativo relative, 10
relazione la, relationship, 7
religioso religious, 3
rendere to render, 7
rendersi conto to realize, 14
repubblica la, republic, 12
residente il/la, resident, 16
residenza la, residence, 5
resistenza la, resistance, 10
respirare to breathe, 15
respiratorio respiratory, 15
responsabilità la, responsibility, 12
restare to remain, 7
restaurare to restore, 12
resto il, rest, 10
resti i, ruins, 13
rete la, net, 13
rettangolare rectangular, 3
riassumere to summarize, 9
ribelle rebellious, 8
ricamo il, embroidery, 11
ricapitolare to review, 1
ricarico il, reloading, 11
ricchezza la, wealth, 13
riccio curly, 3
ricco rich, 1
ricerca la, search, 6
ricercatore, il / ricercatrice la, researcher, 11
ricetta la, recipe, prescription, 9
ricevere to receive, 4
ricevimento il, reception, 5
richiamare to call back, 11
richiamo il, appeal, 4
richiedere to require, to apply, 12
richiesta la, request, 9
riciclare to recycle, 12
riconoscere to recognize, 3
riconoscimento il, recognition, 16
ricoprire to cover, 14
ricordare to remember, 5
ricordo il, memory, 8
ricostruire to rebuild, 5
ricovero il, admission, 15
ricreazione la, recess, 8
ridere to smile, 13
riduzione la, discount, 13
rientrare reenter, to return, 7
rientro il, return, 4
rievocare to commemorate, 9

rifare to remake, 5
riferire to report, 5
riferirsi to refer, 5
rifiutare to refuse, 13
rifiuti i, garbage, 12
riflessivo reflexive, 4
riflesso il, reflex, 15
riflettere to consider, 6
riforma la, reform, 8
rigido rigid, 15
riguardare to concern, 7
riguardo about, 6
rilassante relaxing, 10
rilassarsi to relax, 6
rileggere to reread, 6
rilievo il, relief (di rilievo relevant), 7
rima la, rhyme, 4
rimandare to send back, to postpone, 16
rimanere to remain, 5
rimedio il, remedy, cure, 15
rimettersi to recover, 10
rimproverare to reproach, 16
rinascimentale renaissance, 4
Rinascimento il, Renaissance, 3
rinchiudere to enclose, 3
Ringraziamento il, Thanksgiving, 9
ringraziare to thank, 5
rinunciare to renounce, 9
ripensare to reconsider, 15
ripetere to repeat, 2
risalire to date back, 10
risata la, laughter, 7
riscrivere to write again, 8
riso il, rice, 1
risolvere to solve, to figure out, 12
ripassare to review, 5
ripetere to repeat, P
riposarsi to rest, 4
riposo il, rest, 10
ripostiglio il, storeroom, 12
riprendere to recapture, 16
risalire to go back, 6
riscaldameneto il, heating, 8 (riscaldamento globale il, global warming), 15
rischio il, risk, 15
riservato reserved, 10
risiedere to reside, 16
risistemare rearrange, 16
risotto il, risotto, 9
risorsa la, resource, 10
risparmiare to save, 15
risparmio il, saving, 15
rispettare to honor, to respect, 4
rispondere to answer, P
risposta la, answer, 6
ristorante il, restaurant, 2
ristrutturare to renovate, 6
ristrutturazione la, remodeling, 6
risultare to result, 9
risultato il, result, 5
ritardo il, delay, 11
ritelefonare to call again, 7
ritentare to try again, 10
ritirare to get back, 11

rito il, ritual, 14
ritrattistica la, portrait painting, 10
ritratto il, portrait, picture, 4
ritrovamento il, recovery, 14
ritrovare to find again, to find, 8
ritrovarsi to gather, to get together, 7
riuscire to succeed, 12
riunione la, meeting, 5
riunirsi to get together, 5
rivedere to see again, 8
rilevare to reveal, 16
riviera la, coastline, 2
rivista la, magazine, 14
rivivere to revive, 14
rivolgersi turn to, 15
robusto well built, 13
roccia la, rock, 7
romanico Romanesque, 6
romano Roman, 2
romantico romantic, 7
romanzo il, novel, 3
rompere to break, 10
rosa la, rose, pink, P
rosticceria la, deli, 9
rosso red, P
rotto broken, 12
routine la, routine, 4
rovescio il, reverse, 15
rovina la, ruin, 8
rubinetto il, faucet, 15
rumore il, noise, 8
rumoroso noisy, 8
ruolo il, role, 7
rupestre rocky, 16
russo Russian, 1

S

sabato il, Saturday, 1
sabbia la, sand, 13
sacco a pelo il, sleeping bag, 13
sacro sacred, 14
sacrificio il, sacrifice, 11
saggio il, sage, sample, 11
sagra la, festival, 9
sala la, hall, 2
salmone il, salmon, 9
salato salted, 9
saldi i, clearance sale, 14
sale il, salt, 9
salire to climb, to go up, 4
salone il, hall, 7
salotto il, living room, 6
saltare to jump, 5
salto il, jump, 12
salume il, salami, 14
salumeria la, deli, 14
salutare to greet, 9
salute la, health, 4
saluti i, greetings, 1
salvaguardare to protect, 15
salvare to save, 10
salve hello, 1
salsa la, sauce, 9
sandali i, sandals, 14
sanità la, health care, 16
sanitario medical, 15
sano healthy, 15

santo il, saint, holy, 5
sapere to know, P
sapone il, soap, 14
sapore il, taste, 16
saporito tasty, 9
saraceno Saracen, 14
satirico satirical, 9
Saturno Saturn, 11
sbagliare to err, to mistake, 11
sbagliato wrong, 16
sbarra la, gate, 13
sbrigare to take care, 2
sbuffare to puff, 13
scacchi gli, chess, 7
scadente cheap, 5
scaffale lo, shelf, 6
scalata la, climb, 13
scale le, stairs, 6
scaletta la, list, outline, 5
scalone lo, staircase, 8
scaloppina la, cutlet, 9
scambiare to exchange, 9
scambio lo, exchange, 1
scandire to stress, 6
scarpa la, shoe 3 (scarpe da ginnastica le, sneakers, 3),
scarponi gli, boots, 13
scatola la, box, 14
scattare to snap, 10
scavare to dig, 16
scavo lo, excavation, 16
scegliere to choose, 4
scelta la, choice, 7
scena la, scene, 7
scendere to get off, 13
sceneggiatore, lo/ sceneggiatrice la, script writer, 11
scheda la, form, grid, 5
scheda telefonica la, phone card, 11
schema lo, outline, 5
scherma la, fencing, 7
schermo lo, screen, 2
scherzare to joke, to fool around, 8
scherzoso joking, 11
schiena la, back, 15
sci gli, skis, 7
sciare to ski, 4
sciarpa la, scarf, 14
sciatore lo, skier, 10
scientifico scientific, 8
scienza la, science, 2
scienziato lo, scientist, 2
sciogliere to melt, 9
sciopero lo, strike, 12
sciroppo lo, syrup, 15
scivolare to slip, 7
scoglio lo, reef, 13
scolastico educational, 8
scomparire to disappear, 15
sconosciuto lo, unknown, 14
sconto lo, discount, 9
scontro lo, clash, 4
scoperta la, discovery, 11
scoprire to find out, discover, 5
scorpacciata la, (fare una) to gorge, 16
scorrere to skim through, 9

scorso past, last, 6
scritta la, writing, 13
scrittore, lo/
    scrittrice la, writer, P
scrittura la, writing, 1
scrivania la, desk, 6
scrivere to write, P
scuola la, school, 1
scuro dark, 3
scusa la, excuse, 11
scusi excuse me, 1
sdraio lo, deck chair, 13
secolo il, century, 2
secondo second, according
    to, 4
sedentarietà la,
    sedentariness, 15
sedentario sedentary, 6
sedia la, chair, 2
sedici sixteen, 1
sei six, 1
sega la, saw, 12
segnare to mark, 5
seguente following, 5
segretario il, secretary, 12
segreteria telefonica la, answer
    machine, 7
seguire to follow, 3
semaforo il, stoplight, 14
semestrale biannual, 15
semestre il, semester, 12
semmai if anything, 15
semplice simple, 6
sembrare to seem, 6
sempre always, 3
senato il, senate, 16
sensibile sensitive, 3
senso il, sense, 16
sentiero il, path, trail, 13
sentimento il, feeling, 8
sentire to listen, to hear, 4
sentirci to feel, 5
senzatetto il, homeless, 12
separare to separate, 12
seppellire to bury, 4
sequenza la, sequence, 9
sera la, evening, P
serale of the evening, 8
serata la, evening, 4
sereno serene, calm, 5
serio serious, 3
serra la, greenhouse, 11
servire to need, to serve, 2
servizio il, service, 6
servizi i, restroom,
    conveniences, 13
sessanta sixty, 1
sesso il, sex, 11
seta la, silk, 8
sete la, thirst, P
sette seven, P
settembre September, 1
settanta seventy, 1
settentrionale northern, 10
settimana la, week, 1
settimanale weekly, 16
settimanalmente weekly, 6
settore il, field, 16
severo severe, strict, 4
sfilata la, parade, 9
sfogarsi to vent, 15

sfruttamento lo,
    exploitation, 16
sgridare to yell, 5
siccome since, 12
siciliano Sicilian, 9
sicurezza la, security, 15
sicuro certain, sure, 5
sigaretta la, cigarette, 14
significare to mean, P
significativo significant, 16
significato il, meaning, 13
signor(e) il, gentleman, lord,
    Mr., 1
signora la, lady, Mrs., Ms., 1
signorile luxurious, 12
signorina la, miss, 1
silenzioso silent, 8
simbolo il, symbol, 1
similarità la, similarity, 16
simile similar, 5
simpatia la, sympathy, 16
simpatico nice, 3
sindacato il, labor union, 16
sindaco il, mayor, 12
singolare singular, 1
sinistra la, left, 2
sintetizzato synthesized, 15
sintomo il, symptom, 15
sintonia la, agreement, 15
sistema il, system, 1
sistemazione la, housing,
    accommodation, 6
sito il, site, 10
situare to place, 3
situazione la, situation, 5
slogare to sprain, 10
sloveno Slovenian, 6
smeraldo lo, emerald, 10
smog lo, smog, 15
smoking lo, tuxedo, 14
snobbare to snub, 10
snodarsi to wind, 14
sobbalzo il, jolt, 16
sociale social, 7
socialista socialist, 16
società la, society, 4
socievole friendly, 3
sociologia la, sociology, 2
sociologo il, social scientist, 9
soccorso il, assistance
    (pronto soccorso emergency
    room), 10
soddisfare to satisfy, 9
soddisfazione la, satisfaction, 11
soddisfatto satisfied, 9
sofferenza la, suffering, 7
soffriggere to sauté, 9
soffrire to suffer, 10
sufficiente sufficient, passing, 8
soggetto il, subject, 1
soggiorno il, living room,
    residence, stay, 6
sognare to dream, 8
sogno il, dream, 10
solare solar, 15
sole il, sun, 4
solo alone, only, 8
soldato il, soldier, 8
soldi i, money, 6
soluzione la, solution, 15
solidarietà la, solidarity, 15

solito usual
    (di solito usually), 4
solitudine la, loneliness, 8
solo alone, only, 4
soltanto only, 8
somigliare to look like,
    to be like, 5
sondaggio il, survey, 3
sonno il, sleep, P
sopito dormant, 10
sopportare to bear, 6
sopra on, on top of, 2
soprattutto above all, 3
sorella la, sister, 4
sorellastra la, stepsister, 5
sorpresa la, surprise, 5
sorridere to smile, 15
sorriso il, smile, 16
sorte la, luck, 10
sorvegliante il/la, guard, 13
sosta la, stop, 10
sostanza la, substance, 15
sostenere to take, 8
sostituire to substitute, 12
sotterraneo il, underground, 15
sottile thin, 9
sotto underneath, under, 2
sottolineare to underline, 6
sottomettere to subject, 5
sovrano il, monarch, 14
sovrappopolazione la,
    overpopulation, 15
spaghetti gli, spaghetti, P
spagnolo Spanish, P
spalla la, shoulder, back, 9
spazio lo, space, 14
spazzolino da denti lo,
    toothbrush, 14
sparecchiare to clear (the
    table), 5
spaventare to frighten, 16
spavento lo, fright, scare, 16
spaziale space, 11
spazio lo, space, 1
spazioso spacious, 12
spazzare to sweep, 5
spazzatura la, garbage, 5
specchio lo, mirror, 4
speciale special, 3
specialistico specialized, 15
specialmente especially, 4
specialità la, specialty, 6
specie la, species, kind, 4
specifico specific, 6
spedire to mail, to ship, 5
spegnere to turn off, 11
spendere to spend, 5
speranza la, hope, 9
sperare to hope, 4
spesa la, shopping, 4
spese le, expenses, shopping, 6
spesso often, P
spettacolare fantastic, 9
spettacolarità la,
    spectacularity, 8
spettacolo lo, show, 7
spettatore lo, spectator, 8
spettrale ghostlike, 16
spiacevole unpleasant, 7
spiaggia la, beach, 10
spiegare to explain, 2

spinaci gli, spinach, 4
spirito lo, spirit, 12
spirituale spiritual, 8
splendido shining, 7
spogliarsi to undress, 4
spolverare to dust, 5
sporco dirty, 8
sport lo, sport, 7
sportivo sportsman, P
sposarsi to get married, 5
sposato married, 5
sposi gli, newlyweds, 5
spostarsi to move, 15
sprecare to waste, 15
spremuta d'arancia la, orange
    juice, 15
spruzzare to spray, 13
spumante lo, sparkling wine, 5
squadra la, team,
    (squadra di calcio soccer
    team), 1
squallido bleak, 15
squisito refined, delicious, 7
stabile steady, 10
stabile lo, building, 10
stabilimento lo, factory, plant, 1
stabilito set, 4
stadio lo, stadium, 2
stagione la, season, 4
stamattina this morning, 6
stampante la, printer, 6
stampare to print, 6
stancarsi to get tired, 10
stanco tired, 3
stanza la, room, 7
stare to stay, to be, P
stasera tonight, 2
statico motionless, 1
statistica la, statistics, 15
statale state, 8
stato lo, state, 6
stato civile lo, marital status, 1
statua la, statue, 3
statuto lo, charter, 6
stazione la, station, 7
stella la, star, 8
stento lo, difficulty, 13
stereo lo, stereo, 5
stereotipo lo, stereotype, 16
stesso lo, same, 3
stesura la, draft, 5
stile lo, style, 1
stilista lo/la, designer, 3
stimolante stimulating, 12
stipendio lo, salary, 12
stirare to iron, 5
stivali gli, boots, 3
stomaco lo, stomach, 15
storia la, history, 2
storico historic, 2
strada la, street, road, 2
stradale road, 10
strano strange, 7
straniero lo, foreigner, 1
straordinario remarkable, 3
strategia la, strategy, 1
strato lo, layer, 15
strega la, witch, 8
stressante stressful, 10
stressato stressed, 12
stretto narrow, tight, 2

stropicciare to rub, 13
strumento lo, instrument, 2
struttura la, structure, organization, 1
studente, lo /
studentessa la student, P
studiare to study, P
studio lo, study, den, professional shop, 1
studioso lo, studious, scholar, 3
stupendo wonderful, 10
stupidamente foolishly, 16
su on, 6
subire to endure, 16
subito right away, 14
succedere to happen, 7
successivo following, 10
successo il, success, 11
succinto concise, 6
succo il, juice, 4
sud il, south, 1
suggerimento il, hint, 6
suggerire to suggest, to hint, 1
sugo il, juice, 9
suo his/her/ hers, 5
suocera la/il suocero mother-in-law/father-in-law, 5
suonare to play (an instrument), 2
suoneria la, ring tone, 11
superficie la, area, surface, 7
superiore higher, 8
superlativo il, superlative, 10
supermercato il, supermarket, 4
superstizioso superstitious, 11
supposizione la, assumption, 7
supremo supreme, 8
svantaggio lo, disadvantage, 10
sveglia la, alarm clock, 6
svegliarsi to wake up, 4
sveglio awake, 9
svendita la, sale, 14
sviluppare to develop, 8
sviluppo lo, development, 8
svolgere to happen, to carry out, 10
svolta la, turning point, 10
svuotare to empty, 13

T

tabaccheria la, tobacco shop, 11
tacchino il, turkey, 9
tacco il, heel, 14
tacere to be silent, 11
taglia la, size, 14
tagliare to cut, 6
taglio il, cut, 15
tailleur il, woman's suit, 14
talvolta at times, 13
tango il, tango, 5
tanto so much, so many, 3
tappeto il, carpet, 6
tardi late, 1
tassa la, tax, 11
tavolo il, table, 5
taxi il, taxi, 8
tazza la, cup, 9
tè il, tea, 4
teatrale theater, 14
teatro il, theater, 2
tecnica la, technique, 1

tecnico il, technician, 16
tecnologia la, technology, 8
tecnologico technological, 16
tedesco German, 1
tegame il, pot, 9
telefonare to call (to phone), P
telefonata la, phone call, 5
telefonino il, cell phone, 8
telefono il, phone, P
televisione la, television, P
televisore il, television set, 2
tema il, theme, 7
temere to fear, 15
temperatura la, temperature, 4
tempio il, temple, 13
tempo il, time, weather, 3
temporale il, temporal, storm, 9
temporaneamente temporarily, 16
tenda la, tent, 13
tendenza la, tendency, 14
tenere to hold, to keep, 1
tennis il, tennis, 7
tennista il/la, tennis player, 5
tenore il, tenor, 7
tentare to try, 10
tentatrice la, temptress, tempting, 8
tepore il, warmth, 9
termale thermal, 10
terminare to end, 9
termine il, term, word, 7
terminologia la, terminology, 7
termostato il, thermostat, 15
terra la, earth (**per terra** on the floor), 6
terrazza la, terrace, 6
terremoto il, earthquake, 14
terribile terrible, 8
territorio il, territory, 15
terzo third, 5
tesoro il, treasure, 13
tessera la, identity card, 15
testa la, head, 10
testo il, text, 5
tetto il, rooftop, 1
ticket il, co-payment, 15
tifo il, rooting, 7
tifoso il / tifosa la, fan, 7
timidezza la, shyness, 13
timido shy, 3
tinta la, dye, 14
tipicamente typically, 2
tipico typical, 3
tipo il, type, 6
tipologia la, typology, 5
tirato tense, 15
titolo il, title, 5
tollerante lenient, broad-minded, 3
tolleranza la, tolerance, 16
tomba la, tomb, 2
tonico tonic, 7
tonno il, tuna, 14
tono il, tone, 14
tormentato tortured, 6
tornare to return, 2
torre la, tower, P
torta la, cake, 4
tortellini i, tortellini, 8
Toscana la, Tuscany, 5

toscano Tuscan, 10
tosse la, cough, 15
tostapane il, toaster, 6
totale total, 10
totocalcio il, (football) pool, 7
tovaglia la, tablecloth, 9
tovagliolo il, napkin, 9
tra between, 2
traccia la, trace, 13
tradizionale traditional, 5
tradizione la, tradition, 7
tradurre to translate, 11
traffico il, traffic, 8
trafiletto il, paragraph, 11
traghetto il, ferry, 13
tragitto il, route, 14
tramontare to decline, 11
tranne except, 14
tranquillamente peacefully, 14
tranquillità la, calmness, 12
tranquillo calm, 7
transgenico transgenic, 15
trapiantare to transplant, 16
trapassato il, past perfect, 10
trasferire to transfer, 6
trascinare to drag, 8
trascorrere to spend (time), 9
trascurare to neglect, 13
traslocare to move, 16
trasparente transparent, 10
trarre to pull, 8
trasmettere to convey, 14
trasportare to transport, 11
trasporto il, transportation, 8
trattamento il, treatment, 10
trattare to deal, 5
trattoria la, eatery, 9
traversa la, crossroad, 14
tre three, 1
tredici thirteen, 1
tremante shaking, 16
trenino il, toy train, 8
treno il, train, 8
trenta thirty, 1
trentacinque thirty-five, 1
trentadue thirty-two, 1
trentanove thirty-nine, 1
trentaquattro thirty-four, 1
trentasei thirty-six, 1
trentasette thirty-seven, 1
trentatré thirty-three, 1
trentotto thirty-eight, 1
trentuno thirty-one, 1
trionfante triumphant, 9
triplo triple, 13
triste sad, 3
trittico il, triptych, 9
troppo too much, 3
trota la, trout, 9
trovare to find, 3
truccarsi to put on makeup, 4
tulipano il, tulip, 7
tuo your, yours, 5
turismo il, tourism, 1
turista il/la, tourist, 3
turistico tourist, 2
turno il, turn, 5
tuta la, overall, 7
tutela la, protection, 15
tutto everything, all, P
tutti everyone, 6

U

Ucraina Ukraine, 16
ucraino Ukrainian, 16
ufficiale official, 6
ufficio l' (m.), office, 1
uguaglianza l' (f.), equality, 13
uguale equal, 15
ultimamente lately, 10
ultimo l' (m.), last, 3
umanità l' (f.), humanity, 10
umbro Umbrian, 9
undici eleven, 1
unico only, unique, 5
unione l' (f.), union, 6
Unione Europea l' (f.), European Union, 16
unire to unite, to put together, 3
unito united, close, 5
università l' (f.), university, P
universitario university, 10
uno one (number), a / an (article), P
uomo l' (m.), man, 2
uovo l' (m.), egg, 9
urbano local, 11
urlare to shout, 5
urlo l' (m.), shout, 16
usanza l' (f.), custom, 9
usare to use, 1
uscire to go out, 4
uso l' (m.), usage, 3
utile useful, 5
utilizzare to utilize, 13
utilizzo l' (m.), utilizer, 10
utopia l' (f.), utopia, 10
uva l' (f.), grapes, 4

V

vacanza la, vacation, 4
vaccino il, vaccine, 11
vagone letto il, sleeping car, 13
valere to be worth, 6
valido valid, 6
valigia la, suitcase, 10
valle la, valley, 7
valore il, value, 16
valuta la, currency, 6
vaniglia la, vanilla, 14
vantaggio il, advantage, 10
vantaggioso advantageous, 10
vaporetto il, steamboat, 12
varietà la, variety, 8
vario various, 8
variopinto multicolored, 14
vasca la, tub, 6
vaso il, vase, 6
vasto large, 14
vaticano il, Vatican, 4
vecchio old, 2
vedere to see, 1
vedovo il / vedova la, widower, widow, 13
vegano/a vegan, 15
vegetariano vegetarian, 9
vegetazione la, vegetation, 10
veglione il, ball, 9
vela la, sail, 4
veloce fast, 12
velocità la, speed, 8
vendere to sell, 6

vendita la, sale, 12
venditore il, vendor, 11
venerdì il, Friday, 1
Venere Venus, 11
veneto from the Veneto region, 6
venire to come, 4
venti twenty, 1
venticinque twenty-five, 1
ventidue twenty-two, 1
ventinove twenty-nine, 1
ventisei twenty-six, 1
ventisette twenty-seven, 1
ventiquattro twenty-four, 1
ventitré twenty-three, 1
vento il, wind, 4
ventoso windy, 16
ventotto twenty-eight, 1
ventuno twenty-one, 1
veranda la, porch, 6
veramente truly, 7
verbale verbal, 12
verbo il, verb, 4
verde green, 3
verdura la, vegetable, 4
vergognarsi to be ashamed, 13
verificare to check, to happen, P

verificarsi to come true, 6
verità la, truth, 8
vero true, 1
versione la, draft, 1
verso around, line, 4
vestiario il, clothing, 14
vestirsi to get dressed, 4
vestito il, man's suit, dress, 3
vestiti i, clothes, 5
vetrina la, store window, 8
vetro il, glass, 12
via la, street, 1
viaggiare to travel, 10
viaggio il, travel, trip, 3
vicenda la, event
        (**a vicenda** one another), 5
vicino next to, near, 1
video il, video, 4
videogioco il, video game, 8
vietare to forbid, 13
vigile del fuoco il, fireman, 11
vigilia la, eve, vigil, 9
villa la, country house, 3
vincere to win, 7
vincita la, win, 12
villaggio il, resort, 10
villeggiatura la, holiday, 13
vino il, wine, 1

violinista il/la, violin player, 11
violino il, violin, 5
visita la, visit, examination, 14
visitare to visit, 3
viso il, face, 9
visto il, visa, 16
vista la, view, sight, 2
vita la, life, 2
vitamina la, vitamin, 15
vite la, vine, 1
vitello il, veal, 5
vittoria la, victory, 10
vivace lively, 2
vivere to live, 4
vivo alive, 5
viziato spoiled, 8
vocabolario il, vocabulary, P
vocabolo il, word, 8
vocale la, vowel, P
voce la, voice, 10
voglia la, desire, 7
volante flying, 9
volentieri gladly, 7
volere to want, 1
volo il, flight, 10
volontà la, will, 16

volontariato il, volunteer work, 11
volta,
        (**una volta** once,
        due volte twice,
        a volte sometimes), 8
vongole le, clams, 4
vostro your / yours, 5
votare to vote, 12
votazione la, vote, 16
voto il, grade, vote, 8
vuoto empty, 6

W

water il, toilet, 6

Z

zaino lo, backpack, 2
zebra la, zebra, 2
zero lo, zero, 5
zia la, aunt, 10
zio lo, uncle, 5
zitto quiet, 9
zona la, area, zone, 1
zucca la, pumpkin, 9
zucchero lo, sugar, 9

Appendix C Vocabolario inglese–italiano

The English–Italian vocabulary includes most words and expressions used in this book. The meanings are based on the contexts in which they appear within the chapters. Each entry includes the number of the chapter in which a word or expression first appears. The gender of nouns is indicated by the definite article or the abbreviation *m.* or *f.* The masculine form of adjectives is given.

A

abandon (to) abbandonare, 10
abbey badia, la, 14
ability capacità, la, 12
able capace, 9
about riguardo, 6
absent assente, 8
absolute assoluto, 13
absolutely assolutamente, 13
absorb (to) assorbire, 16
absurd assurdo, 15
academy accademia, l' (f.), 3
accept (to) accettare, 7
acceptable accettabile, 15
access accesso, l' (m.), 11
accessibility accessibilità, l' (f.), 14
accessible accessibile, 11
accessory accessorio, l' (m.), 6
accident incidente, l' (m.), 10
accomplish (to) realizzare, 12
according to secondo, 5
accustom (to) abituare, 12
acquaintance conoscente, il/la, 11
acquire (to) acquisire, 12
act atto, l' (m.), 7
action azione, l' (f.), 5
active attivo, 4
activity attività, l' (f.), 2
actor attore, l' (m.), P
actress attrice, l' (f.), P
actually addirittura, 11
ad annuncio, l' (m.), 12
adapt (to) adattarsi, 16
add (to) aggiungere, 9
address indirizzo, l' (m.), 1
address (to) indirizzare, 6
adherent aderente, 6
adjective aggettivo, l' (m.), 3
adjust (to) adeguarsi, 15
administrative amministrativo, 6
admire (to) ammirare, 9
admission ricovero, il, 15
admit (to) ammettere, 10
adolescence adolescenza, l' (f.), 4
adolescent adolescente, l' (m.), 4
adopt (to) adottare, 10
adopted adottivo, 9
adult adulto, l' (m.), 5
advantage vantaggio, il, 10
advantageous vantaggioso, conveniente, 10
adventure avventura, l' (f.), 6
adverb avverbio, l' (m.), 16
advertisement pubblicità, la, 2
advice consiglio, il, raccomandazione, la, 5
advisable consigliabile, 14
advise (to) consigliare, 9

aerobics aerobica, l' (f.), 7
affect (to) influenzare, 6
affection affetto, l' (m.), 5
after dopo, poi, 1
afternoon pomeriggio, il, 2
against contro, 6
age età, l' (f.), 1
agent agente, l' (m.), 6
agreement accordo, l' (m.), sintonia, la, 5
agricultural agricolo, l' (m.), 1
agriculture agricoltura, l' (f.), 1
ahead avanti, 1
ailment disturbo, il, 15
air aria, l' (f.), 6
airline linea aerea, la, 10
airplane aeroplano, l' (m.), 10
airport aeroporto, l' (m.), 1
Albanian albanese, 16
alcoholic alcolico, 7
alienation alienazione, l' (f.), 15
alive vivo, 5
all tutto, P
allegoric allegorico, 9
allow (to) permettere, consentire, 8
almond mandorla, la, 15
almost quasi, 4
alone solo, 4
alphabetic alfabetico, 1
alpine alpino, 7
already già, P
also anche, ancora, 1
alternate alternativo, 7
always sempre, 3
ambition ambizione, l' (f.), aspirazione, l' (f.), 12
ambitious ambizioso, 12
amenities comfort, il, 13
American americano, P
amount quantità, la, 10
amphitheater anfiteatro, l' (m.), 8
analysis analisi, l' (f.), 12
ancient antico, 2
animal animale, l' (m.), 7
animation animazione, l' (f.), 7
animosity animosità, l' (f.), 9
ankle caviglia, la, 10
anniversary anniversario, l' (m.), 5
announce (to) annunciare, 5
announcement annuncio, l' (m.), 3
answer risposta, la, 6
answer (to) rispondere, P
antibiotic antibiotico, l' (m.), 15
any qualunque, 10
anyhow comunque, 4
anxiety ansia, l' (f.), 4
anxious ansioso, 15
aperitif aperitivo, l' (m.), 12
appeal richiamo, il, 4

appear (to) apparire, comparire, 6
appearance aspetto, l' (m.), 5
appetizer antipasto, l' (m.), 5
apple mela, la, 1
appliances elettrodomestici, gli, 6
application domanda, la, 12
apply (to) applicare, richiedere, 15
appoint (to) nominare, 16
appointment appuntamento, l' (m.), 2
appreciate (to) gradire, apprezzare, 5
approach (to) avvicinare, 14
April aprile, 1
arcade porticato, il, 6
archaeological archeologico, 13
architect architetto, l' (m.), 1
architecture architettura, l' (f.), 2
area superficie, la, 7
area code prefisso, il, 11
Argentinean argentino, 1
argue (to) litigare, 5
arm braccio, il, 4
armchair poltrona, la, 6
around in giro, intorno, 8
arrival arrivo, l' (m.), 6
arrive (to) arrivare, 2
art arte, l' (f.), 2
article articolo, l' (m.), 2
artist artista, l' (m.), 1
artistic artistico, 5
ash cenere, la, 16
ask (to) domandare, chiedere, 2
asparagus asparagi, gli (m.), 4
aspect aspetto, l' (m.), 13
aspiration aspirazione, 12
aspirin aspirina, l' (f.), 14
assertion affermazione, l' (f.), 5
assessment accertamento, l' (m.), 15
assist (to) assistere, 5
associate (to) associare, 5
association associazione, l' (f.), 1
assumption supposizione, la, (also Assunzione), l' (f.), 7
astrologer astrologo, l' (m.), 9
astronomy astronomia, l' (f.), 11
astrophysicist astrofisico, l' (m.), 1
at (Internet terminology) @, chiocciola, la, 1
athlete atleta, l' (m./f.), 7
athletic atletico, 3
ATM bancomat, il, 14

atmosphere atmosfera, l' (f.), 5
atmospheric atmosferico, 15
attain (to) ottenere, 10
attend (to) frequentare, 2
attention attenzione, l' (f.), P
attitude atteggiamento, l' (m.), 9
attract (to) attirare, attrarre, 7
audition provino, il, 8
August agosto, P
aunt zia, la, 10
Australian australiano, 1
Austrian austriaco, 6
author autore, l' (m.), 5
autobiography autobiografia, l' (f.), 8
autonomy autonomia, l' (f.), 6
available disponibile, a disposizione, 4
avoid (to) evitare, 4
awake sveglio, 9
award premio, il, 10
awkward impacciato, 10

B

back schiena, la, 15
backpack zaino, lo, 2
bacon pancetta, la, 14
bad male, malvagio, cattivo, P
bag busta, la, 14
bakery panetteria, la, forno, il, 14
balance equilibrio, l' (m.), 15
balcony balcone, il, 6
bald calvo, 3
ball pallone, il, veglione, il, 7
balloon palloncino, il, 5
band gruppo musicale, il, 7
bank banca, la, 2
baptism battesimo, il, 5
barber barbiere, il, 4
bare nudo, 14
Baroque barocco, il, 8
basilica basilica, cattedrale, la, 8
basis base, la, 4
basketball pallacanestro, la, 7
bat mazza, la, 7
bath bagno, il, 6
bathing suit costume da bagno, il, 14
bay baia, la, 11
be (to) essere, stare, 1
beach spiaggia, la, 10
bear orso, l' (m.), 15
bear (to) sopportare, 6
beard barba, la, 3
beautiful bello, 2
beauty bellezza, la, estetica, l' (f.), 3
because perché, 4

become (to) diventare, divenire, assumere, 4
bed letto, il, 4
bedroom camera da letto, la, 6
beef manzo, il, 9
beer birra, la, 4
before prima, 1
begin (to) cominciare, iniziare, incominciare, mettersi, 2
beginning inizio, l' (m.), debutto, il, 6
behave (to) comportarsi, 12
behavior comportamento, il, 15
behind indietro, alle spalle, 10
beige beige, 3
belong (to) appartenere, 6
belt cintura, la, 14
berth cuccetta, la, 13
besides oltre, 7
best ottimo, 7
better meglio, migliore, 1
between tra, 2
beverage bevanda, la, 9
biannual semestrale, 15
bicycle bicicletta, la, 2
big grosso, grande, 2
bill conto, il, 6
billion miliardo, il, 6
biological biologico, 15
biology biologia, la, P
biotechnology biotecnologia, la, 15
birth nascita, la, 5
birthday compleanno, il, 1
bite (to) morsicare, 10
black nero, 3
blackboard lavagna, la, P
bland insipido, 9
bleak squallido, 15
blender frullatore, il, 6
blond biondo, 3
blossom (to) fiorire, 9
blow up (to) esplodere, 9
blue azzurro, blu, 3
boat barca, la, 11
body corpo, il, 15
boiling bollente, 9
bone osso, l' (m.), 15
book libro, il, P
book (to) prenotare, 6
bookcase libreria, la, 6
boots stivali, scarponi, gli, 3
booth cabina, la, 11
border confine, il, frontiera, la, 16
border (to) confinare, 16
boring noioso, 2
both entrambi, 5
bottle bottiglia, la, 5
bottom fondo, il, 14
boundlessly infinitamente, 6
box scatola, la, 14
boxing pugilato, il, 7
boy ragazzo, il, 2
bracelet bracciale, il, 14
brain cervello, il, 16
branch ramo, il, 9
brand marca, la, 9
Brazilian brasiliano, 1

bread pane, il, 4
break (to) rompere, 10
breakfast colazione, la, 4
breathe (to) respirare, 15
breathless ansante, 16
bridge ponte, il, 12
bright luminoso, acceso, 12
bring (to) portare, 3
British britannico, 8
brochure dépliant, il, 10
broken rotto, 12
bronze bronzo, 10
broth brodo, il, 15
brother fratello, il, 5
brother-in-law cognato, il, 5
brown marrone, castano, 3
browned dorato, 9
build (to) costruire, 3
builder costruttore, il, 14
building stabile, lo, 10
burner fornello, il, 6
bullying prepotente, 8
burn (to) bruciare, 13
bury (to) seppellire, 4
bus pullman, il, corriera, la, 13
bush cespuglio, il, 13
business commerciale, commercio, il, affari, gli, 6
busy impegnato, 8
butcher shop macelleria, la, 14
but ma, però, 1
butter burro, il, 9
button bottone, il, 15
buy (to) comprare, 2
biweekly quindicinale, il, 14

C

cadaver cadavere, il, 15
cafeteria mensa, la, 2
calculate (to) calcolare, 9
calculation conto, il, 12
calculator calcolatrice, la, 2
calendar calendario, il, P
call (to) chamare, telefonare, P
called denominato, 10
calm calm, tranquillo, 3
calmness tranquillità, la, 12
caloric calorico, 10
cake torta, la, 4
camping campeggio, il, 13
Canadian canadese, 1
can lattina, la, 13
cancer cancro, il, 11
candle candela, la, cero, il, 5
cap berretto, il, 8
Capricorn capricorno, 10
capture (to) catturare, 12
car automobile, l' (f.), macchina, la, P
carbohydrates carboidrati, i, 15
card carta, cartolina, la, biglietto, il, 4
career carriera, la, 10
carefully attentamente, 5
caretaker badante, il/la, 16
carnival carnevale, il, 9
carpet tappeto, il, 6
cartoon fumetti, cartoni animati, i, 7
case caso, il, 7

cash contante, il, 14
cash register cassa, la, 14
castle castello, il, 7
casual disinvolto, 5
cat gatto, il, P
categorical categorico, 15
category categoria, la, 7
cathedral duomo, il, 14
catholic cattolico, 5
cauliflower cavolfiore, il, 4
cave grotta, la, 16
celebrate (to) festeggiare, celebrare, 5
cellar cantina, la, 6
cement cemento, il, 10
center centro, il, 1
century secolo, il, 2
ceramic ceramica, la, 6
ceremony cerimonia, la, 5
certain sicuro, certo, 5
certainly sicuramente, 11
certainty certezza, la, 2
chair sedia, la, 2
chalk gesso, il, 2
Chamber of deputies Camera dei deputati, la, 16
championship campionato, il, 7
chandelier lampadario, il, 6
change cambio, cambiamento, il, 6
change (to) cambiare, 5
channel canale, il, 7
chapter capitolo, il, 1
character personaggio, il, 3
characteristic caratteristico, 13
charge carica, la, 16
charity beneficenza, la, 12
charming affascinante, incantevole, 3
charter statuto, lo, 6
chat chiacchierata, la, 7
chat (to) chiacchierare, 7
cheap scadente, 5
check assegno, l' (m.), 14
check (to) verificare, controllare, P
cheek guancia, la, 10
cheerful allegro, 3
cheese formaggio, il, 4
chef cuoco, il, 9
chemistry chimica, la, 2
cherry ciliegia, la, 9
cherub cherubino, il, P
chess scacchi, gli, 7
chest petto, il, 15
chiaroscuro chiaroscuro, il, 12
chicken pollo, il, 4
childhood infanzia, l' (f.), 8
children figli, bambini, i, 5
chimney camino, il, P
Chinese cinese, 2
choice scelta, la, 7
cholesterol colesterolo, il, 15
cholesterolemia colesterolemia, la, 15
choose (to) scegliere, 4
chore compito, il, 9
Christian cristiano, 14
Christmas Natale, il, natalizio, 5

Christmas Eve dinner cenone, il, 9
Christianity critianesimo, il, 9
chronic cronico, 15
chronological cronologico, 10
cigarette sigaretta, la, 14
cinema cinema, il, 1
cinnamon cannella, la, 14
circle cerchio, il, ambito, l' (m.), 5
circular circolare, 10
circulation circolazione, la, 6
circumstance circostanza, la, 16
citizen cittadino, il, 16
city città, la, capital city capoluogo, il, P
civilization civiltà, la, 7
clams vongole, le, 4
clandestine clandestino, il, 16
clarity chiarezza, la, 13
clash scontro, lo, 4
class classe, la, 7
classic classico, 3
classmate compagno, il, 2
classroom aula, l' (f.), classe, la, 2
clean pulito, 8
clean (to) pulire, 3
cleaners lavanderia, la, 11
clear chiaro, 3
clear (to) the table sparecchiare, 5
clerk impiegato, l' (m.), 11
clever bravo, 3
client cliente, il, 6
climate clima, il, 13
climb scalata, la, 13
climb (to) salire, 4, arrampicarsi, montare, 8
clinic clinica, la, 15
clock orologio, l' (m.), 2
close vicino, unito, 5
close (to) chiudere, P
closed chiuso, 16
closet armadio, l' (m.), 3
closing chiusura, la, 5
clothes vestiti, i, 5
clothing vestiario, il, abbigliamento, l' (m.), 3
cloudy nuvoloso, 4
club mazza, la, 7
coal carbone, il, 9
coalition coalizione, la, 16
coast costa, la, 10
coastline riviera, la, 2
coat cappotto, il, mantello, il, 5
coffee caffè, il, P
coffee maker macchina da caffè, la, 6
coin moneta, la, 6
coincide (to) coincidere, 14
coinquilino il, housemate, 6
cold freddo, 4
cold raffreddore, il, 14
colleague collega, il/la, 9
collection collezione, la, 7
collide (to) investire, 10
colony colonia, la, 10
color colore, il, 3

color (to) colorare, 8
colored colorato, 9
Colosseum Colosseo, il, 8
column colonna, la, 6
comb (to) pettinare, 4
combination combinazione, la, 12
come (to) venire, 4
comedy commedia, la, 7
comfort benessere, il, comodità, la, 10
comfortable comodo, 6
commemorate (to) rievocare, 9
comment commento, il, 5
comment (to) commentare, 12
common comune, 3
communicate (to) comunicare, 15
communicative comunicativo, 12
communion comunione, la, 5
community comunità, la, comunitario, 6
company compagnia, ditta, la, 7
comparative comparativo, il, 13
compare (to) paragonare, confrontare, 3
comparison paragone, il, 3
competition competizione, la, concorso, il, 10
compile (to) compilare, 5
complain (to) lamentarsi, 8
complete completo, 4
complete (to) completare, 5
completely completamente, 6
complex complesso, 1
complicated complicato, 16
compliment complimento, il, 15
component elemento, l' (m.), 7
compose (to) comporre, 7
composer compositore, il, 2
composition composizione, la, 5
computer science informatica, l' (f.), 2
concern (to) riguardare, 7
concert concerto, il, 2
concise succinto, 6
concisely brevemente, 12
conclude (to) concludere, 5
conclusion conclusione, la, 7
concrete concreto, 11
condition condizione, la, 2
condition (to) condizionare, 15
conditional condizionale, il, 12
conditioned condizionato, 6
conditioning condizionamento, il, 12
condominium condominio, il, 15
cone cono, il, 6
confer (to) conferire, 14
conference conferenza, la, congresso, il, 1
confess (to) confessare, 16
confetti coriandoli, i, 9
confidence fiducia, la, 10
confirm (to) confermare, 7

confirmation conferma, la, 5
confused confuso, 13
confusion confusione, la, 1
congratulation congratulazione, la, 5
conjugate coniugare, 7
connect (to) connettere, 12
connection connessione, coincidenza, la, 10
conquer (to) conquistare, 7
conscience coscienza, la, 15
consider (to) considerare, riflettere, 1
considerable notevole, 6
consideration considerazione, la, 6
consist (to) consistere, 8
consistent consistente, 5
consolidate (to) consolidare, 15
consonant consonante, la, P
constitution costituzione, la, 16
construction costruzione, la, 6
consult (to) consultare, 6
consume (to) consumare, 15
contact contatto, il, 12
contact (to) contattare, 6
contain (to) contenere, 4
container contenitore, il, 14
contemporary contemporaneo, 7
context contesto, il, 2
continent continente, il, 8
continue (to) continuare, proseguire, 12
continuously continuamente, 7
contradict (to) contraddire, 7
contribute (to) contribuire, 10
contribution apporto, l' (m.), contributo, il, 14
convenience convenienza, la, 14
convenient conveniente, 6
convent convento, il, 3
conversation conversazione, la, P
convey (to) trasmettere, 14
convince (to) convincere, 6
convincing convincente, 12
cook (to) cuocere, 9
cooked cotto, 9
cookie biscotto, il, 4
cool fresco, 4
cooperate collaborare, 11
copayment ticket, il, 15
copper rame, il, 15
corner angolo, l' (m.), 8
correct corretto, giusto, 5
correct (to) correggere, 5
correspond (to) corrispondere, 3
corresponding corrispondente, il, equivalente, 7
corridor corridoio, il, 8
cosmos cosmo, il, 11
cost costo, il, 6
cost (to) costare, 3
costume costume, il, 4
cotton cotone, il, 14
cough tosse, la, 15
Council Consiglio, il, 16

count (to) contare, 11
counter bancone, il, 14
countess contessa, la, 5
country Paese, il, 1
countryside campagna, la, 4
couple coppia, la, 10
courage coraggio, il, 16
course corso, il, 11
court corte, la, 3
courtesan cortigiano, il, 4
courtyard cortile, il, 5
cousin cugino, il, cugina, la, 5
cover (to) coprire, ricoprire, 13
cozy accogliente, 6
crazy pazzo, matto, 8
crane gru, la, 11
cream panna, la, 9
create (to) creare, 1
creation creazione, la, 6
creative creativo, 12
creativity creatività, la, 12
credit credito, il, 11
crime crimine, il, 11
cross (to) attraversare, 8
crossroad traversa, la, 14
crowd folla, la, 14
crowded affollato, 8
crucial determinante, 8
cruise crociera, la, 13
cry (to) piangere, 8
crystal cristallo, il, 6
cube cubo, il, 6
cultural culturale, 6
culture cultura, la, 2
cup tazza, la, 9
cura la, rimedio, il, 15
cure (to) curare, 5
curious curioso, 6
curly riccio, 3
currency moneta, valuta, la, 6
current attuale, 6
curvature curvatura, la, 14
custom usanza, l' (f.), 9
cut taglio, il, 12
cut (to) tagliare, 6
cute carino, 6
cutlet scaloppina, la, 9
cycling ciclismo, il, 7

D

dad papà, babbo, il, 5
daily giornaliero, giornalmente, quotidiano, il, 4
damage (to) danneggiare, 15
dance ballo, il, danza, la, 7
dance (to) ballare, 3
dancer ballerino, il, 8
dangerous pericoloso, 13
dark scuro, 3
data dati, i, 1
date data, la, P
daughter figlia, la, 5
dawn alba, l' (f.), 7
day giorno, il, giornata, la, P
dead morto, 5
deal (to) trattare, 5
dear costoso, caro, gentile, egregio, 3
December dicembre, 1
decide (to) decidere, 5
decision decisione, la, 10

deckchair sdraio, la, 13
decline (to) tramontare, 11
decorate (to) addobbare, ornare, 9
decorated adornato, 3
decorative decorativo, 14
dedicate (to) dedicare, 5
defense difesa, la, 12
definitely certo, definitivamente, 4
definition definizione, la, 7
degree laurea, la, diploma, il, 5
deign (to) degnarsi, 15
delay ritardo, il, 11
deli rosticceria, salumeria, la, 9
deliberately apposta, 16
delicacy delizia, la, 8
delicious squisito, 9
deliver (to) recapitare, 11
delude (to) illudere, 16
delusion illusione, l' (f.), 16
democracy democrazia, la, 16
democratic democratico, 16
demographic demografico, 5
demonstrative dimostrativo, 8
den studio, lo, 6
denomination banconota, la, 6
dense denso, 11
dentist dentista, il/la, 1
department store grandi magazzini, i, 10
departure partenza, la, 6
depend (to) dipendere, 3
deposit (to) depositare, 14
depressed depresso, 15
deputy deputato, il, 12
describe (to) descrivere, 4
description descrizione, la, 3
deserted deserto, 9
design (to) disegnare, progettare, 6
designate (to) designare, 2
designer stilista, lo/la, 3
desire voglia, la, desiderio, il, 7
desire (to) desiderare, 2
desk banco, il, scrivania, la, 2
despair (to) disperare, 16
desperate disperato, 10
dessert dolce, il, 4
destination meta, la, 9
destroy (to) distruggere, 8
destruction distruzione, la, 15
detail particolare, il, 2
develop (to) sviluppare, 8
developing emergente, 16
development sviluppo, lo, 8
devout devoto, 14
diagnostic diagnostico, 15
dialect dialetto, il, 6
dialogue dialogo, il, 5
diary diario, il, 7
dictatorial dittatoriale, 16
dictionary dizionario, il, P
diet dieta, la, 15
difference differenza, la, 6

differentiation differenziazione, la, 12
difficult difficile, 2
difficulty stento, lo, difficoltà, la, 13
dig (to) scavare, 16
digital digitale, 13
dilemma dilemma, il, 14
diligent diligente, 8
dine (to) cenare, pranzare, 11
direct diretto, 5
direction regia, la, indicazione, l' (f.), 7
directly direttamente, 7
director direttore, il, regista, il/la, P
dirty sporco, 8
disadvantage svantaggio, lo, 10
disappear (to) scomparire, 15
disappointment delusione, la, 16
disapproval dissenso, il, 10
disaster disastro, il, 16
discipline disciplina, la, 7
disco discoteca, la, 4
discount sconto, lo, riduzione, la, 9
discover (to) scoprire, 16
discovery scoperta, la, 11
discretion discrezione, la, 13
discriminate (to) discriminare, 16
discriminating discriminante, 12
discrimination discriminazione, la, 16
discuss (to) discutere, 3
dish pietanza, la, piatto, il, 4
dishwasher lavastoviglie, la, 6
display manifestazione, la, 5
display, (to) manifestare, esporre, 16
disposal disposizione, la, 12
dissatisfaction insoddisfazione, l' (f.), 12
distance distanza, la, 14
distant distante, 10
distinction distinzione, la, 12
distinguished distinto, 6
distinctive caratteristico, 7
distress angoscia, l' (f.), 15
district contrada, la, 9
diversity diversità, la, 6
divide (to) dividere, 5
divorce divorzio, il, 5
divorce (to) divorziare, 10
divorced divorziato, 5
do (to) fare, 1
doctor dottore, il, dottoressa, la, medico, il, P
document documento, il, 6
dog cane, il, 8
doll bambola, la, 8
dollar dollaro, il, 6
dome cupola, la, 5
Dominican domenicano, 3
door porta, la, 2
doorman portinaio, il, 11
Dorian dorico, 16
dormant sopito, 10
dot punto, il, 1

double doppio, 6
doubt dubbio, il, incertezza, l' (f.), 4
doubt (to) dubitare, 11
drag (to) trascinare, 8
draft versione, stesura, la, 1
dramatic drammatico, 7
draw (to) disegnare, 2
drawing disegno, il, 5
draw (to) disegnare, 2
dreadful orrendo, 15
dream sogno, il, 10
dream (to) sognare, 8
dress abito, l' (m.), 14
drink (to) bere, 4
drive (to) guidare, 8
driving license patente, la, 10
drug droga, la, 16
drums batteria, la, 7
due debito, il, 14
dull opaco, 10
dumbfounded interdetto, 15
dune duna, la, 13
duplex bifamiliare, il, 16
during durante, nel corso, 1
dust polvere, la, 13
dust (to) spolverare, 5
duty dovere, il, 5
dwarf nano, il, 8
dwelling abitazione, l' (f.), 6
dye tinta, la, 14
dynamic dinamico, 1

E

each ciascuno, ognuno (**each other** a vicenda), 5
ear orecchio, l' (m.), 5
earring orecchino, l' (m.), 14
earn (to) guadagnare, 11
earthquake terremoto, il, 14
easiness facilità, la, 13
east oriente, est, l' (m.), 2
Easter Pasqua, la, 9
eastern orientale, 7
easy facile, 2
easily facilmente, 5
eat (to) mangiare, pranzare, 2
eatery trattoria, la, 9
echo eco, l' (f.), 9
ecological ecologico, 12
ecology ecologia, l' (f.), 12
economic economico, 5
economy economia, l' (f.), 2
ecosystem ecosistema, l' (m.), 15
educational scolastico, educativo, 8
effect effetto, l' (m.), 11
effective efficace, 11
efficient efficiente, 12
egg uovo, l' (m.), 9
eight otto, 1
eighteen diciotto, 1
eighty ottanta, 1
elderly anziano, l' (m.), 3
elect (to) eleggere, 16
elective facoltativo, 8
election elezione, l' (f.), 16
electrician elettricista, l' (m.), 12
electrify (to) elettrizzare, 14

elegant elegante, 2
elementary elementare, 5
elevator ascensore, l' (m.), 6
eleven undici, 1
eliminate (to) eliminare, 12
e-mail indirizzo elettronico, l', 1
embroidery ricamo, il, 11
emerald smeraldo, lo, 10
emergency room pronto soccorso, il, 10
emigrant emigrante, l' (m./f.), 16
emigrate (to) emigrare, 16
emigration emigrazione, l' (f.), 7
emperor imperatore, l' (m.), 2
empty vuoto, 6
empty (to) svuotare, 13
enclose (to) rinchiudere, allegare, 3
encourage (to) incoraggiare, 10
end fine, la, 7
end (to) terminare, finire, 9
endless interminabile, 8
endure (to) subire, 16
energy energia, l' (f.), 10
engagement impegno, l' (m.), 10
engineer ingegnere, l' (m.), 5
engineering ingegneria, l' (f.), 2
English inglese, 1
enjoy (to) godere, 7
enlargement ingrandimento, l' (m.), 11
enrich (to) arricchire, 8
enrichment arricchimento, l' (m.), 16
enroll (to) iscriversi, 1
enter (to) entrare, 2
enterprise iniziativa, l' (f.), 12
enthusiasm entusiasmo, l' (m.), passione, la, 7
entire intero, 10
entirely interamente, 3
environment ambiente, l' (m.), 4
environmentalist ambientalista, l' (m./f.), 12
envy (to) invidiare, 12
Epiphany Epifania, l' (f.), 9
episode episodio, l' (m.), 3
equal uguale, 15
equality uguaglianza, l' (f.), 13
equipment attrezzatura, l' (f.), 13
eraser cancellino, il, gomma, la, 2
err (to) sbagliare, 11
errands commissioni, le, 7
error errore, l' (m.), 2
eruption eruzione, l' (m.), 13
especially specialmente, 4
espresso espresso, l' (m.), 4
essay saggio, il, 11
establish affermarsi, 9
estranged estraniato, 15
eternal eterno, 8
ethnic etnico, 16
Etruscan etrusco, 9
euro euro, l' (m.), 6
European europeo, 2
European Union Unione Europea, l' (f.), 16
evangelic evangelico, 3

eve vigilia, la, 9
evening sera, serata, la, P
event avvenimento, l' (m.), manifestazione, la, 5
ever mai, 4
every ogni, 2
everyone tutti, 6
everything tutto, P
everywhere dappertutto, 8
evident evidente, 4
exactly esattamente, 10
exaggerate (to) esagerare, 15
exam esame, l' (m.), 6
examine (to) esaminare, 11
example esempio, l' (m.), 2
excavation scavo, lo, 16
excellent prelibato, eccellente, 9
except tranne, 14
exceptional eccezionale, 5
excessive eccessivo, 6
exchange scambio, lo, cambio, il, 1
exchange (to) scambiare, 9
excited emozionato, 8
exclude (to) eliminare, escludere, 5
exclusively esclusivamente, 2
excursion gita, la, 7
excuse scusa, la, pretesto, il, 5
executive esecutivo, l' (m.), 16
exercise ginnastica, la, 10
exercise (to) esercitare, 4
exhausted esausto, 8
exhibit (to) esporre, 9
exhortation esortazione, l' (f.), 7
exile esilio, l' (m.), 16
exist (to) esistere, 6
exoticism esotismo, l' (m.), 14
explain (to) spiegare, 2
exploitation sfruttamento, lo, 16
export esportazione, l' (f.) 16
export (to) esportare, 16
exposition esposizione, l' (f.), 1
expound (to) illustrare, 12
expect (to) aspettarsi, 6
expected previsto, 4
expense costo, il, 6
expensive costoso, 5
express (to) esprimere, 3
expression espressione, l' (f.), P
experience esperienza, l' (f.), 7
expert esperto, 3
explore (to) esplorare, 12
expressway autostrada, l' (f.), 8
exotic esotico, 13
extend (to) estendere, 7
extended allargato, 5
extraterrestrial extraterrestre, 15
extrovert estroverso, 3
eye occhio, l' (m.), P
eyeglasses occhiali, gli, 3
eyelash ciglio, il, P

F

fabulous favoloso, 10
facade facciata, la, 9

face faccia, la, viso, il, 5
face (to) affrontare, 12
factor fattore, il, 11
factory stabilimento, lo, fabbrica, la, 1
false falso, 1
fall caduta, la, 16
fall (to) cadere, 7
family famiglia, la, P
family member familiare, 5
famous famoso, celebre, 1
fan tifoso, il, 7
fantastic spettacolare, fantastico, 9
far lontano, 2
farm fattoria, la, 6
farm (to) coltivare, 1
farmhouse cascina, la, 6
farming coltivazione, la, 15
fascinated affascinato, 16
fascism fascismo, il, 16
fascist fascista, il/la, 16
fast veloce, 12
fat grasso, 2
father padre, il, 2
father-in-law suocero, il, 5
faucet rubinetto, il, 15
fault colpa, la, 8
fauna fauna, la, 15
favor favorire, 10
favorable favorevole, 16
favorite preferito, 3
fear paura, la, spavento, lo, 8
fear (to) temere, 15
feature caratteristica, la, 3
feather penna, la, P
February febbraio, 1
federal federale, 16
federation federazione, la, 10
feel (to) sentirsi, provare, 5
feeling sentimento, il, 8
female femmina, la, 12
feminine femminile, 2
fencing scherma, la, 7
ferment fermento, il, 14
ferry traghetto, il, 13
fertile fertile, 6
festival sagra, la, 9
festivity festa, la, 1
festoon festone, il, 14
fever febbre, la, 7
few pochi/e, qualche, 3
fiancé fidanzato, il, 10
field campo, settore, il, 2
fifteen quindici, 1
fifth quinto, 6
fiftieth cinquantesimo, 5
fifty cinquanta, 1
fight (to) combattere, 12
figure figura, la, 8
final finale, 1
finally infine, 7
find (to) trovare (to find out, scoprire), 3
finger dito, il, 10
fine multa, la, 13
finish (to) finire, 3
fireman vigile del fuoco, il, 11
fireplace caminetto, il, 12
fireworks petardi, i, 9
firm azienda, l' (m.), 12

first primo, 1
fish pesce, il, 4
five cinque, 1
fixation fisima, la, 15
fixed fisso, 9
fizzy gassato, 15
flag bandiera, la, 9
flight volo, il, 10
floor piano, il, pavimento, il, 6
flora flora, la, 15
flower fiore, il, 2
flowing fluido, 10
flu influenza, l' (f.), 15
fluid liquido, 2
flying volante, 9
fog nebbia, la, 4
foggy nebbioso, 15
folklore folclore, il, 15
follow (to) seguire, 3
following seguente, successivo, 5
fond affezionato, 10
foolishly stupidamente, 16
food cibo, il, 4
foot piede, il, 1
forbid (to) vietare, proibire, 13
forbidden proibito, 9
forecast previsioni, le, 4
forefront avanguardia, l' (f.), 15
forehead fronte, la, 14
foreign straniero, lo, estero, 1
foreign languages lingue straniere, le, 2
forest foresta, la, 15
forget (to) dimenticare, 5
fork forchetta, la, 9
form modulo, il, scheda, la, 5
form (to) formare, 5
formal formale, 1
formidable formidabile, 15
forming formazione, la, 12
formulate (to) formulare, 7
fortunate fortunato, 7
fortune fortuna, la, 8
fortune-teller indovino, l' (m.), 11
forty quaranta, 1
forum foro, il, 8
found (to) fondare, 8
fountain fontana, la, 2
four quattro, 1
fourteen quattordici, P
fragment frammento, il, 5
free libero, gratis, gratuito, 3
freely liberamente, 16
freedom libertà, la, 9
French francese, 1
French fries patatine, le, 4
frenzied frenetico, 9
frenzy frenesia, la, 7
frequency frequenza, la, 3
fresco fresco, 3
fresco (to) affrescare, 4
fresh fresco, 4
Friday venerdì, 1
friend amico, l' (m.), P
friendly socievole, amichevole, 3
friendship amicizia, l' (f.), 5

fright spavento, lo, 16
frighten (to) spaventare, 16
fruit frutta, la, 4
full pieno, 13
fumble (to) armeggiare, 12
function funzione, la, 8
funding finanziamento, il, 15
funny buffo, divertente, 2
furnish (to) arredare, 6
furnishing arredamento, l' (m.), 6
furniture mobili, i, 5
future futuro, il, avvenire, l' (m.), 11
futurism futurismo, il, 1
futurist futurista, il, 1

G

gallery galleria, la, 3
game gioco, il, partita, la, 1
garage garage, il, 1
garbage spazzatura, la, rifiuti, i, 5
garden giardino, il, 3
gardening giardinaggio, il, 5
garlic aglio, l' (m.), 9
gas gas, il, 15
gasoline benzina, la, 13
gastronomic gastronomico, 10
gate sbarra, la, 13
gather (to) radunare, 8
gather (to) ritrovarsi, 7
genealogical genealogico, 5
general generale, 4
generally generalmente, in genere, 2
generous generoso, 3
generation generazione, la, 5
genetically modified transgenico, 15
gentle gentile, 3
genuine genuino, 13
genuineness genuinità, la, 15
geographical geografico, 14
geography geografia, la, P
German tedesco, 1
Germany Germania, la, 9
gerund gerundio, il, 11
gesture gesto, il, 10
ghetto ghetto, il, P
ghostlike spettrale, 16
gift regalo, il, 11
girl ragazza, bambina, la, 2
give (to) dare, donare, 1
glacier ghiacciaio, il, 7
gladly volentieri, 7
glance occhiata, l' (f.), 14
glass bicchiere, vetro, il, 5
global warming riscaldamento globale, il, 15
glorious glorioso, 4
gloves guanti, i, 14
glycemia glicemia, la, 15
go (to) andare, 1
gold oro, l' (m.), 5
golden dorato, 9
gondola gondola, la, 12
good buono, P
gorge (to) fare una scorpacciata, 16
Gothic gotico, 2

government governo, il, regime, il, 16
grade voto, il, 8
graduate (to) laurearsi, diplomarsi, 5
grammar grammatica, la, 1
grandchild nipote, il/la, 5
grandfather nonno, il, 5
grandmother nonna, la, 5
grapes uva, l' (f.), 4
grass erba, l' (f.), 6
grate (to) grattugiare, 9
gray grigio, 3
great grande, 1
great-grandparents bisnonni, i, 5
Greek greco, 1
green verde, 3
greengrocer fruttivendolo, il, 14
greenhouse serra, la, 11
greet (to) salutare, 9
greeting augurio, l' (m.), saluto, il, P
grilled grigliato, 9
grocery alimentari, gli, 14
growth crescita, la, 5
guard sorvegliante, il/la, 13
guardian protettore, il, 12
guess (to) indovinare, 5
guest ospite, l' (m./f.), invitato, l' (m.), 4
guide guida, la, P
guided guidato, 10
guitar chitarra, la, 2
gulf golfo, il, 11
gym palestra, la, 7

H

habit abitudine, l' (f.), 4
hair capelli, i, 3
hairdresser parrucchiere, il/la, 11
hair dryer asciugacapelli, l' (m.), 7
half metà, 8
hall sala, la, salone, il, 2
ham prosciutto, il, 2
hammer martello, il, 12
hand mano, la, 9
hand (to) consegnare, porgere, 13
handbag borsa, la, 2
handicapped invalido, 15
handicraft artigianato, l' (m.), 15
handkerchief fazzoletto, il, 14
hang (to) appendere, 9
happen (to) succedere, avvenire, svolgere, verificare, 7
happy lieto, contento, felice, allegro, 1
happiness felicità, la, 9
hard duro, 6
harm (to) nuocere, 10
harmful nocivo, 15
haste fretta, la, 8
hat cappello, il, 14
hate (to) odiare, 8
have (to) avere, disporre, 1, dovere, 5

head capo, il, testa, la, 8
health salute, la, 4
health care sanità, la, assistenza sanitaria, l' (f.), 15
healthy sano, 15
hear (to) sentire, 7
heart cuore, il, 3
heat caldo, il, 6
heating riscaldamento, il, 8
heaven paradiso, il, 9
heavy pesante, intenso, 7
heel tacco, il, 14
hellish infernale, 11
hello ciao, salve, P
help aiuto, l' (m.), 4
help (to) aiutare, 6
her/hers suo, 5
herbs erbe aromatiche, le, 15
heritage patrimonio, il, 10
hide (to) nascondere, 16
hidden nascosto, 10
high alto, elevato, 1
higher superiore, 8
highest massimo, 4
hill collina, la, colle, il, 1
hint suggerimento, il, 6
his suo, 8
historic storico, 2
history storia, la, 2
hit (to) colpire, 15
hold (to) tenere, 1
holiday festività, villeggiatura, la, ferie, le, 9
holy santo, 14
home casa, la, P
homeland patria, la, 5
homeless senzatetto, il, 12
homemade casalingo, 9
homemaker casalinga, la, 5
homesickness nostalgia, la, 8
homework compito, il, 2
homogeneity omogeneità, l' (f.), 16
homogenize (to) omogeneizzare, 15
honest onesto, 3
honeymoon viaggio di nozze, il, luna di miele, la, 5
honor onore, l' (m.), 9
honor (to) rispettare, 4
hope speranza, la, 9
horoscope oroscopo, l' (m.), 11
horse cavallo, il, 5
horrible orribile, 10
hospital ospedale, l' (m.), ospedaliero, 1
hostel ostello, l' (m.), 13
hot caldo, 4
hotel albergo, l' (m.), alberghiero, 8
hour ora, l' (f.), 3
house casa, la, P
housekeeper governante, la, 8
household domestico, 6
housework faccende, le, 5
housing sistemazione, la, 6
how come, P
how much quanto, 3
hug (to) abbracciare, 5
huge enorme, 10
Humanities lettere, le, 2

humanity umanità, l' (f.), 10
hunger fame, la, 4
hunting caccia, la, 16
hurry (to) sbrigarsi, 11
husband marito, il, 5
hybrid car macchina ibrida, la, 15
hydrofoil aliscafo, l' (m.), 13
hypermarket ipermercato, l' (m.), 14
hypochondriac ipocondriaco, 15
hypothesis ipotesi, l' (f.), 4

I

ice ghiaccio, il, 7
ice cream gelato, il, P
idea idea, l' (f.), 11
ideal ideale, 9
idealistic idealista, 12
identical identico, 6
identify (to) identificare, 7
identità identità, l' (f.), 13
ideology ideologia, l' (f.), 16
idiot idiota, 15
illegal illegale, 16
illegitimate illegittimo, 5
illness malanno, il, malattia, la, 10
image immagine, l' (f.), 8
imaginary immaginario, 7
imagination fantasia, immaginazione, la, 7
imagine (to) immaginare, 5
immediate immediato, 11
immerse (to) immergere, 6
immersion immersione, l' (f.), 13
immigrant immigrato, il/la, 16
immigration immigrazione, l' (f.), 16
immortalize (to) immortalare, 3
impact impatto, l' (m.), 15
imperative imperativo, l' (m.), 9
imperfect imperfetto, l' (m.), 8
impersonal impersonale, 7
importance importanza, l' (f.), 9
important importante, 1
impossible impossibile, 15
improve (to) migliorare, perfezionare, 7
improvisation improvvisazione, l' (f.), 9
include (to) comprendere, incorporare, includere, 6
income reddito, il, 15
increase aumento, l' (m.), 6
incredible incredibile, 10
incurable incurabile, 15
indefinite indeterminativo, indefinito, 2
independence indipendenza, l' (f.), 1
independent indipendente, 8
indicative indicativo, 16
indirect indiretto, 9
indispensable indispensabile, 15
industrial industriale, 1
industrialized industrializzato, 11
industry industria, l' (f.), 1

inequality ineguaglianza, 13
infatuation infatuazione, l' (f.), 15
infection infezione, l' (f.), 15
infer (to) dedurre, 14
infinite infinito, l' (m.), 3
inform (to) informare, 7
informal informale, 1
influence influenza, l' (f.), 4
influence (to) influire, 15
influential influente, 8
information informazione, la, 1
infuse (to) infondere, 9
initial iniziale, 9
inquiry inchiesta, l' (f.), 16
insert (to) inserire, 11
insist (to) insistere, 8
insomnia insonnia, l' (f.), 15
inspire (to) ispirare, 12
installment rata, la, 11
instead invece, 1
institute istituto, l' (m.), 2
instrument strumento, lo, 2
integrate (to) integrarsi, inserirsi, 15
integration integrazione, l' (f.), inserimento, l' (m.), 6
intellectual intellettuale, il/la, 7
intelligent intelligente, 3
intensive intenso, 8
intention intenzione, l' (f.), 6
interchangeable interscambiabile, 12
interior interno, 13
interest (to) interessare, 7
interesting interessante, 2
interior decorator arredatore/ arredatrice, l' (m./f.), 11
internal interno, 8
international internazionale, 7
Internet connection connessione Internet, la, 13
interplanetary interplanetario, 11
interrogation interrogazione, l' (f.), 8
interview intervista, l' (f.), colloquio, il, 4
interview (to) intervistare, 1
interviewee intervistato, l' (m.), 15
intransigent intransigente, 4
introduce (to) presentare, introdurre, 1
introduction presentazione, la, 1
intruder intruso, l' (m.), 1
invent (to) inventare, 7
invest (to) investire, 6
invitation invito, l' (m.), 5
invite (to) invitare, 5
Iranian iraniano, 1
irregular irregolare, 6
iron ferro, il, 4
iron (to) stirare, 5
ironic ironico, 11
irresistible irresistibile, 4
island isola, l' (f.), 4
isolated isolato, 15
issue questione, la, 12
Italian italiano, P
italics corsivo, il, 8

Italy Italia, l' (f.), P
item capo, il, 14

J

jacket giacca, la, 3
jail carcere, il, 16
jam marmellata, la, 14
January gennaio, P
Japanese giapponese, 1
jar barattolo, il, 14
jealous geloso, 8
jeans jeans, i, 3
jewel gioiello, il, 10
jewelry gioielli, i, 5
jewelry store gioielleria, la, 14
job lavoro, il, 5
jogging footing, il, 7
joke (to) scherzare, 8
joking scherzoso, 11
jolt sobbalzo, il, 16
journalism giornalismo, il, 2
journalist giornalista, il/la, 6
journey percorso, il, 10
joyful gioioso, 14
juice succo, il, 4
July luglio, P
jump salto, il, 12
jump (to) saltare, balzare, 8
Jupiter Giove, 11
justify (to) giustificare, motivare, 5

K

keep (to) conservare, 6
key chiave, la, 5
kid ragazzo, il, 1
kilometer chilometro, il, 3
kindness bontà, gentilezza, la, 5
king re, il, 14
kingdom regno, il, 14
kinship parentela, la, 5
kiss bacio, il, 10
kiss (to) baciare, 10
kitchen cucina, la, 6
kiwi kiwi, il, 9
knee ginocchio, il, 15
knife coltello, il, 9
know (to) sapere, conoscere, P
knowledge conoscenza, la, 10
Korean coreano, 1

L

labor union sindacato, il, 16
lack mancanza, la, 16
Ladin ladino, 6
lake lago, il, 3
lamb agnello, l' (m.), 9
lamp lampada, la, 6
landscape paesaggio, il, 4
language lingua, la, P
large largo, grosso, vasto, 9
lasagna lasagne, le, P
last ultimo, l' (m.), 3
last (to) durare, 9
lastly finalmente, 8
late tardi, 1
lately ultimamente, 10
later più tardi, 1
laughter risata, la, 7

laundry bucato, il, 5
lava lava, la, 14
lavish fastoso, 14
law giurisprudenza, legge, la, 2
lawyer avvocato, l' (m.), 1
layer strato, lo, 15
layout piantina, la, 6
lazy pigro, 3
leadership primato, il, 15
lean (to) appoggiarsi, 8
learn (to) imparare, 2
leather la, pelle, 14
leave (to) lasciare, partire, 2
left sinistra, la, 2
leg gamba, la, 10
legal legale, 11
lend (to) prestare, 10
lemon limone, il, 9
lenient permissivo, tollerante, 3
Lent Quaresima, la, 9
letter lettera, la, 2
level livello, il, 2
liberation liberazione, la, 9
library biblioteca, la, 2
lie bugia, la, 8
life vita, la, 2
light luce, la, leggero, 2
lighted illuminato, 14
lightning fulmine, il, 10
limit limite, il, 4
limit (to) limitare, 4
limited limitato, 8
line verso, il, linea, la, 8
linen biancheria, la, lino, il, 6
linger (to) intrattenersi, 13
linguistic linguistico, 2
link legame, il, 5
link (to) collegare, abbinare, 5
lips labbra, le, 13
list lista, la, elenco, l' (m.), 5
list (to) elencare, 6
listen (to) ascoltare, P
liter litro, il, 15
literally letteralmente, 10
literature letteratura, la, 2
little poco, 1
live (to) abitare, 2
lively energico, movimentato, 2
local locale, urbano, 11
location posizione, la, 13
logical logico, 9
loneliness solitudine, la, 8
long lungo, 3
look aspetto, 6
look (to) guardare, 1
look for (to) cercare, 2
look like (to) somigliare, 5
lose (to) perdere, 6
lord signore, il, 4
lotion crema, la, 13
lottery lotteria, la, lotto, il, 7
love amore, l' (m.), 7
love (to) amare, 3, voler bene, 7
lover innamorato, 9
loving affettuoso, 5
lower inferiore, 14
lower (to) diminuire, 12
lowest minimo, 4
luck fortuna, sorte, la, 10
luggage bagaglio, il, 10

lung polmone, il, 9
luxurious lussuoso, signorile, 3
luxury lusso, il, 6
lyric lirico, 3

M

magazine rivista, la, 14
magnificent magnifico, 10
maid cameriera, la, 8
mail posta, la, 4
mail (to) spedire, imbucare, 5
mailbox cassetta delle lettere, la, 14
main principale, 5
majestic maestoso, 8
majesty maestà, la, 8
major maggiore, 5
majority maggioranza, la, 6
male maschio, il, 11
mall centro commerciale, il, 14
man uomo, l' (m.), 2
management amministrazione, l' (f.), 11
manager dirigente, il, 12
manner maniera, modalità, la, 5
many molto, 3
map carta geografica, mappa, piantina, la, 2
marble marmo, il, 3
March marzo, 1
marine marino, 7
marital status stato civile, lo, 1
mark (to) segnare, 5
market mercato, il, 9
married sposato, 5
marry (to) sposare, 5
masculine maschile, 2
mask maschera, la, 9
mass messa, la, 9
masterpiece capolavoro, il, 8
match (to) abbinare, 6
materialistic materialista, il/la, 3
maternal materno, 5
matter (to) importare, 7
mature maturo, 4
maybe forse, 5
mayonnaise maionese, la, 9
mayor sindaco, il, 12
meal pasto, il, 4
mean (to) significare, P
meaning significato, il, 13
means mezzo, 8
meanwhile intanto, 5
measure misura, 7
measure (to) misurare, 14
meat carne, la, 4
mechanic meccanico, il, 11
mechanical meccanico, 7
medal medaglia, la, 10
mediate (to) mediare, 16
mediation mediazione, la, 4
medical sanitario, 15
medicine farmaco, il, medicina, la, 15
medieval medioevale, 2
Mediterranean mediterraneo, il, 14
meet (to) incontrare, 2
meeting riunione, la, 5

meeting incontro, l' (m.), 7
melon melone, il, 9
melt (to) sciogliere, 9
member membro, il, 6
memory ricordo, il, memoria, la, 8
mentality mentalità, la, 16
mention (to) menzionare, 6
menu menù, il, 7
merchandise merce, la, 12
merchant negoziante, il/la, 11
mess disordine, il, 5
message messaggio, il, 4
messy disordinato, 6
metal metallo, il, metallico, 11
meter metro, il, 1
Mexican messicano, 1
micro-organism microrganismo, il, 7
microwave microonde, il, 6
midday mezzogiorno, il, 4
middle mezzo, medio, metà, la, 7
midnight mezzanotte, la, 4
migration migrazione, la, 16
Milanese milanese, 3
milk latte, il, 4
million milione, il, 6
mimosa mimosa, la, 9
mind mente, la, 8
mineral minerale, 4
minister ministro, il, 8
minority minoranza, la, 6
minus meno, 1
mirror specchio, lo, 4
mishap inconveniente, l' (m.), 10
miss mancare, perdere, 1
mistake (to) sbagliare, 11
mistrust (to) diffidare, 14
model modello, il, 11
moderate discreto, 13
moderately moderatamente, 15
modern moderno, 2
modernity modernità, la, 13
modest modesto, 8
modify (to) modificare, 15
mom mamma, la, 5
moment momento, il, 7
monarch sovrano, il, 14
monarchy monarchia, la, 16
Monday lunedì, P
monetary monetario, 6
money soldi, quattrini, i, 6
month mese, il, P
monument monumento, il, 6
moped motorino, il, 8
more più, 1
morning mattina, la, mattutino, 2
mortgage mutuo, il, 6
mosaic mosaico, il, 2
mother madre, la, 2
mother-in-law suocera, la, 1
motionless statico, 1
motorboat motoscafo, il, 13
motorcycle motocicletta, la, 8
mountain montagna, la, P
mountainous montagnoso, 7
mouth bocca, la, 8
move (to) muovere, cambiare,

circolare, spostarsi, traslocare, 6
movement movimento, il, 8
mozzarella mozzarella, la, 16
mushroom funghi, i, 9
music musica, la, P
multicolored variopinto, 14
multiethnic multietnico, 6
muscular muscoloso, 10
museum museo, il, 2
musician musicista, il/la, P
my mio, 5
mystic mistico, 10
mysticism misticismo, il, 9
myth mito, il, 11

N

nail unghia, l' (f.), 11
name nome, il, (last name cognome, il), P
napkin tovagliolo, il, 9
narcissus narciso, il, 9
narrator narratore/narratrice, il/la, 8
narrow stretto, 2
nation nazione, la, P
national nazionale, 4
nationality nazionalità, la, P
natural naturale, 2
naturalism naturalismo, il, 9
naturally naturalmente, 7
nature natura, la, 7
naughty capriccioso, 8
navigate (to) navigare, 6
Neapolitan napoletano, 9
near vicino, presso, 14
neat ordinato, 5
nebula nebulosa, la, 11
necessary necessario, 2
neck collo, il, 15
necklace collana, la, 14
need bisogno, il, esigenza, l' (f.), necessità, la, 6
need (to) servire, aver bisogno di, occorrere, 2
negative negativo, 8
neglect desolazione, la, 10
neglect (to) trascurare, 16
neglected desolato, 13
negotiate (to) negoziare, 4
negotiator negoziatore, il, 4
neighborhood quartiere, il, dintorni, i, 6
neither nemmeno, 4
nephew nipote, il, 5
Neptune Nettuno, 11
net rete, la, 13
neurotic nevrotico, 15
never non... mai, 4
new nuovo, 2
newlywed sposi, gli, 5
newspaper giornale, il, 2
next prossimo, vicino, 5
niece nipote, la, 5
night notte, la, notturno, P
nightmare incubo, l' (m.), 10
nine nove, P
nineteen diciannove, 1
ninety novanta, 1
nodule nodulo, il, 10
noise rumore, baccano, il, 5

noisy rumoroso, chiassoso, 5
non-existent inesistente, 16
Norman normanno, il, 14
north nord, il, 4
northern settentrionale, 10
nose naso, il, 10
note (to) notare, annotare, 4
notebook quaderno, il, 2
notes appunti, gli, 6
nothing niente, 2
notice (to) accorgersi, 15
noun nome, il, P
nourishment alimentazione, l' (f.), 15
novel romanzo, il, 3
novelty novità, la, 10
November novembre, 1
now adesso, P
nuclear nucleare, 11
nuisance fastidio, il, 15
number numero, il, P
numerous numeroso, 5
nun monaca, la, 4
nurse infermiere/a, l' (m./f.), 12
nursery rhyme filastrocca, la, 11
nutrition nutrizione, la, 15
nutritionist nutrizionista, il/la, 15

O

obedient obbediente, 8
obesity obesità, l' (f.), 15
object oggetto, l' (m.), 5
objective oggettivo, 16
observatory osservatorio, l' (m.), 11
observe osservare, 5
obsession ossessione, l' (f.), 15
obviously ovviamente, 9
occasion occasione, l' (f.), 5
occupy (to) occupare, 5
occurrence evento, l' (m.), 9
ocean oceano, l' (m.), 13
October ottobre, 1
offer offerta, l' (f.), 10
offer (to) offrire, 4
office carica, la, 16
office ufficio, l' (m.), agenzia, l' (f.), 1
official ufficiale, 6
often spesso, P
oil olio, l' (m.), 9
old vecchio, 2
oliva olive, l' (f.), 6
Olympic olimpico, 1
omen auspicio, l' (m.), 14
on su, sopra, 2
one uno, P
once una volta, 8
onion cipolla, la, 9
only unico, solo, soltanto, 5
open aperto, 7
open (to) aprire, P
operatic operistico, 7
opinion opinione, l' (f.), 4
opposite opposto, contrario, il, 1
optimistic ottimista, 3
or o, oppure, 3
oral oral, 8

orange arancia, l' (f.) (**orange juice** spremuta d'arancia, la), 4
orange color arancione, 3
orchestra orchestra, l' (f.), P
order ordine, l' (m.), 1
order (to) commissionare, ordinare, 4, 15
organism organismo, l' (m.), 15
organization organizzazione, l' (f.), struttura, la, ente, l' (m.), 1
organize (to) organizzare, allestire, 5
organized organizzato, 3
organizer animatore, l' (m.), 13
origin origine, l' (f.), provenienza, la, 1
originate (to) provenire, 13
other altro, 1
our / ours nostro, 5
out outside, 4
outline scaletta, la, schema, lo, 5
outside fuori, 16
outskirt periferia, la, 6
oven forno, il, 6
overpopulation sovrappopolazione, la, 15
own proprio, 3
own (to) possedere, 1
owner proprietario, il, 1
oxygen ossigeno, l' (m.), 15
ozone ozono, l' (m.), 15

P

package pacchetto, pacco, il, 10
package (to) confezionare, 15
pagan pagano, il, 9
page pagina, la, 7
paint (to) dipingere, 3
painter pittore, il, 4
pajamas pigiama, il, 14
paleoanthropological paleoantropologico, 14
Paleolithic paleolitico, 16
painting dipinto, il, pittura, la, 8
pain dolore, il, 15
pair coppia, la, paio, il, 5
pale pallido, 15
panorama panorama, il, 1
panoramic panoramico, 2
panettone panettone, il, 9
pant (to) ansimare, 8
pants pantaloni, i, 3
paper carta, la, 2
parade sfilata, la, 9
paragraph paragrafo, trafiletto, il, 8
parents genitori, i, 2
Parliament parlamento, il, 16
parliamentary parlamentare, 16
park parco, il, 3
parking parcheggio, il, 6
parmesan parmigiano, 9
part parte, la, 6
participant partecipante, il/la, 14

participation partecipazione, la, 16
participle participio, il, 6
particular determinato, 9
partition divisione, la, 16
party festa, la, festeggiamento, partito, il, 5
pass (to) passare, 5
passenger passeggero, il, 13
passing sufficiente, 8
passive passivo, 7
passport passaporto, il, 10
past passato, il, scorso, 5
pasta pasta, pastasciutta, la, 6
pastime passatempo, il, 13
pastry pasta, la, (**pastry shop** pasticceria, la), 14
paternal paterno, 5
path sentiero, il, 13
patient paziente, 3
patron patrono, il, patronale, 5
pattern modello, il, 10
pay (to) pagare, 6
payment pagamento, il, 13
peas piselli, i, 4
peace pace, la, 12
peaceful pacifico, 16
peacefully tranquillamente, 14
peach pesca, la, 9
pearl perla, la, 7
peasant contadino, il, 13
pedagogical pedagogico, 8
pen penna, la, P
pencil matita, la, 2
peninsula penisola, la, P
pension pensione, la, 3
people gente, la, 3
pepper pepe, il, 9
perceive (to) percepire, 12
percent per cento, 6
percentage percentuale, la, 5
perfect perfetto, 2
perfection perfezione, la, 4
perfume profumo, il, 13
period periodo, il, 2
perhaps magari, forse, 7
permanent permanente, 16
permission permesso, il, 4
permit permesso, il, 4
perseverance perseveranza, la, 16
person persona, la, individuo, l' (m.), 3
personal personale, 1
personality personalità, la, 3
perspective prospettiva, la, 3
pessimistic pessimista, 3
pesticides pesticidi, i, 15
pesto pesto, il, 9
pharmacist farmacista, il, 14
pharmacy farmacia, la, 1
phase fase, la, 15
phenomenon fenomeno, il, 11
philosopher filosofo, il, 10
philosophical filosofico, 10
philosophy filosofia, la, 1
Phoenician fenicio, 14
phone telefono, il, P
phone call telefonata, la, 5
photographer fotografo, il, 12

photography fotografia, la, 12
physical fisico, 3
physicality fisicità, la, 7
physics fisica, la, 2
piano piano, pianoforte, il, 7
picture quadro, ritratto, il, 6
piece pezzo, il, 9
pilgrim pellegrino, il, 9
pizza pizza, la, 2
pizzeria la, pizzeria, 4
place luogo, posto, il, località, la, P
place (to) situare, 3
plain pianura, la, 1
plan progetto, il, 11
plane aereo, l' (m.), 8
planet pianeta, il, 11
plant pianta, la, impianto, l' (m.), 5
plastic plastica, la, 12
platform binario, il, 11
play (to) suonare, giocare, 2
playbill locandina, la, 7
player giocatore, il, 7
pleasant piacevole, 7
please per favore, P
pleasure piacere, il, P
plentiful abbondante, 9
plumber idraulico, l' (m.), 12
plunge (to) buttarsi, 16
plural plurale, 1
plus più, 13
Pluto Plutone, 11
poem poesia, la, 3
poet poeta, il, poetessa, la, P
point punto, il, 3
point (to) accennare, 16
police officer poliziotto, il, 11
political politico, 10
political rally comizio, il, 1
politically politicamente, 6
politician politico, il, 1
politics politica, la, 3
pollute (to) inquinare, 8
pollution inquinamento, l' (m.), 8
polychromatic policromo, 9
pool biliardo, il, piscina, la, (**football pool** totocalcio, il), 7
poor povero, 5
pope papa, il, 4
popular popolare, 7
population popolazione, la, 6
porcelain porcellana, la, 9
porch veranda, la, 6
port porto, il, 6
portrait ritratto, il, 4
Portuguese portoghese, 14
position collocazione, la, posto, lavoro, il, 11
positive positivo, 10
possessive possessivo, 5
possibility possibilità, la, 2
possible possibile, 4
post office ufficio postale, l' (m.), 14
postcard cartolina, la, 9
poster poster, il, 6
postpone (to) rimandare, 16
pot tegame, il, 9

potato patata, la, 4
poverty povertà, la, 16
power potenza, la, potere, il, 5
practical pratico, 13
practice (to) praticare, 7
precise preciso, accurato, 11
precisely appunto, 12
prediction predizione, la, 11
prefer (to) preferire, 3
preferably preferibilmente, 12
preference preferenza, la, 9
prehistorical preistorico, 16
prejudice pregiudizio, il, 16
premise locale, il, 7
preparation preparativo, il, 5
prepare (to) preparare,
  apparecchiare, 5
preposition preposizione, la, 6
preschool asilo, l' (m.), 8
prescription ricetta, la, 15
present presente, regalo, il, 1
present (to) presentare, 6
preserve (to) preservare, 16
president presidente, il/la, 7
President of the Republic il
  Presidente della
  Repubblica, 16
pressure pressione, la, 15
pretty grazioso, 6
previous precedente, 7
price prezzo, il, quota, la, 6
prince principe, il, 8
principal preside, il/la, 10
principle principio, il, 9
print (to) stampare, 6
printer stampante, la, 6
private privato, 7
privilege privilegio, il, 10
probability probabilità, la, 11
probable probabile, 15
probably probabilmente, 3
problem problema, il, 7
proceed (to) avanzare, 14
process processo, il, 6
procession processione, la, 14
produce (to) produrre, 1
producer produttore/
  produttrice, il/la, 11
product prodotto, il, 1
production produzione, la, 15
profession professione, la, 2
professional professionista,
  il/la, professionale, 7
professor professore, il,
  professoressa, la, P
program programma, il, 2
programmer programmatore,
  il, programmatrice, la, 12
progress progresso, il, 8
progress (to) progredire, 8
progressive progressivo, 11
project progetto, il, 9
promise promessa, la, 11
promote (to) promuovere, 16
promotion promozione, la, 10
pronoun pronome, il, 1
pronounce (to) pronunciare, P
property proprietà, la, 6
proportion proporzione, la, 14
proposal proposta, la, 16
propose (to) proporre, 8

protagonist protagonista, il/la, 7
protect (to) proteggere,
  salvaguardare, 12
protection tutela, la, 15
protest protesta, la, 7
protest (to) protestare, 11
proud orgoglioso, 6
provide (to) provvedere, 14
province provincia, la, 1
provisional provvisorio, 7
publish (to) pubblicare, 11
puppet pupo, il, 9
purchase acquisto, l' (m.),
  compera, la, 3
purchase (to) acquistare, 6
psychological psicologico, 3
psychologist psicologo, lo, 4
psychology psicologia, la, 2
psychotherapist
  psicoterapeuta, lo/la, 4
pub birreria, la, 13
public pubblico, il, civico, 11
puff (to) sbuffare, 13
pull (to) tirare, 5
pumpkin zucca, la, 9
punctuality puntualità, la, 11
punish (to) punire, 8
punishment pena, la, P
put (to) mettere, 2

Q

quality qualità, la, 9
quantity quantità, la, 4
question domanda, la, 5
questioning interrogatorio, 15
questionnaire questionario,
  il, 11
quiet silenzioso, zitto, 8

R

race corsa, gara, la, 5
racism razzismo, il, 16
racket racchetta, la, 7
radio radio, la, 3
radiophone radiotelefono,
  il, 13
rain (to) piovere, 4
range catena, la, 7
rare raro, 5
rare (meat) al sangue, 9
rather piuttosto, 6
razor rasoio, il, 14
reach (to) raggiungere, 14
react (to) reagire, 8
read (to) leggere, P
reader lettore, il, lettrice,
  la, 10
reading lettura, la, 1
ready pronto, 9
realism realismo, il, 3
realistic realista, 3
realistic realistico, 8
reality realtà, la, 6
realize (to) rendersi conto, 14
realization realizzazione, la, 9
really davvero, 6
rearrange risistemare, 16
reason motivo, il, ragione,
  la, 5
rebellious ribelle, 8
rebuild (to) ricostruire, 5

recapture (to) riprendere, 16
receive (to) ricevere, 4
recent recente, 10
recently recentemente, di
  recente, 6
reception ricevimento, il,
  accoglienza, l' (f.), 5
recess ricreazione, la, 8
recipe ricetta, la, 9
reciprocal reciproco, 5
recognition riconoscimento,
  il, 16
recognize (to) riconoscere, 3
reconsider (to) ripensarci, 15
record record, il, 5
recording registrazione, la, 10
recover (to) rimettersi,
  guarire, 10
recovery ritrovamento, il, 14
recruiting reclutamento, il, 10
rectangular rettangolare, 3
recycle (to) riciclare, 12
red rosso, P
reef scoglio, lo, 13
refectory refettorio, il, 3
refer (to) riferirsi, 5
referendum referendum, il, 16
refined pregiato, squisito,
  raffinato, 1
reflex riflesso, il, 15
reflexive riflessivo, 4
reform riforma, la, 8
refrigerator frigorifero, il, 4
refuse (to) rifiutare, 13
region regione, la, P
regional regionale, 7
register (to) iscriversi, 1
regular regolare, 14
regulate (to) regolare, 15
relationship rapporto, il,
  relazione, la, 5
relative relativo, 10
relatives parenti, i, 5
relax, (to) rilassarsi, 6
relaxing rilassante, 10
relevant di rilievo, rilevante, 7
reliable affidabile, 12
reloading ricarico, il, 11
remain (to) restare, rimanere, 4
remake (to) rifare, 5
remarkable straordinario, 3
remedy rimedio, il, 15
remember (to) ricordare, 5
remodeling ristrutturazione,
  la, 6
Renaissance rinascimentale,
  Rinascimento, il, 3
render (to) rendere, 7
renounce (to) rinunciare, 9
renovate (to) ristrutturare, 6
rent affitto, l' (m.), 6
rent (to) affittare, noleggiare, 6
repair (to) aggiustare, 5
repeat (to) ripetere, 2
report (to) riferire, 5
report card pagella, la, 8
represent (to) rappresentare, 5
representation
  rappresentazione, la, 8
representative
  rappresentante, il/la, 15

reproach (to) rimproverare, 16
republic repubblica, la, 12
request richiesta, la, 9
require (to) richiedere, 12
required obbligatorio, 8
reread (to) rileggere, 6
researcher ricercatore/
  ricercatrice, il/la, 11
reservation prenotazione, la, 6
reserved riservato, 10
reside (to) risiedere, 16
residence residenza, la, soggiorno, domicilio, il, 5
resident abitante, l' (m./f.),
  residente, il/la, 6
resistance resistenza, la, 10
resort villaggio turistico, il, 10
resource risorsa, la, 10
resources fondi, i, 16
respect (to) rispettare, 12
respiratory respiratorio, 15
responsibility responsabilità,
  la, 12
rest resto, il, riposo, il, 10
rest (to) riposarsi, 4
restore (to) restaurare, 12
restrict (to) limitare, 4
result risultato, il, 5
result (to) risultare, 9
return rientro, il, 4
return (to) rientrare,
  ritornare, 2
reveal (to) rivelare, 16
reverse rovescio, il, 15
review (to) ricapitolare,
  ripassare, 1
revive (to) rivivere, 14
rhyme rima, la, 4
ribbon nastro, il, 8
rice riso, il, 1
rich ricco, 1
ride passaggio, il, 10
right destra, la, diritto, il,
  straight, 1
rigid inflessibile, ferreo,
  rigido, 4
ring anello, l' (m.), 14
rising emergente, 14
risk rischio, il, 15
risotto risotto, il, 9
ritual rito, il, 14
river fiume, il, 8
road strada, la, stradale, 2
rock roccia, la, 7
rocky rupestre, 14
role ruolo, il, 1
Roman romano, 2
Romanesque romanic, 6
romantic romantico, 7
rooftop tetto, il, 1
room camera, stanza, la, 3
root (to) for fare il tifo per, 9
rooting tifo, il, 7
rope corda, la, 8
rose rosa, la, P
route tragitto, il, 14
routine routine, la, 4
rub (to) stropicciare, 13
ruin rovina, la, 8
ruins resti, i, 13
rule regola, dominazione, la, 7

rule (to) dominare, 14
run (to) correre, 3
Russian russo, 1

S

sacred sacro, 14
sacrifice sacrificio, il, 11
sad triste, 3
sail vela, la, 4
saint santo, il, 5
salad insalata, l' (f.), 4
salary stipendio, lo, 12
sale vendita, svendita, la, saldi, i, 12
salesperson commesso, il, commessa, la, 12
salmon salmone, il, 9
salt sale, il, 9
salted salato, 9
salami salame, il, 14
same stesso, 3
sand sabbia, la, 13
sandals sandali, i, 14
sandwich panino, il, 4
Saracen saraceno, 14
satirical satirico, 9
satisfaction soddisfazione, la, 11
satisfied soddisfatto, 9
satisfy (to) soddisfare, appagare, 9
Saturday sabato, 1
Saturn Saturno, 11
sauce sugo, il, 9
sauté (to) soffriggere, 9
save (to) salvare, risparmiare, conservare, 10
saving risparmio, il, 15
saw sega, la, 12
say (to) dire, P
saying detto, il, 13
scarf sciarpa, la, 14
scattered disperso, 9
scene scena, la, 7
scent profumo, il, 10
scented profumato, 9
schedule orario, l' (m.), 2
scholar studioso, lo, 16
scholarship borsa di studio, la, 10
school scuola, la, liceo, il, 1
science scienza, la, 2
science fiction fantascienza, la, 7
scientific scientifico, 8
scientist scienziato, 2
score punteggio, il, 10
scratch (to) grattare, 12
screen schermo, lo, 1
script writer sceneggiatore/ sceneggiatrice, lo/la, 11
sea mare, il, P
search ricerca, la, 6
seashell conchiglia, la, 5
season stagione, la, 4
season (to) condire, 9
second secondo, 4
secretary segretario, il, 12
security sicurezza, la, 15
sedentariness sedentarietà, la, 15
sedentary sedentario, 6

see (to) vedere, 1
seem (to) sembrare, 6
seize (to) cogliere, 16
selection brano, il, raccolta, la, 8
selfish egoista, 3
selfishness egoismo, l' (m.), 16
sell (to) vendere, 6
semester semestre, il, 12
senate senato, il, 16
send (to) mandare, inviare, 5
sense senso, il, 16
sensitive sensibile, 3
sentence frase, la, 5
separate (to) separare, 12
September settembre, 1
sequence sequenza, la, 9
serene sereno, 5
serious grave, serio, 3
service servizio, il, 6
set (to) fissare, 4
settlement insediamento, l' (m.), 14
seven sette, P
seventeen diciassette, 1
seventy settanta, 1
several diversi, 7
severe severo, 4
sew (to) cucire, 5
sex sesso, il, 11
shadow ombra, l' (f.), 16
shaking tremante, 16
shape forma, la, 7
share (to) condividere, dividere, 6
sharp acuto, P
shave (to) farsi la barba, 4
sheet (of paper) foglio, il, P
shelf scaffale, lo, 6
shining splendido, 7
ship nave, la, 8
shoe scarpa, la, 3
short basso, corto, 2
shorts pantaloncini, i, 7
shoulder spalla, la, 9
shout urlo, l' (m.), 16
shout (to) urlare, 5
show spettacolo, lo, mostra, la, 7
show (to) indicare, mostrare, 5
shower doccia, la, 4
shown indicato, 9
shrimp gamberetti, i, 4
shy timido, 3
shyness timidezza, la, 13
Sicilian siciliano, 9
sick ammalato, 15
side lato, fianco, il, 14
sign insegna, l' (f.), 16
sign (to) firmare, 14
significant significativo, 16
silk seta, la, 8
silver argento, l' (m.), 9
silverware posate, le, 9
similar simile, 5
similarity similarità, la, 16
simple semplice, 6
sin peccato, il, 3
since poiché, 5
sing (to) cantare, 2
singer cantante, il/la, 2
singing canto, il, 10
singular singolare, 1

sink lavandino, il, 6
sister sorella, la, 4
sister-in-law cognata, la, 5
situation situazione, la, 5
sick malato, 8
sight vista, la, 10
site sito, il, 10
six sei, 1
sixteen sedici, 1
sixty sessanta, 1
size misura, taglia, la, 14
skate (to) pattinare, 4
skates pattini, i, 7
skating pattinaggio, il, 7
sketch abbozzo, l' (m.), 14
ski (to) sciare, 4
skier sciatore, lo, 10
skill abilità, l' (f.), 2
skin pelle, la, 13
skirt gonna, la, 3
skis sci, gli, 7
skyscraper grattacielo, il, 10
sleep sonno, il, P
sleep (to) dormire, 2
sleeping bag sacco a pelo, il, 13
sleepless insonne, 4
slice fetta, la, 9
slip (to) scivolare, 7
Slovenian sloveno, 6
slow lento, 13
slowly lentamente, 8
small piccolo, 1
smart bravo, 8
smile sorriso, il, 16
smile (to) ridere, sorridere, 13
smog smog, lo, 15
smoke fumo, il, 15
smoke (to) fumare, 13
smoker fumatore/fumatrice, il/la, 15
smooth liscio, 3
snap (to) scattare, 10
sneaker scarpa da ginnastica, la, 3
snow (to) nevicare, 4
soap sapone, il, 14
soccer calcio, il, 1
social sociale, 7
social worker assistente sociale, l' (m./f.), 12
socialist socialista, 16
society società, la, 4
soda bibita, la, 6
sofa divano, il, 6
soft morbido, 4
soldier soldato, il, 8
solution soluzione, la, 15
some alcuni, qualche, 3
someone qualcuno, 4
something qualcosa, 4
sometimes qualche volta, 8
solar solare, 15
solidarity solidarietà, la, 15
solve (to) risolvere, 12
son figlio, il, 5
soon presto, 1
soul anima, l' (f.), 3
sound audio, l' (m.), 10
soup minestra, la, 4
source fonte, la, 14

south sud, il, 1
space spazio, lo, spaziale, 1
spaceship astronave, l' (f.), 11
spacious spazioso, 12
spaghetti spaghetti, gli, P
Spanish spagnolo, P
sparkling effervescente, 15
speak (to) parlare, P
speaker altoparlante, l' (m.), 11
specific specifico, 6
special speciale, 3
specialist specialista, specialistico, 15
specialization perfezionamento, il, 11
specialty specialità, la, 6
spectacularity spettacolarità, la, 8
spectator spettatore/ spettatrice, lo/la, 8
speed velocità, la, 8
spend (to) spendere, passare, 5
spicy piccante, 9
spinach spinaci, gli, 4
spirit spirito, lo, 12
spiritual spirituale, 8
splendid splendido, 13
spoiled viziato, 8
spoon cucchiaio, il, 9
sport sport, lo, 7
sportsman sportivo, lo, P
sprain (to) slogare, 10
spray (to) spruzzare, 13
spread (to) diffondere, 11
spring primavera, la, 4
square piazza, la, quadrato, il, 3
stadium stadio, lo, 2
stairs scale, le, 6
stall bancarella, la, 14
stamp francobollo, il, 14
star stella, la, 8
start (to) mettersi, cominciare, 4
state stato, lo, statale, 6
station stazione, la, 7
stationery cartoleria, la, 14
statistics statistica, la, 15
statue statua, la, 3
stay soggiorno, il, permanenza, la, 10
stay (to) stare, P
steak bistecca, la, 4
steady stabile, 11
steamboat vaporetto, il, 12
step passo, il, 7
stepbrother fratellastro, il, 5
stepfather patrigno, il, 5
stepmother matrigna, la, 5
stepsister sorellastra, la, 5
stereo stereo, lo, 5
stereotype stereotipo, lo, 16
still ancora, 5
stimulating stimolante, 12
stir (to) mescolare, 9
stocking calza, la, 2
stomach stomaco, lo, 15
stone pietra, la, 6
stop sosta, la, fermata, la, 10
stop (to) fermare, 11
stoplight semaforo, il, 14
store negozio, il, 1

storeroom ripostiglio, il, 12
story favola, la, 8
straight diritto, 14
strand filo, il, 13
strange strano, 7
strategy strategia, la, 1
strawberry fragola, la, 9
street strada, via, la, 2
stress (to) scandire, 6
stressed stressato, 12
stressful stressante, 10
strict severo, 4
strike sciopero, lo, colpo, il, 10
strong forte, 5
structure compagine, struttura, la, 15
student studente, lo, studentessa, la, P
study studio, lo, 1
study (to) studiare, P
stutter (to) balbettare, 15
style stile, lo, linea, la, 3
subject soggetto, il, materia, la, 1
subject (to) sottomettere, 5
subjunctive congiuntivo, il, 15
substance sostanza, la, 15
substitute (to) sostituire, 12
subway metropolitana, la, 8
succeed (to) riuscire, 12
success successo, il, 11
suffer (to) soffrire, 10
suffering sofferenza, la, 7
sufficient sufficiente, 8
sugar zucchero, lo, 9
suggest (to) suggerire, 1
suit abito, l' (m.), vestito, il, completo, il, 3
suitable adatto, appropriato, opportuno, 5
suitcase valigia, la, 10
summarize riassumere, 9
summer estate, l' (f.), estivo, 2
summon (to) convocare, 12
sumptuous fastoso, 14
sun sole, il, 4
Sunday domenica, la, 1
sunglasses occhiali da sole, gli, 13
superlative superlativo, il, 10
supermarket supermercato, il, 4
superstitious superstizioso, 11
supper cena, la, P
supply (to) dotare, fornire, 13
support appoggio, l' (m.), 16
support (to) mantenere, 16
supreme supremo, 8
surface (to) emergere, 15
surgeon chirurgo, il, 12
surprise sorpresa, la, 5
surprised meravigliato, 16
surround (to) circondare, 6
surrounded circondato, 3
survey sondaggio, il, 3
swarm (to) brulicare, 14
sweater maglia, la, 3
sweats tuta, la, 14
sweatshirt felpa, la, 3

sweep (to) spazzare, 5
swim (to) nuotare, 2
swimmimg suit costume da bagno, il, 7
swing altalena, l' (f.), 8
symbol simbolo, il, 1
sympathy simpatia, la, 16
symptom sintomo, il, 15
synthesized sintetizzato, 15
syrup sciroppo, lo, 15
system sistema, il, 8

T

table tavolo, il, 5
tablecloth tovaglia, la, 9
tablet compressa, la, 15
take (to) prendere, sostenere, P
take a walk (to) passeggiare, 7
tale favola, la, 8
talk (to) conversare, discorrere, 13
tango tango, il, 5
task impegno, l' (m.), 11
taste gusto, sapore, il, 3
taste (to) assaggiare, 9
tasting degustazione, la, 10
tasty saporito, 9
tavern osteria, l' (f.), 9
towel asciugamano, l' (f.), 13
tax tassa, la, 11
taxi taxi, il, 8
tea tè, il, 4
teach (to) insegnare, 1
teacher maestro, il (m.), insegnante, l' (m./f.), 7
teacher's desk cattedra, la, 2
team squadra, la, 1
technician tecnico, il, 16
technique tecnica, la, 1
technological tecnologico, 16
technology tecnologia, la, 8
teddy bear orsacchiotto, l' (m.), 6
television televisione, la, P
television set televisore, il, 2
tell (to) dire, raccontare, narrare, P
temperature temperatura, la, 4
temple tempio, il, 13
temporal temporale, il, 9
temporarily temporaneamente, 16
tempting tentatrice, la, 8
ten dieci, 1
tendency tendenza, la, 14
tennis tennis, il, 7
tenor tenore, il, 7
tense nervous, tirato, 3
tent tenda, la, 13
terminology terminologia, la, 7
terrace terrazzo, il, 6
terrible terribile, 8
territory territorio, il, 15
test prova, la, 1
text testo, il, 5
thank (to) ringraziare, 5
thanks grazie, P
Thanksgiving (la festa del) Ringraziamento, il, 9
that quello, 2

theater teatro, il, teatrale, 2
theme tema, il, 7
then allora, 5
there lì, 10
therefore infatti, quindi, 2
thermal termale, 10
thermostat termostato, il, 15
thin magro, sottile, 3
thing cosa, la, 4
think (to) pensare, 2
third terzo, 5
thirst sete, la, P
thirteen tredici, 1
thirty trenta, 1
thirty-eight trentotto, 1
thirty-five trentacinque, 1
thirty-four trentaquattro, 1
thirty-nine trentanove, 1
thirty-one trentuno, 1
thirty-six trentasei, 1
thirty-seven trentasette, 1
thirty-two trentadue, 1
this questo, 2
thousand (one) mille, 6
threaten (to) minacciare, 15
three tre, 1
thrive (to) prosperare, 6
thriving fiorente, 15
throat gola, la, 15
through attraverso, P
throw (to) buttare, 15
Thursday giovedì, il, 1
ticket biglietto, il, 7
ticket office biglietteria, la, 7
tie cravatta, la, 3
tie (to) legare, attaccare, 4
tight stretto, 14
times epoca, l' (f.), 12
tip mancia, la, 9
tired stanco, 3
tiring faticoso, 13
title titolo, il, 5
toast (to) brindare, 9
toaster tostapane, il, 6
today oggi, P
together insieme, assieme, 2
toilet water, il, 6
tolerance tolleranza, la, 16
tomato pomodoro, il, 4
tomb tomba, la, 2
tomorrow domani, 1
tone tono, il, 14
tonic tonico, 7
tonight stasera, 2
too troppo, 13
too much troppo, P
tooth dente, il, 4
toothbrush spazzolino da denti, lo, 14
toothpaste dentifricio, il, 14
top apice, l' (m.), cima, la, 7
topic argomento, l' (m.), 4
tortellini tortellini, i, 8
total totale, 10
totally radicalmente, 16
tough duro, 12
tourism turismo, il, 1
tourist turista, il/la, turistico, 2
tournament giostra, la, 9
tower torre, la, P
town cittadina, la, 14

toy giocattolo, il, 8
trace traccia, la, 13
track pista, la, 1
track and field atletica leggera, l' (f.), 7
trade mestiere, commercio, il, 4
tradition tradizione, la, 7
traditional tadizionale, 5
traffic traffico, il, 8
train treno, il, 8
train (to) allenarsi, 7
training esercitazione, l' (f.), 8
trail sentiero, il, 13
trait caratteristica, la, carattere, il, 5
transfer (to) trasferire, 6
transgenic transgenico, 15
translate (to) tradurre, 11
transparent trasparente, 10
transplant (to) trapiantare, 16
transportation trasporto, il, 8
transport (to) trasportare, 11
travel viaggio, il, 3
travel (to) viaggiare, 10
treacherous infido, 15
treasure tesoro, il, 13
treatment trattamento, il, cura, la, 10
tree albero, l' (m.), 2
trip viaggio, il, 7
triple triplo, 13
triptych trittico, il, 9
triumphant trionfante, 9
trout trota, la, 9
true vero, 1
truly veramente, 7
truth verità, la, 7
try (to) tentare, provare, 10
T-shirt maglietta, la, 7
tub vasca, la, 6
Tuesday martedì, 1
tulip tulipano, il, 7
tuna tonno, il, 14
turkey tacchino, il, 9
turn turno, il, 5
turn (to) compiere, girare, rivolgersi, 5
turn off (to) spegnere, 11
turn on (to) accendere, 11
turning point svolta, la, 10
Tuscany Toscana, la, toscano, 5
tuxedo smoking, lo, 14
twenty venti, 1
twenty-eight ventotto, 1
twenty-five venticinque, 1
twenty-four ventiquattro, 1
twenty-nine ventinove, 1
twenty-one ventuno, 1
twenty-seven ventisette, 1
twenty-six ventisei, 1
twenty-three ventitré, 1
twenty-two ventidue, 1
twin gemello, il, 5
twelve dodici, 1
twenty venti, 7
two due, 1
type tipo, il, 6
typical tipico, 3

typically tipicamente, 2
typology tipologia, la, 5

U

ugly brutto, 2
Ukraine Ucraina, la, 16
Ukranian ucraino, 16
Umbrian umbro, 9
unbearable insopportabile, 10
uncertain incerto, 13
uncertainty incertezza, l' (f.), 15
uncle zio, lo, 5
uncontaminated incontaminato, 11
undecided indeciso, 13
under sotto, 2
underground sotterraneo, il, 15
underline (to) sottolineare, 6
undershirt canottiera, la, 13
understand (to) capire, P
undress (to) spogliarsi, 4
unemployed disoccupato, 11
unemployment disoccupazione, la, 12
unexpectedly improvvisamente, 10
unfair ingiusto, 16
unforgettable indimenticabile, 9
unfortunately purtroppo, 8
unhappy infelice, 8
union unione, l' (f.), 6
university università, l' (f.), universitario, P
unite (to) unire, 3
United States Stati Uniti, gli, 1
unknown sconosciuto, ignoto, 14
unleaded gas benzina verde, la, 15
unlikely difficilmente, improbabile, 8
unnecessary inutile, 4
unpleasant antipatico, spiacevole, 3
unrecognizable irriconoscibile, 13
unsatisfied insoddisfatto, 12
unselfish altruista, 12
until fino a, finché, 4
unusual insolito, 9
upbringing educazione, l' (f.), 8
usage uso, l' (m.), 3
use (to) usare, impiegare, 1
useful utile, 5

usually abitualmente, 15
utilize (to) utilizzare, 13
utilizer utilizzo, l' (m.), 10
utopia utopia, l' (f.), 10

V

vacation vacanza, la, ferie, le, 4
vaccine vaccino, il, 11
vacuum aspirapolvere, l' (m.), 5
valid valido, 6
validate (to) convalidare, 13
valley valle, la, 7
value valore, il, 16
vanilla vaniglia, la, 14
variety varietà, la, 8
various vario, 8
vase vaso, il, 6
Vatican Vaticano, il, 4
veal vitello, il, 5
vegan vegano/a, 15
vegetable verdura, la, 1
vegetarian vegetariano, 9
vegetation vegetazione, la, 10
vendor venditore, il, 11
vent (to) sfogarsi, 15
Venus Venere, 11
verb verbo, il, 4
verbal verbale, 12
versatile multifunzionale, versatile, 1
victory vittoria, la, 10
video video, il, 4
villa villa, la, 3
village paese, il, 2
vine vite, la, 1
vinegar aceto, l' (m.), 9
violin violino, il, 5
virtually praticamente, 13
visa visto, il, 16
visit visita, la, 14
visit (to) visitare, 3
vitamin vitamina, la, 15
vocabulary vocabolario, il, P
voice voce, la, 10
volleyball pallavolo, la, 7
vote voto, il, votazione, la, 16
vote (to) votare, 12
vowel vocale, la, P

W

wagon carrozza, la, 13
wait (to) aspettare, 2
waiter cameriere, il, 9

wake up (to) svegliarsi, 4
walk cammino, il, passeggiata, la, P
walk (to) camminare, andare a piedi, 8
wall muro, parete, il, 3
wallet portafoglio, il, 13
war guerra, la, 8
warm caldo, 4
warmth tepore, calore, il, 9
warrant (to) garantire, 15
wash (to) lavare, 4
washer lavatrice, la, 6
waste (to) sprecare, 15
wastebasket cestino, il, 2
watch orologio, l' (m.), 2
watch (to) guardare, 5
water acqua, l' (f.), 4
water (to) annaffiare, 5
waterfall cascata, la, 7
way modo, il, 8
wealth ricchezza, la, 13
wear (to) portare, indossare, 3
wedding matrimonio, il, 5
Wednesday mercoledì, 1
week settimana, la, 1
weekly settimanalmente, settimanale, 6
well bene, 1
well done (meat) ben cotta, 9
well-off benestante, 6
what che, che cosa, P
when quando, 2
where dove, P
which quale, 1
while mentre, 1
white bianco, 1
who chi, P
why perché, 4
wide ampio, 13
wife moglie, la, 5
will volontà, la, 16
win vincita, la, 12
win (to) vincere, 7
wind vento, il, 4
wind (to) snodarsi, 14
window finestra, la, 2
windy ventoso, 16
wine vino, il, (sparkling wine, spumante, lo), 1
wing ala, l' (f.), 14
winter inverno, l' (m.), invernale, 1
wire filo, il, 11
wise saggio, 12

wish desiderio, il, 12
wish (to) desiderare, 2
witch strega, la, 8
withdraw (to) prelevare, 14
withdraw (to) money / cash prelevare soldi, 14
witty arguto, 11
wolf lupo, il, 15
woman donna, la, 2
wonderful meraviglioso, 10
wood legno, bosco, il, 6
wool lana, la, 14
word parola, la, vocabolo, il, P
work lavoro, il, 5
work (to) lavorare, 2
worker lavoratore, il, operaio, l' (m.), 8
workshop officina, l' (f.), 11
world mondo, il, mondiale, 3
worried preoccupato, 10
worry (to) preoccuparsi, 4
worse peggio, 10
worsen (to) peggiorare, 10
worship culto, il, 4
wreath ghirlanda, la, P
wrist polso, il, 10
write (to) scrivere, P
writer scrittore, lo, scrittrice, la, P
writing scrittura, scritta, la, 1
wrong sbagliato, 16

Y

year anno, l' (m.), 1
yearly annuale, annualmente, 7
yell (to) sgridare, 5
yellow giallo, 3
yesterday ieri, 6
you tu, voi, 1
young giovane, il, 2
your / yours tuo / vostro, 5

Z

zebra zebra, la, 2
zero zero, lo, 5
zip code C.A.P., 1
zone zona, la, 1

Credits

page 253 (right) SCALA/Art Resource, N.Y.; page 256 Cosmo Condina/Stock Connection; page 257 (top left) Fotocronache Olympia/PhotoEdit Inc.; page 257 (top right) Alessia Pierdomenico/Newscom; page 257 (bottom left) © Dorling Kindersley; page 257 (bottom right) Francesca Italiano; page 258 Francesca Italiano; page 259 Getty Images/De Agostini Editore Picture Library; page 265 (left) DEA/G. Andreini/Getty Images/De Agostini Editore Picture Library; page 265 (right) Andre Derain (1880–1954/French) "Harlequin and Pierrot", 1924, Oil on canvas. Musee de l'Orangerie, Paris, France/Lauros-Giraudon, Paris/SuperStock Inc., © 2007 Artist Rights Society (ARS), New York/ADAGP, Paris; page 266 Francesca Italiano; page 282 Francesca Italiano; page 284 Pearson Education/PH College; page 286 (left) Robert Harding World Imagery; page 286 (right) Dylan Reisenberger/Rough Guides Dorling Kindersley; page 287 (right) Canali Photobank; page 287 (left) Getty Images/De Agostini Editore Picture Library; page 298 Francesca Italiano; page 290 Valeria Cantone/Dreamstime LLC - Royalty Free; page 303 ADRIAN DENNIS/AFP/Getty Images/Newscom; page 304 (left) Paul Harris and Anne Heslope © Dorling Kindersley; page 304 (right) J Lightfoot/Firecrest Pictures/Robert Harding World Imagery; page 308 John Heseltine © Dorling Kindersley; page 309 Irene Marchegiani; page 311 Mark J. Terrill/AP Wide World Photos; page 313 Pearson Education/PH College; page 314 (left) Dagli Orti/Picture Desk, Inc./Kobal Collection; page 314 (right) John Heseltine © Dorling Kindersley; page 315 (left) Alessandro Flore/Dreamstime LLC - Royalty Free; page 315 (right) Getty Images/De Agostini Editore Picture Library; page 318 Papillon Gallery; page 331 © Dorling Kindersley; page 332 Francesca Italiano; page 334 (left) Francesca Italiano; page 334 (right) Maskot/PunchStock - Royalty Free; page 338 Ramona Vada; page 339 (left) Jasmin Krpan/Dreamstime LLC - Royalty Free; page 339 (right) Irene Marchegiani/Jane Pitman; page 343 Pearson Education/PH College; page 344 (left) De Agostini/Getty Images/De Agostini Editore Picture Library; page 344 (right) Getty Images/De Agostini Editore Picture Library; page 345 (left) Simon Harris/Robert Harding World Imagery; page 345 (right) Amos Zezmer/Omni-Photo Communications, Inc.; page 348 Shutterstock; page 357 Alfredo Marchegiani; page 354 Susan Van Etten/PhotoEdit Inc.; page 361 David R. Frazier/PhotoEdit Inc.; page 362 (top left) Jojobob/Dreamstime LLC - Royalty Free; page 362 (bottom right) Vladmimire Mcibabic/Shutterstock; page 372 Pearson Education/PH College; page 374 (left) © Yann Arthus-Bertrand/CORBIS All Rights Reserved; page 374 (right) Museo e Gallerie Nazionali di Capodimonte, Naples/Bridgeman Art Library, London/SuperStock.; page 375 (left) Ulina Tauer/Dreamstime LLC - Royalty Free; page 375 (right) Drimi/Dreamstime LLC - Royalty Free; page 378 Francesca Italiano; page 379 (top left) Francesca Italiano; page 379 (bottom) Susan Van Etten/PhotoEdit Inc.; page 379 (top right) Esbin/Anderson/Omni-Photo Communications, Inc.; page 381 Francesca Italiano; page 386 Khirman Vladimir/Shutterstock; page 388 Demetrio Carrasco © Dorling Kindersley; page 393 (left) Francesca Italiano; page 393 (right) Getty Images/De Agostini Editore Picture Library; page 395 Dallas and John Heaton/Stock Connection; page 399 (top) Khirman Vladmir/Shutterstock; page 404 Pearson Education/PH College; page 406 (left) Ivan Cholakov/Dreamstime LLC - Royalty Free; page 406 (right) © Mimmo Jodice/Corbis; page 407 (left) Francesca Italiano; page 407 (right) Demetrio Carrasco © Dorling Kindersley; page 430 (top left) Lourens Smak/Alamy Images; page 430 (bottom right) Cuboimages_srl/Alamy Images; page 410 Demetrio Carrasco © Dorling Kindersley; page 414 (left) S. Meltzer/Getty Images, Inc. - PhotoDisc; page 414 (right) David R. Frazier Photolibrary, Inc./Alamy Images; page 425 Nigel Hicks © Dorling Kindersley; page 430 (center bottom) Hartmarx International; page 430 (center top) MARKA/Alamy Images; page 430 (bottom left) Peter Horree/Alamy Images; page 430 (top right) Peter Horree/Alamy Images; page 431 (left) Teschner/Caro/Alamy Images; page 431 (right) Irene Marchegiani/Jane Pitman; page 433 (right) Mary416/Shutterstock; page 433 (left) Naten/Shutterstock; page 434 Pearson Education/PH College; page 436 (left) Onefivenine/Dreamstime LLC - Royalty Free; page 436 (right) Olling/Dreamstime LLC - Royalty Free; page 437 (left) Getty Images/De Agostini Editore Picture Library; page 437 (right) Rocus_rs/Dreamstime LLC - Royalty Free; page 467 Francesca Italiano; page 468 (right) Ken Gillham/Photolibrary.com; page 440 Martin Richardson/Rough Guides Dorling Kindersley; page 441 (left) Erich Lessing/Art Resource, N.Y.; page 441 (right) Erich Lessing/Pheidias (c. 490–430 BCE). Bronze statue of a young man with helmet. More than life-size, found in 1972 in the bay of Riace, Calabria, Italy. Museo Archeologico Nacionale, Reggio Calabria, Italy. © Erich Lessing/Art Resource, NY; page 444 (left) Francesca Italiano; page 444 Francesca Italiano; page 455 Francesca Italiano; page 457 Francesca Italiano; page 458 Francesca Italiano; page 462 Jean-Pierre Lescourret/Getty Images, Inc. - Getty News; page 466 Pearson Education/PH College; page 468 (left) Francesca Italiano; page 469 (left) Claudio Zaccherini/Shutterstock; page 469 (right) © Guido Alberto Rossi/TIPS Images; page 472 Courtesy of the Library of Congress; page 473 Philip Minnis/Dreamstime LLC - Royalty Free; page 474 Getty Images/De Agostini Editore Picture Library; page 482 (left) Jens Lucking/www.comstock.com; page 482 (right) Michael Newman/PhotoEdit Inc.; page 484 M. Bonotto/Shutterstock; page 485 Photofest/© TF1 International/Photofest; page 488 John Lund/Marc Romanelli/Blend Images/© (Photographer)/CORBIS All Rights Reserved; page 489 Ivan Tortorella/AP Wide World Photos; page 490 Jeff Greenberg/Omni-Photo Communications, Inc.; page 492 Courtesy of the Library of Congress; page 498 Photographed by Arianna Jones; page 499 (left) Lebrecht Music & Arts/Lebrecht Music & Arts Photo Library; page 499 (right) Daniel Hulshizer/AP Wide World Photos; page 504 Pearson Education/PH College; page 506 (left) Picture History/Newscom; page 506 (right) Dagli Orti (A)/Picture Desk, Inc./Kobal Collection; page 507 (left) Mi.Ti./Shutterstock; page 507 (right) © Gianni Dagli Orti/CORBIS All Rights Reserved.

Text Credits

Page 32 Logo of Radio Taxi Torino. Reprinted with permission.; page 32 Le Meridien Lingotto/Venere.com; page 33 From www.museocinema.it Museo nazionale del Cinema, Torino; page 34 Registration form, Università per Stranieri di Perugia. Reprinted with permission.; page 64 Adapted from www.madrelinguaitaliano.com. © Madrelingua S.r.l., Bologna; page 95 Courtesy of Domina Hair, Firenze; page 105 RETE 4 TV schedule, from "Il venerdì" di Repubblica, June 26, 2009, p. 166; page 123 Adapted from "Mappa del tempo", a cura di Mario Giuliacci, Corriere della Sera, 16 Febbraio 2007. Corriere della sera/Epson Meteo; page 127 Donna Moderna/Mondadori; page 157 David Woolley/Getty Images, Inc.—Taxi © David Woolley/Taxi/Getty Images; page 158

Index

Numbers in italics refer to terms found in photo captions.

A

a, 171
  contractions, 50, 171
  + definite article, 50, 171
  + disjunctive pronoun, 209, 279
  + indirect object, 262, 263
  + person's name, 278
  + question word, 214
abitare, present indicative, 27
Abruzzo, 1, 468–469, 506
accendere
  irregular forms, 512
  past participle, 515
addressing people, 14
adjectives
  agreeement of, 49
  -ca, 77, 415
  -co, 415
  demonstrative, 244
  descriptive, 48, 73–74
  forms, 76–77
  -ga, 77, 415
  -go, 77, 415
  indefinite, 396
  -ista, 335
  of nationality, 24–25
  -ore, 335
  plural, 415
  position, 77
  possessive, 138–139
  -ssimo, 305, 390–391
  superlative, 305
Adriatic Sea, 130, 194, *194, 468*
adverbs
  expressions of time, 57, 89, 104, 152, 183, 231
  forms, 239
aggiungere, past participle, 515
Agnelli, famiglie, *36*
Agrigento, *437*
Aida, 375
Alba, *37*
Alberobello, *195*
Alberti, Leon Battista, *55*
alcuni/e, 269, 396
Alessandria, *37*
Alfa Romeo, *36*
alphabet, 2
Alps, *36,* 222, *222*
anche, 279
Ancona, 130
ancora, 184, 238
andare
  expressions, 118, 200
  formal imperative, 422
  future tense, 323
  imperative, 271
  irregular forms, 512
  passato remoto, 401
  past participle, 202
  present conditional, 359
  present indicative, 119–120
  present subjunctive, 453
Angelico, Beato, *286*
Antonelli, Alessandro, *36*
apparire, past participle, 515
appena + future tense, 323
Appennine mountains, 130, *468*
apprendere, past participle, 515
aprire
  passato prossimo, 187
  past participle, 515

Aquila, 468, *469*
Archiginnasio, Palazzo dell', *55, 440*
-are verbs
  common, 57
  present indicative, 59
Arena di Verona, *375*
Armani, Giorgio, *86,* 87
articles
  definite
    body parts, 443
    forms, 53
    possessive adjectives, 139
    possessive pronouns, 141
    uses, 53
  indefinite, 44
  partitive, 114, 269
Assisi, *287*
assumere, past participle, 515
Assunta, Duomo dell', *223*
Astigiano, *37*
avere
  all tenses, 510
  auxiliary, 185, 307, 459
  expressions, 118, 121
  future tense, 323
  imperative, formal, 422
  imperative, informal, 271
  passato prossimo, 185
  passato remoto, 496
  + past participle, 336–337
  present conditional, 359
  present indicative, 27, 45
  present subjunctive, 453
  trapassato prossimo, 307
Avila, *468*

B

Bari, 170
Barolini, Helen, 499
baroque (architecture style), *195, 252, 436*
Bartoli, Cecilia, 217, *217*
Basilicata, 1, 506–507
Battistero, *162*
Becket, Thomas, *55*
Bellagio, *99*
Bellini, Vincenzo, 436
bello, 84–85
bene, comparison, 384
Benetton, 86, *374*
bere
  formal imperative, 422
  future tense, 323
  gerund, 329
  imperfect indicative, 230
  imperfect subjunctive, 478
  irregular forms, 512
  passato prossimo, 187
  passato remoto, 496
  past participle, 515
  present conditional, 359
  present indicative, 115
  present subjunctive, 453
Bernini, Gianlorenzo, *252, 253*
Biagiotti, Laura, 86
bicycling in Italy, 211
Bigo, *344*
biology, 461
Boccaccio, Giovanni, 3, *162*
Bolle, Roberto, 249
Bologna, *40,* 55, 68
  Università di, *55, 440*
Bolzano, *223*
Borghese, Villa, *226, 253*
Botticelli, Sandro, *162*
Brenta, *223*

Brunelleschi, Filippo, *162*
Buitoni, 286
buono
  absolute superlative, 391
  comparison, 383–384
  relative superlative, 390
burlamacco, *265*
Busseto, *69*

C

cadere, irregular forms, 512
Cage, Nicolas, 1
Calabria, 1, 314–315
calendar, Italian, 20
Caltagirone, *8*
Camera degli Sposi, 99
Campanella, Tommaso, *314*
Campania, 1, 406–407
Campanile di Giotto, *162*
Campo, Piazza del (Siena), *163*
Canal Grande, *374*
Canzoniere, 162
capire, present indicative, 90–91
Capodimonte, 406
Capra, Frank, 1
Capri, 5, *407*
Capriati, Jennifer, 499, *499*
Caravaggio, *253*
-care verbs
  future tense, 322
  present conditional, 358
  present indicative, 59
  present subjunctive, 450
Carnevale, Italian, *256, 265*
Carrà, Carlo, *37*
Caruso, Enrico, 499, *499*
Castelvecchio, *375*
Castiglione, Baldassare, *130*
Catania, Duomo di, *436*
cattivo
  absolute superlative, 391
  comparison, 383
  relative superlative, 390
Cattolica, la, *314*
C'è / Ci sono, 45
celebration, eighteen-years-old, 149
Celsius vs. Fahrenheit, 122
Cervino, *222*
che
  interrogative, 215
  relative pronoun, 301
  + subjunctive, 477
Che bello...!, 427
chi, interrogative, 215
chiedere
  irregular forms, 512
  passato prossimo, 187
  passato remoto, 496
  past participle, 515
chiudere
  irregular forms, 512
  passato prossimo, 187
  passato remoto, 400
  past participle, 515
-ciare verbs
  future tense, 322
  present conditional, 358
  present indicative, 59
  present subjunctive, 451
Cimabue, *287*
Cinecittà, *252*
Cinque Terre, *345*
cities, Italian, 170
classroom
  expressions, 7
  vocabulary, 41

clock, 24-hour, 105
cognates, 7, 63
colors, 81
Colosseum, *252*
Columbu, Franco, 1
come, 215
comic strips, Italian, 229
commands, *see* imperative
Como, Lago di, *99*
Como, Perry, 1
comparisons
  equality, 382, 383
  inferiority, 382, 383
  irregular, 383–384
  superiority, 382, 383
comprendere
  irregular forms, 512
  past participle, 515
con
  + disjunctive pronoun, 209
  + question word, 214
  use, 171
concludere, past participle, 515
conditional, present, *see* present conditional
condividere, irregular forms, 512
Condotti, Via, 87
Coni (Comitato Olimpico Nazionale Italiano), 303
conoscere
  imperfect indicative, 295
  irregular forms, 512
  passato prossimo, 187, 295
  passato remoto, 496
  past participle, 515
  present indicative, 141
  vs. **sapere**, 141
consonants
  double, 4
  single, 4
contractions, 50, 171
conversational expressions, 7
convincere, past participle, 515
Copernicus, Nicolaus, 55
Coppola, Francis Ford, 1, 499
Coppola, Sophie, 499
coprire, past participle, 515
Corea, Chick, 1
Corniglia, *345*
correggere, past participle, 515
correre
  irregular forms, 513
  past participle, 515
Corsa dei Ceri, *287*
così... come, 382, 383
cost, expressing, 180
Costa Smeralda, *315*
Courmayeur, *222*
courses, names of school, 57
crescere, irregular forms, 513
Croce, Benedetto, *468*
cui, relative pronoun, 301
cuocere
  irregular forms, 513
  past participle, 515
Cuomo, Mario, 1, 499

D

D'Angelo, Pascal, 1
D'Annunzio, Gabriele, *469*
da
  contractions, 171
  + definite article, 171
  + disjunctive pronoun, 209
  + name of person, profession, or restaurant, 209

qualche cosa/qualcosa (+ da), 396
+ question word, 214
da Montefeltro, Federico, *130*
da Panicale, Masolino, 286
da Todi, Jacopone, 286
da Vinci, Leonardo, *98, 130*
Dalla, Lucio, 217
Daniele, Pino, 217
Dante (Alighieri), 3, *3, 55, 69, 162*
Danubio, *253*
dare
  formal imperative, 422
  future tense, 322
  imperative, 271
  imperfect subjunctive, 479
  irregular forms, 513
  passato remoto, 496
  present conditional, 359
  present indicative, 146
  present subjunctive, 453
dates, giving, 19, 204
days of the week, 19
De Niro, Robert, 1, 499
De Palma, Brian, 1
Decamerone, 162
decidere
  irregular forms, 513
  passato prossimo, 187
  past participle, 515
definite articles
  body parts, 443
  forms, 53
  possessive adjectives, 139
  possessive pronouns, 141
  uses, 53
degli, 83
degrees, college, 50
dei, 83
del, 113
DeLillo, Don, 499
dell', 113
della, 113
della Francesca, Piero, *130*
delle, 83
dello, 113
demonstrative adjectives, 244
demonstrative pronouns, 244
DeSalvo, Louise, 499
desiderare + infinitive, 478
DeVito, Danny, 1
di, 171, 430
  contractions, 50, 171
  + definite article, 50, 171, 269
  + disjunctive pronoun, 209
  + question word, 214
DiMaggio, Joe, 1, 499
di Michelino, Domenico, *3*
dipendere, past participle, 515
dipingere
  passato remoto, 496
  past participle, 515
dire
  gerund, 329
  imperative, formal, 422
  imperative, informal, 271
  imperfect indicative, 230
  imperfect subjunctive, 478
  irregular forms, 513
  passato prossimo, 187
  passato remoto, 400, 496
  past participle, 515
  present indicative, 146
  present subjunctive, 453
direct-object pronouns
  agreement of past participle, 188, 261, 365, 429
  double-object, 364–365
  ecco, 147
  forms, 147, 261, 364
  gerund, 329
  infinitive, 365
  passato prossimo, 261

past infinitive, 337
  position, 147, 261, 329, 364–365
  reflexive verbs, 428–429
  uses, 147, 261
discutere
  irregular forms, 513
  past participle, 515
disjunctive pronouns
  forms, 209
  piacere, 279
  uses, 209
dividere
  irregular forms, 513
  past participle, 515
Dolce, Domenico, 87
Dolomiti, 223
Donizetti, 217
donna, festa della, *257*
Donna sotto, 87
dopo + past infinitive, 336–337
Dotta, la, 55, 68
double-object pronouns, 364–365
dove, 215
dovere
  future tense, 323
  imperfect indicative, 237, 295
  + infinitive, 478
  irregular forms, 513
  object pronouns with infinitive, 365
  passato prossimo, 237, 295
  passato remoto, 400–401
  present conditional, 351–352, 359
  present indicative, 153
  present subjunctive, 453
Ducale, Palazzo (Mantova), *99*
Ducale, Palazzo (Pesaro), *131*
Ducale, Palazzo (Urbino), *130*
Due Mondi, Festival dei, 286
Duomo, Piazza del (Milano), *98*
Duomo Santa Maria del Fiore, *3*
Dürer, Albrecht, 55

E

ecco, 42
  direct-object pronouns, 147
Egadi, *437*
eighteen-years-old, celebration, 149
Elba, 5
eleggere, past participle, 515
emigration from Italy, 492
Emilia-Romagna, 1, 68–69
entertainment, 212
Eolie, 5, *437*
Eolo, *437*
Epifania, *257*
Erasmus, Desiderius, 55
-ere verbs, present indicative, 90
esprimere, past participle, 515
essere
  all tenses, 510
  auxiliary, 202, 307, 459
  formal imperative, 422
  future tense, 323
  imperative, 271
  imperfect indicative, 230
  imperfect subjunctive, 479
  passato prossimo, 202
  passato remoto, 496
  + past infinitive, 336–337
  past participle (form), 202, 515
  piacere, 279
  present conditional, 359
  present indicative, 27
  present subjunctive, 453
  reciprocal verbs, 296
  trapassato prossimo, 307
Etna, *436*
euro, 177
European Union, 476

F

Fabriano, 130
Fahrenheit vs. Celsius, 122
family, Italian
  celebrations, 148
  extended, 136
  life, 338
  members, 135–136
  statistics, 143
Fano, 130
Faraglioni, *407*
fare
  expressions, 118, 200
  formal imperative, 422
  future tense, 322
  gerund, 329
  imperative, 271
  imperfect indicative, 230
  imperfect subjunctive, 478
  irregular forms, 513
  passato prossimo, 187
  passato remoto, 496
  past participle, 515
  present conditional, 359
  present indicative, 60
  present subjunctive, 453
fare male, 448
Farnese, Alessandro e Ottavio, *374*
farsi male, 448
fashion centers, Italian, 87
fashion, Italian, 86
Federico II, 436, *468*
Fendi, 86
Ferlinghetti, Lawrence, 1
Fermi, Enrico, 499
Ferragosta, 395
Ferrari (car), *36, 68*
Ferrari, Enzo, 68
Ferraro, Geraldine, 1, 499
Ferré, Gianfranco, 86
Ferro, Tiziano, 217
Festival Internazionale del Folclore, *469*
festivals and celebrations, Italian, 257–259
FIAT, *36*
Ficino, Marsilio, 162
F.I.G.C. (Federazione Italiana Gioco del Calcio), 303
finire, present indicative, 90–91
Florence/Firenze, 3, *3, 87, 162, 162, 163*
food and beverages, 111–112
Forum, *252*
fra, 171
  + disjunctive pronoun, 209
Francis, Connie, 1
Frattina, Via, 87
Friuli-Venezia Giulia, 1, 194–195
future progressive tense, 328–329
future tense, 322–323
  probability, 324

G

Gabbana, Stefano, 87
Galleria Nazionale delle Marche, *130*
Gange, *253*
Garda, Lago di, 374
-gare verbs
  future tense, 322
  present conditional, 358
  present indicative, 59
  present subjunctive, 450
Gargano, 194
gender of nouns, 43–44
Genoa/Genova, *344*
gerund
  forms, 328–329
  object pronouns, 329
  uses, 328

Gesù Bambino, *257*
già, 184
Giannini, Amadeo, 1
Giannini, Giovanni, 499
-giare verbs
  future tense, 322
  present conditional, 358
  present indicative, 59
  present subjunctive, 451
giocare, expressions, 118, 200
Giochi Olimpiaci Invernali, 36
Giotto, *162, 287*
Giovannitti, Arturo, *506*
Giuccini, Francesco, 217
Giuliani, Rudy, 499
Giulietta, balcone di, *375*
Giulio II, Pope, *130*
Goldoni, Carlo, 55
gondola, 374
Gonzaga, famiglia, *99*
gothic (architecture), 286
government in Italy, 474
Gran Paradiso, *8, 222*
Gran Sasso, *469*
grande
  comparison, 383–384
  relative superlative, 390
Grassa, la, 68
Greek, 7
greetings, 11–12
grocery shopping in Italy, 414
Grotta Azzurra, *407*
Gubbio, *287*
Gucci, 86

H

Hack, Margherita, 370
health assistance in Italy, 455
history of Italy, 247
holidays, 257–258
hotels in Italy, 388
housing in Italian cities, 170
hypothetical sentences, 486

I

if-clauses, 486
Il Barbiere di Siviglia, 131
immigration in Italy, 36, 485
imperative
  formal
    forms, 422
    object pronouns, 423
    uses, 421
  informal
    forms, 270–271
    negative, 271
  let's, 213
  uses, 270, 271
imperfect indicative
  forms, 230
  uses, 230–231
  vs. passato prossimo, 294–295
imperfect progressive tense, 328–329
imperfect subjunctive
  forms, 479–480
  sequence of tenses, 493
  uses, 479, 485, 486
Impero Romano d'Occidente, 69
impersonal expressions, 442, 444
in
  contractions, 171
  + definite article, 171
  + disjunctive pronoun, 209
  omission of definite article, 172
In bocca al lupo!, 235
indefinite adjectives, 396
indefinite articles, 44
indefinite pronouns, 396
indicative vs. subjunctive, 450, 477

indirect-object pronouns
  common verbs, 264
  double, 364–365
  forms, 263, 364
  gerund, 329
  infinitive, 365
  passato prossimo, 263
  past infinitive, 337
  piacere, 278–279
  position, 263, 329, 364–365
  uses, 262–263
infinitive
  impersonal expressions, 444
  object pronouns, 365
  past, 336–337
  used as imperative, 271
  vs. subjunctive, 478
interior design, Italian, 182
interrogatives, 214–215
interrompere, past participle, 515
introductions, 11–12, 13
-ire verbs, present indicative, 90–91
Ischia, 5, *407*
Isernia, *506*
Iside, Templo di, *406*
-ista adjectives, 335
-ista nouns, 213, 335

J

Jacuzzi, Roy, 1
jazz (Umbria), 286
Jefferson, Thomas, *375*
job market, Italian, 354
Jovi, Bon, 1
Juventus, *36*

K

Klein, Calvin, 86
know, ways to express, 141
Kolosimo, Peter, 1
Krizia, 86

L

La Divina Comedia, 3, *3,* 162
La Guardia, Fiorello, 499
La Motta, Jake, 1*La Muta,* 130
La Palombara, Joseph, 1
La Spezia, Golfo di, *345*
La Stazione Spaziale, 340–341
language, Italian, 3
Latin, 3, 7, 63
Lauren, Ralph, 86
Lazio, 252–253, *468*
leggere
  irregular forms, 513
  passato prossimo, 187
  passato remoto, 496
  past participle, 515
Lei vs. tu, 14
leisure-time activities, 56–57, 88,
    118, 199–200, 205
Leno, Jay, 1
Leopardi, Giacomo, *131*
let's imperative, 213
Libertà, Piazza della, *194*
Ligabue, 217
Liguria, 1, 344–345
Lingotto, *36*
Lombardy/Lombardia, 1, 8, *9,*
    98–99
Lorenzetti, Pietro, 287
Lorenzo, il Magnifico, 162
lottery in Italy, 357
Lupo Alberto, 229

M

Macerata, *131*
Madonna, 1, 499
Madonna di Campiglio, *223*
Madonnina, 98

maggiore, 383–384, 390
Maggiore, fontana, *286*
Maggiore, Lago, *9*
mai, 184, 238
male, comparison, 384
Manarola, *345*
Mancini, Henry, 1
Mantegna, Andrea, *99*
Mantova, *99*
Manzoni, Alessandro, *99*
Maranello, *68*
Marche, 130–131
Marciano, Rocky, 1, 499
Marinara, Repubblica, *407*
Martin, Dean, 1
Martini, Simone, *287*
Metaponto, *507*
Matera, *507*
meals in Italy, 114
Medici, famiglia de', *135, 162*
Medici, Giuliano de', *162*
Medici, Lorenzi de', *135, 162, 162*
meglio, 384
meno...
  che, 382, 383
  di, 382, 383, 389
metric system, 412
mettere
  irregular forms, 513
  passato prossimo, 187
  passato remoto, 496
  past participle, 515
Meucci, Antonio, 499
Michelangelo (Buonarroti), 130,
    162, 162, 252
Middle Ages/Medioevo, *162, 163,*
    252, 286
migliore, 383–384, 390
Milan/Milano, 87, 98, *344*
Milano Marittima, *68*
minore, 383–384, 390
Modena, *68*
Mole Antonelliana, *36*
Molise, 1, *468, 506–507*
molto, 76
Montale, Eugenio, *344*
Monte Bianco, *222*
Monte Rosa, *222*
Montecassiano, *131*
Montefiano, *131*
Monterosso, *345*
Monteverdi, 217
Montferrato, *37*
months of the year, 19
Monticello, *375*
morire
  irregular forms, 513
  past participle, 202, 515
Moro, Tommaso, *314*
Mosca, August, *318*
Moschino, 86
muovere, past participle, 515
Musei Vaticani, 252
Museo Nazionale di Reggio
    Calabria, *314*
music, Italian, 217
Mussolini, Benito, 474

N

names, Italian first, 17
Nannini, Gianna, 217
Naples/Napoli, *318, 406*
nascere
  irregular forms, 513
  passato remoto, 496
  past participle, 202, 515
Natale, vigilia di, *257*
nationality, expressing, 24
nation-state, 8
Navona, Piazza, *253*
ne, 364

neanche a me, 279
negative expressions, 238
nessuno, 238
never, 109
Nilo, *253*
Nobel, premio, *344, 436*
non...
  ancora, 184
  mai, 184
nouns
  -ca, 51, 77, 415
  -co, 415
  -ga, 51, 77, 415
  gender, 43–44
  -go, 51, 77, 415
  -ista, 213, 335
  -ore, 335
  plural, 51–52, 415, 442
numbers
  0–100, 21
  100–1,000,000, 179

O

object pronouns, *see* direct-object
    pronouns, double-object
    pronouns, indirect-object
    pronouns
offendere, past participle, 515
offrire
  passato prossimo, 187
  past participle, 515
ogni, 396
ognuno, 396
Orcagna, Andrea, *286*
Orvieto, Duomo di, *286*
ottimo, 391
Ovidio, *468*

P

Pacino, Al, 1, 499
Paganini, Niccolò, *344*
Paglia, Camille, 499
Palermo, 433, 436
Palio, 259, *259*
Palladio, Andrea, *375*
Panetta, Leon, 1
panforte, *163*
Pantelleria, *437*
Pantheon (Rome), *130, 375*
Paolo III, Pope, *374*
parere, past participle, 515
Parma, *69*
participles, past, *see* past participles
partire, passato remoto, 400–401
partitive articles, 114, 269
passato prossimo
  avere *(auxiliary),* 185
  essere *(auxiliary),* 202
  forms, 185, 202
  negative expressions, 238
  negative forms, 186
  uses, 185, 202
  vs. imperfect indicative, 294–295
  vs. passato remoto, 495
  weekend activities, 218
passato remoto
  forms, 401, 495–496
  narrative, 400–401
  uses, 495
  vs. passato prossimo, 495
Pasolini, Pier Paolo, *194*
past infinitive, 336–337
past participles
  agreement of, 188, 429
  forms, 202
  irregular verbs, 186–187
  regular verbs, 185
past subjunctive
  forms, 459
  uses, 459

pastimes, 56–57
Pataki, George, 1
Pausini, Laura, 217
Pavarotti, Luciano, 217
peggio, 384
peggiore, 383, 390
Pelagie, *437*
Pellegrini, Federica, 311
Pelosi, Nancy, 499
peninsula, Italian, 5, 8
per, 171
  + disjunctive pronoun, 209
  + indirect object, 262, 263
  + question word, 214
perché, 215
perdere
  irregular forms, 513
  passato prossimo, 187
  past participle, 515
permettere, past participle, 515
Perugia, *286*
Perugina, *286*
Perugino, *286*
Pesaro, *131*
Pescara, *469*
Pescasseroli, *468*
pessimo, 391
Petrarca, Francesco, 3, 55, 162
phone numbers, Italian, 29
piacere, 88–89, 115, 278–279
  irregular forms, 513
  present subjunctive, 453
piangere
  irregular forms, 513
  past participle, 515
Piano, Renzo, *344*
piazza, Italian, 425
piccolo
  comparison, 383–384
  relative superlative, 390
Piedmont/Piemonte, 36–37
Pilotta, Palazzo della, *69*
Pinturicchio, 286
Pirandello, Luigi, 436
Pisa, *9*
più..., 238
  che, 382, 383
  di, 382, 383, 389
Platone, *314*
Po River, *36*
poco, 76
Poliziano, Angelo, 162
Pomodoro, Arnaldo, 247
Pompeii/Pompei, *406*
Pope (Papa), 252
Popolo, Piazza del (Pesaro), *131*
porre, irregular forms, 513
portici, *68*
Porto Antico, *344*
Porto Rotondo, *315*
Portofino, *345*
Positano, *407*
possession
  adjectives, 138–139
  expressing, 25
  pronouns, 140–141
potere
  future tense, 323
  imperfect indicative, 237, 295
  + infinitive, 478
  irregular forms, 513
  object pronouns with infinitive,
    365
  passato prossimo, 237, 295
  present conditional, 351–352,
    359
  present indicative, 153
  present subjunctive, 453
Prada, Miuccia, 86, 87
preferire
  + infinitive, 478
  present indicative, 90–91

premio Nobel, *344, 436*
prendere
  irregular forms, 514
  passato prossimo, 187
  passato remoto, 496
  past participle, 515
  uses, 276
prepositions, 49, 168, 171–172; *see also* **a, con, di, da, fra, in, per, su, tra,** etc.
present conditional
  forms, 358–359
  hypothetical sentences, 493
  uses, 351–352, 358
present indicative
  forms, 59, 90–91
  uses, 59
present progressive tense, 328–329
present subjunctive
  forms, 450–451, 453
  sequence of tenses, 493
prima di + infinitive, 336
probability, future, 324
Procida, *407*
produrre, past participle, 515
progressive tenses, 328–329
promettere, past participle, 515
promuovere, past participle, 515
pronouns
  demonstrative, 244
  direct-object
    agreement with past participle, 188, 261, 365, 429
    double-object, 364–365
    ecco, 147
    forms, 147, 261, 364
    gerund, 329
    infinitive, 365
    passato prossimo, 261
    past infinitive, 337
    position, 147, 261, 329, 364–365
    reflexive verbs, 428–429
    uses, 147, 261
  disjunctive, 209, 279
  double-object, 364–365
  indefinite, 396
  indirect-object
    common verbs, 264
    double-object, 364–365
    forms, 263, 364
    gerund, 329
    infinitive, 365
    passato prossimo, 263
    past infinitive, 337
    piacere, 278–279
    position, 263, 329, 364–365
    uses, 262–263
  possessive, 140–141
  reflexive, 107, 137, 296
  relative, 301
  stressed, *see* disjunctive pronouns
  subject, 15
pronunciation, 2
proteggere, past participle, 515
Puccini, 217
Puglia, 1, 194–195
pulire, present indicative, 90–91
Punta Volpe, *315*
Puzo, Mario, 1

Q

quadrilatero della moda, 87
qualche, 269, 396
qualche cosa, 396
qualcosa, 396
qualcuno, 396
quale/quali, 215
qualunque, 396
quando, 215
  + future tense, 323

quantity, expressing, 83, 113–114, 269
quanto/a/i/e, 76, 215
Quargnento, *37*
Quasimodo, Salvatore, 436
Quattro Fiumi, Fontana dei, *253*
quello, 84, 244
question words, 214–215
questo, 244

R

raggiungere, past participle, 515
Ravenna, *69*
readings
  Dal medico, 463–464
  Mare, 402–403
  "Wash," 501–502
reading strategies
  combining reading strategies, 463
  guessing meaning from context, 311
  making assumptions about content, 219
  making inferences, 249
  reading a play, 500
  recognizing and using cognates, 63
  recognizing the *passato remoto* tense, 400
  scanning to locate specific information, 191
  skimming, 283
  understanding a poem, 340
  understanding geographical references, 432
  understanding interviews, 157
  understanding linking words, 369
  using illustrations to understand content, 94
  using title and subtitles to anticipate content, 126
  using visual clues, 31
reciprocal verbs, 137, 296
reflexive pronouns, 107, 137, 296
reflexive verbs
  common, 103–104
  compound tenses, 429
  direct-object pronouns, 428–429
  negative, 108
  passato prossimo, 202
  present indicative, 107–108
Reggio Calabria, *314*
regions, Italian, 1
relative pronouns, 301
Renaissance/Rinascimento, *130, 162, 162, 252, 286*
rendere, past participle, 515
restaurants, Italian, 276
Riace, *314*
Riccione, *68*
richiedere, past participle, 515
ridere
  irregular forms, 514
  past participle, 515
rimanere
  irregular forms, 514
  past participle, 202, 515
Rimini, *68*
Rio della Plata, *253*
Riomaggiore, *345*
Ripabottoni, *506*
risolvere, past participle, 515
rispondere
  irregular forms, 514
  passato prossimo, 187
  past participle, 515
riviera romagnola, *68, 68*
Rodari, Gianni, 340
Roman Empire, 252
Romance languages, 3

Rome/Roma, 5, 87, 252, *253*
  ancient, *252*
rompere, past participle, 515
Rossi, Vasco, 217
Rossini, Gioacchino, *131,* 217
Rotonda (Villa Capra), *375*

S

Salerno, University of, 62
salire, irregular forms, 514
San Benedetto, 286
San Francesco, 286
San Francesco, Basilica di, 287
San Gimignano, *163*
San Giovanni, Loggia di, *194*
San Lorenzo, Duomo di, 286
San Marco, Basilica di (Venezia), *374*
San Marino, Republic of, 5
San Martino di Castrozza, *223*
San Pietro, Basilica di, *252*
San Pietro, Piazza, *252*
San Vitale, Basilica di, *69*
Sant'Ubaldo, 287
Santa Caterina, *163*
Santa Chiara, 286
Santa Croce, Basilica di, *195*
Santa Maria del Fiore, Duomo di, *162*
Santa Maria della Grazie, Chiesa di, *98*
Santa Maria della Salute, *374*
Santa Rita, 286
Sanzio, Raffaello, *130*
sapere
  formal imperative, 422
  imperfect indicative, 295
  irregular forms, 514
  passato remoto, 295, 496
  present conditional, 359
  present indicative, 141
  present subjunctive, 453
  vs. **conoscere,** 141
Sardinia/Sardegna, 1, 5, 8, *8,* 314–315
Sassi, *507*
Scala, Cangrande II della, *375*
Scala, Piazza della, *98*
Scala, teatro alla, *98*
Scalia, Antonino, 1
Scarlatti, Alessandro, 436
scegliere
  irregular forms, 514
  past participle, 515
scendere
  irregular forms, 514
  past participle, 515
school sports, Italian, 303
schools, Italian, 236
Sciascia, Leonardo, 436
scommettere, past participle, 515
scoprire, past participle, 515
Scorsese, Martin, 1, 499
scrivere
  irregular forms, 514
  passato prossimo, 187
  passato remoto, 400, 496
  past participle, 515
se
  + future tense, 323
  hypothetical sentences, 486
  + imperfect subjunctive, 486
seasons of the year, 117
sedere, irregular forms, 514
Shakespeare, William, *375*
shopping in Italy, 414
si impersonale, 208
Sicily/Sicilia, 1, 5, 8, 436–437
Siena, *163,* 259, *259*
Signorelli, Luca, 286
Sinatra, Frank, 1, 499

Siracusa, *436*
Sistema Sanitario Nazionale, 455
soffrire, past participle, 515
sorridere, past participle, 515
Spagna, Piazza di, 87
speaking strategies
  a formal presentation, 499
  asking questions to gather information, 125
  collaborating with classmates, 399
  describing people, 93
  exchanging information, 31
  expressing likes and dislikes, 282
  greeting people, 31
  interviewing a classmate, 248
  making introductions, 31
  organizing information before you speak, 63
  organizing your ideas to discuss problems and solutions, 462
  planning what you want to say, 156
  preparing for a discussion, 368
  relating past events, 190
  talking about future plans, 339
  talking about what you did on the weekend, 218
  thinking through what you need to say in a given situation, 431
  using details and examples, 310
spegnere, past participle, 515
spelling, 3
spendere
  irregular forms, 514
  passato prossimo, 187
  past participle, 515
Spoleto, 286
sports, 56–57
sports, Italian, 211
Springsteen, Bruce, 1
-ssimo, 305, 390–391
Stallone, Sylvester, 1, 499
stare
  formal imperative, 422
  future tense, 322
  + gerund, 328–329
  imperative, 271
  imperfect subjunctive, 479
  irregular forms, 514
  past participle, 202
  present conditional, 359
  present indicative, 16
  present subjunctive, 453
Stella, Frank, 499
Stilo, *314*
Stranieri, Università per, *286*
stress, word, 5
stressed pronouns, *see* disjunctive pronouns
su
  contractions, 171
  + definite article, 171
  + disjunctive pronoun, 209
subject pronouns, 15
subjects, academic, 57
subjunctive
  imperfect
    forms, 479–480
    sequence of tenses, 493
    uses, 479, 485, 486
  past
    forms, 459
    uses, 459
  present
    forms, 450–451, 453
    sequence of tenses, 493
    uses, 450, 451
    vs. indicative, 450, 477
    vs. infinitive, 478
succedere, past participle, 515

suffixes, 243
Sulmona, *468*
superlative
  absolute, 305, 390–391
  relative, 389–390
Svevo, Italo, *194*

T

tanto... quanto, 382, 383
Taormina, *410, 436*
Tarantino, Quentin, 499
Tasso, Torquato, 55
telephones in Italy, 331–332
temperatures, 122
tenere, irregular forms, 514
tenses, *see also* individual tenses for
  more detail
  future, 322–323, 324
  imperfect indicative, 230–231,
    294–295
  imperfect subjunctive, 479–480,
    485, 486, 493
  passato prossimo, 185, 186, 202,
    218, 238, 294–295, 495
  passato remoto, 400–401,
    495–496
  past subjunctive, 459
  present conditional, 351–352,
    358–359, 493
  present indicative, 59, 90–91
  present subjunctive, 450–451,
    453, 493
  progressive, 328–329
  trapassato prossimo, 306–307
Tevere, 286
Thyrrenean coast, 252
Tiberio, Emperor, *407*
time
  expressions of, 57, 89, 152, 183,
    231
  telling, 104
titles with names, 12, 18
Todds and Hogan, 130
togliere, past participle, 515
Tomasi di Lampedusa, Giuseppe,
  436
Tombe Medicee, *162*
Tomei, Marisa, 499
Topolino, 229
Torino, *36, 344*
Torre del Mangia (Siena), *163*
Toscanini, Arturo, 69
tourism in Italy, 308
tra, 171
  + disjunctive pronoun, 209
transportation in Italy, 242, 381
trapassato prossimo, 306–307
Trasimeno, Lago, 286
travel in Italy, 381, 395
Trentino-Alto Adige, 222–223
Treviso, 374
Trieste, *194*
troppo, 76
trulli, *195*
tu vs. Lei, 14
Turturro, John, 1, 499
Tuscany/Toscana, *3, 9, 162–163*
tutto/a/i/e, 363, 396

U

Uccello, Paolo, 130
Udine, *166, 194*Ultima Cena, *98*
Umbria, 286–287
un po' di, 269
UNESCO, *375, 437*
universities, Italian, 50
Urbino, *130*

uscire
  formal imperative, 422
  irregular forms, 514
  present indicative, 119–120
  present subjunctive, 453
Ustica, *437*

V

vacations, Italian, 395
Valentino (Italian fashion designer),
  86
Valentino, Rodolfo (actor), 1
Valle d'Aosta, 8, *8, 222–223*
Valle dei Templi, *437*
Valmontey, Valle di, *222*
Vatican City/Città del Vaticano, 5,
  247, 252
Vecellio, Tiziano, *374*
vedere
  future tense, 323
  irregular forms, 514
  passato prossimo, 187
  passato remoto, 496
  past participle, 515
  present conditional, 359
Veneto, *9, 374–375*
Venice/Venezia, *9, 194, 374*
venire
  formal imperative, 422
  future tense, 323
  irregular forms, 514
  passato remoto, 496
  past participle, 202, 515
  present conditional, 359
  present indicative, 119–120
  present subjunctive, 453
Venuti, Joe, 1
verbs
  -are, present indicative, 57, 59
  -care, 59, 322, 358, 450
  -ciare, 59, 322, 358, 451
  + **di**, 478
  -ere, present indicative, 90
  -gare, 59, 322, 358, 450
  -giare, 59, 322, 358, 451
  -ire, present indicative, 90–91
  irregular, 512–515
  passato prossimo, 185, 202
  reciprocal, 137, 296
  reflexive, 103–104, 107–108,
    202, 428–429
  regular, all tenses, 511–512
Verdi, Giuseppe, 69, 217, *375*
Verga, Giovanni, 436
Vernazza, *345*
Verona, 374
Versace, Donatella, 86, 87
vestiti firmati, 86
Vesuvius/Vesuvio, *406*
Viareggio, Carnevale di, *265*
Victor Emmanuel II, King, 8
Vieste, *194*
viewing strategies
  anticipating content, 66
  anticipating words and
    expressions, 35
  focusing on body language, 312
  focusing on key words, 404
  focusing on people's actions and
    settings, 434
  listening for details, 343
  observing cultural differences,
    193
  paying attention to visual clues,
    97
  reviewing relevant vocabulary,
    160

understanding opinions, 504
understanding people's
  preferences, 284
understanding people's
  recollections, 251
using background knowledge to
  anticipate content, 466
using lines of dialogue to
  anticipate content, 220
viewing critically, 372
viewing with a purpose, 128
Villa Capra, *375*
vincere, past participle, 515
Viterbi, Andrea, 1, 499
Vittorio Emanuele, Galleria, *98*
vivere
  future tense, 323
  irregular forms, 514
  past participle, 515
  present conditional, 359
vocabulary
  accidents, 299
  activities after graduation, 334
  appliances in the house, 175
  body parts, 441, 442
  bus, 379
  business, 349
  childhood activities and
    description, 227
  city life, 362
  city places, 411
  classroom, 41
  clothing and accessories, 81,
    426–427
  colors, 81
  common **-are** verbs, 57
  competitions, 299
  daily activities, 56–57, 183, 319
  describing buildings and places,
    48–49
  describing people, 73–74
  descriptive adjectives, 48, 73–74
  dreams and desires, 355
  ecology, 456–457
  emigration, 490
  entertainment, 212
  environment, 241
  expressing doubt, 320
  expressing intentions, 319–320
  expressing the future, 320
  expressions of courtesy, 12
  family, 135–136
  family celebrations, 144
  festivals and celebrations,
    257–258
  food and beverages, 111–112,
    267
  furniture, 167
  giving directions, 419
  government, 473
  greetings, 11–12
  grocery shopping, 411–412
  health, 441
  hotel, 386–387
  household chores, 151–152, 183
  housing, 167–168, 362
  illnesses, 447
  immigration, 482
  introductions, 11–12
  jobs, 349–350
  leisure-time activities, 88, 118,
    199–200
  life milestones, 291–292
  medical, 447
  morning routine, 103–104
  movies, 212
  music, 212
  nightlife, 212

personal information, 23–24
physical characteristics, 73–74
place settings, 267
prepositions, 49
professions, 334, 349
restaurant, 275–276
rooms of the house, 167
running errands, 420
school, 234–235
seasons of the year, 117
shopping for clothing, 426–427
social issues, 355
sports, 56–57, 118, 206
technology, 456–457
telephone expressions, 326
theater, 212
titles with names, 12
train, 379–380
transportation, 241, 379–380
travel, 304, 386–387, 393
vacation, 304, 386–387, 393
weather expressions, 117–118
volere
  future tense, 323
  imperfect indicative, 237, 295
  + infinitive, 478
  irregular forms, 514
  object pronouns with infinitive,
    365
  passato prossimo, 237, 295
  passato remoto, 496
  present conditional, 351, 359
  present indicative, 153
  present subjunctive, 453
vowels, 3
Vulcano, *437*

W

weather
  expressions, 117–118
  forecasting, 123
weights and measures, 412
What a . . . !, 427
writing strategies
  comparing and contrasting, 403
  expressing opinions, 503
  filling out a form, 33
  giving suggestions and advice,
    465
  providing written instructions,
    434
  recollecting people and places,
    250
  relating a past event, 220
  telling a story in the past, 312
  using examples and supporting
    details, 371
  using semantic mapping to
    generate and organize ideas,
    65
  using unstructured brainstorming
    to generate ideas, 342
  writing a business message, 192
  writing a good topic sentence,
    284
  writing a personal ad, 96
  writing an e-mail, 127
  writing notes for special
    occasions, 159

Y

year, expressing the, 204
you, ways to say, 14

Z

Zappa, Frank, 1

OCEANO

ATLANTICO

Mare
del
Nord

Mare Baltico

SVEZIA

FINLANDIA

NORVEGIA

ESTONIA

LATVIA

LITHUANIA

DANIMARCA

IRLANDA

GRAN
BRETAGNA

PAESI BASSI

POLONIA

BELGIO

GERMANIA

REPUBBLICA
CECA

SLOVACCHIA

FRANCIA

SVIZZERA

AUSTRIA

UNGHERIA

SLOVENIA

ROMANIA

CROAZIA

BOSNIA-
ERZEGOVINA

Mare Ligure

Mare Adriatico

SERBIA

CORSICA
(FRANCIA)

ITALIA

MONTENEGRO

SPAGNA

MACEDONIA

SARDEGNA

ALBANIA

Mare
Tirreno

GRECIA

Mare
Ionio

M a r e   M e d i t e r r a n e o

SICILIA

MAROCCO

ALGERIA

TUNISIA